Les règles et les sons

François Dell

Les règles et les sons

INTRODUCTION À LA PHONOLOGIE GÉNÉRATIVE

COLLECTION SAVOIR HERMANN

FRANÇOIS DELL, né en 1943, a fait des études de lettres classiques et de chinois. Il a séjourné de 1964 à 1966 à l'Université de Pékin comme étudiant boursier, et de 1967 à 1970 comme assistant de recherche au Massachusetts Institute of Technology. Entré au C.N.R.S. en 1972, il appartient au Centre de Recherches Linguistiques sur les Langues d'Asie Orientale et se consacre à la phonologie du Français, des dialectes chinois et d'autres langues du sud de la Chine.

ℓ C

ISBN 2-7056-5768-1

à p.q.m.

Table

7

Avant-propos

Par phonologie générative on entend communément la théorie phonologique développée par Chomsky, Halle et leurs collaborateurs depuis bientôt vingt ans, développement qui a été couronné par la publication en 1968 d'un ouvrage fondamental, *The Sound Pattern of English* *. La redéfinition complète des buts et des méthodes de la linguistique a introduit dans l'étude des systèmes phoniques un bouleversement dont il est grand temps que l'on mesure la portée. La notion de règle a pris le pas sur celle d'opposition distinctive. La ligne de clivage entre phonologie et morphologie s'est déplacée. L'interaction entre phonologie et syntaxe occupe enfin la place centrale qui lui revient. Les travaux ne manquent pas qui exposent la démarche nouvelle et montrent sa supériorité sur d'autres plus anciennes, mais ils sont pour la plupart rédigés en anglais **, et il faut être assez bien informé des problèmes et des méthodes de la linguistique actuelle pour pouvoir en faire son profit. Mon ambition est double : permettre à un large public sans connaissances particulières en ce domaine de se faire une première idée de ce qu'est la phonologie, et aider les linguistes formés à l'école de théories plus anciennes à distinguer dans l'amas des détails secondaires (mais nécessaires) les quelques idées simples qui font la fécondité de l'approche générative.

---

* Une traduction française des chapitres 1, 2, 7, 8 et 9 de ce livre par P. Encrevé a été publiée aux éditions du Seuil sous le titre *Principes de phonologie générative*.
** Je pense notamment à Chomsky (1964), Chomsky et Halle (1965 ; 1968), Postal (1968). Une exception notable est Halle (1962), dont une traduction française a paru dans Schane, éd., (1967).

Cette théorie est encore à l'état d'ébauche sur bien des points, et en constant remaniement. Il aurait été vain de vouloir dresser un inventaire complet d'un système en pleine évolution. Mon but a plutôt été d'essayer de communiquer une certaine attitude d'esprit en face des théories et des faits. On ne s'étonnera donc pas de voir simplement effleurés ou même passés sous silence des sujets aussi importants que la mesure d'évaluation des grammaires et le statut des schémas de règles, le principe d'application cyclique, l'ordre disjonctif. Il ne s'agissait pas de récapituler le contenu d'un certain nombre de livres et d'articles fondamentaux, mais d'en rendre l'abord plus facile.

Ce livre est divisé en deux parties. Le contenu de la première partie justifie le sous-titre donné à l'ouvrage : Introduction à la phonologie générative. Les chapitres I et II constituent un long préambule où sont progressivement mises en place les notions fondamentales. Le chapitre I explique ce qu'est une grammaire générative et quel rôle y joue la composante phonologique. Au chapitre II sont introduits les concepts centraux de la phonologie : représentations phonétiques et représentations phonologiques, règles phonologiques. Chapitre I, la toile de fond ; chapitre II, les accessoires ; la représentation ne commence véritablement qu'au chapitre suivant. Pour saisir pleinement la portée d'un système de concepts, un seul moyen, s'en servir. Le chapitre III est donc tout entier consacré au traitement d'exemples concrets empruntés à deux langues amérindiennes, le Zoque et le Yokuts. Partant d'un ensemble d'alternances consonantiques ou vocaliques qui occupent une place centrale dans la phonologie de ces langues, j'examine les règles phonologiques qui en rendent compte et la façon dont ces règles interagissent, tout en ajoutant divers compléments aux notions introduites aux chapitres précédents.

La deuxième partie du livre est consacrée à un réexamen de certains problèmes classiques posés par la phonologie du français contemporain. Le fait que les matériaux employés soient familiers au lecteur n'empêche pas cette seconde partie d'être plus difficile que la première. Alors qu'aux chapitres précédents il s'agissait avant tout d'illustrer un certain nombre de points théoriques à l'aide d'exemples bien circonscrits, le propos de cette seconde partie est de faire voir à quoi ressemble un pan assez étendu de description liguistique, sans omettre les problèmes de détail ni taire les lacunes ou les zones d'incertitude qui restent ouvertes en l'état présent de la théorie. Le but du chapitre IV reste avant tout pédagogique ; je me suis attaché à reconstruire pas à pas la démarche qui conduit à postuler un phonème schwa dans les représentations sous-jacentes du français. Les chapitre V et VI consistent en un exposé de caractère plus technique où sont examinées en détail diverses règles phonologiques du français.

Les lecteurs qui veulent simplement prendre un premier contact avec la phonologie peuvent s'arrêter à la fin du chapitre IV et passer directement à la conclusion.

Ma gratitude va d'abord à mon maître Morris Halle, pour cette fougue à instruire les autres et à en être instruit qu'il a le don de communiquer autour de lui, pour le temps et la patience qu'il m'a consacrés pendant trois ans. Ma dette intellectuelle à son égard et à l'égard de Noam Chomsky est immense. Je dois aussi beaucoup à Kenneth Hale, Paul Kiparsky, et aux autres linguistes de l'équipe du M.I.T.

Je remercie Alexis Rygaloff qui a guidé mes premiers pas en linguistique et m'a prodigué ses encouragements constants depuis. Je remercie également Dan Sperber, qui m'a suggéré d'écrire ce livre et aux avis duquel sa forme définitive doit beaucoup, Venios Angelopoulos, Hans Basbøll, Jean-Élie Boltanski, Coucoune, Catherine Gipoulon, Richard Kayne, David Perlmutter, Nicolas Ruwet, Alexis Rygaloff, Elisabeth Selkirk, Dan Sperber, Ginette Tornikian, Suzanne Tyč et p.q.m., qui l'ont lu en entier ou en partie et m'ont fait profiter de leurs suggestions, et enfin Maurice Gross et Anne Nau, dont l'aide m'a été précieuse pour la préparation du manuscrit.

PREMIÈRE PARTIE

Notions fondamentales

I Langues et grammaires

LA CORRESPONDANCE SON-SENS

La linguistique est l'étude des langues, et la phonologie celle de leur prononciation. Les hommes communiquent entre eux en articulant certains sons. Ces sons ont une certaine signification. Chaque phrase prononcée a deux faces : son et sens. Les sons sont en quelque sorte le support matériel du sens. Pierre adresse la parole à Paul : *quand est-ce que Marie arrivera?* Cette phrase a une prononciation consistant en une succession de sons qu'on représente à l'aide de symboles spéciaux[1] entre crochets carrés : [kãtɛskœmariarivra]. Elle a d'autre part un sens : « celui qui parle demande à celui auquel il s'adresse de lui indiquer quand Marie arrivera ». Entre la bouche de Pierre et les oreilles de Paul, c'est du son qui se propage, pas du sens. Mais si le son de la phrase est la seule chose qui soit transmise de Pierre à Paul, comment Paul réussit-il à en pénétrer le sens?

Chaque langue associe son et sens en un jeu de correspondances régies par des règles strictes. Pierre et Paul savent le français, c'est-à-dire qu'ils possèdent la clef du système de correspondance particulier entre son et sens qui caractérise la langue française. C'est grâce à cette clef que Paul peut rétablir ce que Pierre a voulu lui communiquer en articulant la séquence [kãtɛskœmariarivra]. Les différents sons sont autant d'indices matériels fournis par Pierre pour aider Paul dans cette restitution. De son côté, Pierre se trouve dans une situation en quelque sorte symétrique de celle de Paul. Tandis que Paul doit découvrir le sens qui correspond aux sons [kãtɛskœmariarivra],

---

1 Ce sont les symboles phonétiques, qui sont spécialement conçus pour noter les sons du langage. Pour les valeurs attachées aux principaux symboles phonétiques utilisés dans ce livre, cf. p. 1.

la tâche de Pierre a consisté à trouver et à prononcer correctement une séquence de sons dont le sens soit exactement « celui qui parle demande à celui auquel il s'adresse de lui indiquer quand Marie arrivera ». Comprendre ce qui est dit et parler sont certes deux activités très différentes, mais l'une et l'autre présupposent que le sujet maîtrise ce système de correspondance entre son et sens qu'est une langue.

On considère souvent les langues comme des codes d'un genre particulier. Prenons par exemple un code chiffré où chaque lettre de l'alphabet est représentée par un nombre de deux chiffres fixé arbitrairement : *61* représente *A*, *23* représente *B*, *12* représente *C* et ainsi de suite. La séquence de nombres *23-12-61-12* représente la séquence de lettres *B-C-A-C*. Ou encore : *B-C-A-C* est le sens du message *23-12-61-12* dans le code en question. Pour définir complètement ce code il suffit de dresser une liste de correspondances — un lexique — dans laquelle chacune des vingt-six lettres de l'alphabet figure avec en regard le nombre qui lui est associé. Imaginons deux personnes X et Y qui correspondent à distance à l'aide de ce code. Elles possèdent l'une et l'autre un exemplaire du lexique. Si X veut par exemple communiquer à Y le sens *A-A-C-B*, il consulte son lexique et remplace successivement chacune des lettres par le nombre voulu. Il obtient ainsi le message *61-61-12-23*, qu'il fait parvenir à Y. De son côté, Y déchiffre le message qu'il a reçu en effectuant l'opération inverse : il cherche successivement dans son lexique la lettre qui correspond à chacun des nombres de la séquence *61-61-12-23* et rétablit ainsi le sens *A-A-C-B*. Les langues ont évidemment une structure infiniment plus complexe que ce code numérique. Mais l'analogie fait voir clairement la relation qui existe entre le son et le sens des phrases, ainsi que les rôles respectifs de celui qui parle et de celui qui écoute dans l'acte de communication.

Supposons maintenant qu'une tierce personne Z désire percer à jour le code dont X et Y se servent pour communiquer, mais qu'il lui soit impossible d'obtenir un exemplaire de leur lexique. Il reste encore à Z un autre moyen : se procurer un échantillon « bilingue » de leur correspondance, par exemple le carnet où Y consigne les messages qu'il reçoit de X, avec en regard de chacun son sens « en clair ». Z ne tardera pas à découvrir qu'à la lettre *A* correspond toujours le nombre *61*, à la lettre *B* le nombre *23*, etc., et il pourra de cette manière reconstituer le lexique dont se servent X et Y. On fait souvent remarquer que les linguistes qui veulent décrire le mécanisme d'une langue se trouvent dans une situation similaire à celle de Z. Les linguistes n'ont pas directement accès au code de cette langue. Ce code est entreposé dans le cerveau de chacun des sujets parlants, et ceux-ci n'ont conscience ni du code qu'ils utilisent ni des opérations mentales complexes qu'ils effectuent lorsqu'ils parlent ou qu'ils interprètent les paroles des autres. C'est donc en examinant systématiquement les phrases prononcées par les sujets parlants et le sens que ceux-ci leur attribuent que les linguistes pensent parvenir à décrire le mécanisme des langues.

En quoi peut bien consister le code de la langue française? La première idée qui vient à l'esprit est qu'il s'agit d'un gigantesque dictionnaire de phrases qui contient toutes les phrases de la langue française, avec pour chacune la description complète de son sens et de sa prononciation. Apprendre la langue française, ce serait apprendre individuellement chacune de ces phrases, et la décrire ce serait en dresser le catalogue exhaustif. Cette hypothèse est insoutenable. Elle implique entre autres que nous ne sommes capables de produire ou de comprendre une phrase qu'à condition de l'avoir déjà rencontrée au moins une fois : la fois où nous l'avons apprise. Miller (1970 : 82) a calculé qu'une langue contenait environ cent milliards de milliards de phrases de vingt mots, et qu'il faudrait cent milliards de siècles pour les prononcer toutes à la file. Les phrases que nous entendons ou prononçons à chaque instant ont à nos oreilles une consonance familière, et pourtant, pour l'immense majorité d'entre elles, il est absolument exclu que nous les ayons déjà entendues auparavant, ou même qu'elles aient jamais été prononcées par quiconque. D'ailleurs le nombre des phrases de n'importe quelle langue n'est pas simplement astronomique, on peut montrer qu'il est infini. Chacun de nous est capable de prononcer et de comprendre une infinité de phrases qu'il rencontre pour la première fois, c'est ce qu'on appelle la créativité du langage[2]. Les phrases toutes faites comme *quelle heure est-il?* ou *qui est à l'appareil?* sont une infime minorité.

Au sens particulier où nous prenons ce mot ici, la créativité n'est pas limitée à la fonction du langage. C'est une propriété essentielle de l'esprit humain qui se manifeste dans la plupart des processus cognitifs. Prenons par exemple l'addition des nombres entiers. Étant donné deux nombres entiers quelconques, l'addition est une correspondance qui leur en associe un troisième, leur somme. Par exemple la somme des entiers 98317501 et 134 est l'entier 98317635. Comme il existe une infinité de nombres entiers, le nombre des paires d'entiers dont on peut calculer la somme est également infini. Il est donc exclu que quelqu'un puisse dresser la liste exhaustive de toutes les additions possibles, et a fortiori qu'il puisse apprendre cette liste par cœur. Et pourtant chacun de nous est théorique-

---

2 On distinguera entre les langues (russe, anglais, chinois, etc.) et le langage, qui est la faculté qui permet à l'homme d'apprendre les langues et de s'en servir pour communiquer avec ses semblables.

ment capable d'additionner n'importe quels entiers, aussi grands soient-ils. Les seules limitations à notre capacité d'additionner sont d'ordre matériel : nous ne disposons jamais que d'une quantité finie de temps, de papier, d'énergie, etc. Les règles de l'addition sont parfaitement générales : elles valent pour toutes les additions sans exception, et déterminent sans équivoque la somme de n'importe quelle paire d'entiers. Les opérations arithmétiques que nous effectuons journellement sont pour la plupart nouvelles pour nous, et pourtant elles ne recèlent pas la moindre parcelle d'imprévu. Leur résultat est fixé d'avance, contenu implicitement dans les quelques règles simples que nous avons apprises à l'école.

Nous venons de voir que les règles de l'addition permettent d'établir une correspondance entre deux ensembles infinis : l'ensemble infini des paires d'entiers et l'ensemble infini des entiers. Cette correspondance est représentée ci-dessous :

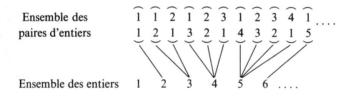

Nous avons vu d'autre part que les sujets parlants sont capables de produire et de comprendre une infinité de phrases, c'est-à-dire d'établir une correspondance entre deux ensembles infinis : un ensemble infini de prononciations et un ensemble infini de significations. Appelons respectivement P et S ces deux ensembles. Cette correspondance n'est pas simple. Une suite de sons admet souvent plusieurs sens distincts, et deux suites de sons distinctes peuvent avoir même sens. Ainsi les phrases *vous la prendrez* et *vous l'apprendrez* se prononcent de façon absolument identique ; c'est-à-dire que la suite de sons [vulaprãdre] admet deux sens distincts, « vous la prendrez » et « vous l'apprendrez » [3]. D'autre part le membre de phrase *votre retour* peut se prononcer en quatre syllabes ([vɔtrœrœtur]) ou en trois seulement (*vot'retour* [vɔtrœtur]). Cette seconde prononciation est absolument identique à l'une des prononciations possibles de *votre tour*, qui se prononce [vɔtrœtur] et [vɔttur] (*vot'tour*). Voici donc un petit échantillon de la correspondance que le système du français permet d'établir entre son et sens :

---

3 Lorsque deux formes ont la même prononciation on dit qu'elles sont homophones. On dit qu'une séquence de sons est ambiguë lorsqu'elle admet plusieurs sens.

Ensemble P   Ensemble S

(a) « vous l'apprendrez à votre retour »

[vulaprãdreavɔtrœrœtur] (1)

(b) « vous la prendrez à votre retour »

[vulaprãdreavɔtrœtur] (2)

(c) « vous l'apprendrez à votre tour »

[vulaprãdreavɔttur] (3)

(d) « vous la prendrez à votre tour »

La prononciation (1) peut avoir les sens (a) ou (b), mais pas (c) ou (d); la prononciation (3) peut avoir les sens (c) ou (d), mais par (a) ou (b). Enfin la prononciation (2) peut avoir les sens (a), (b), (c) et (d). Des douze combinaisons concevables a priori, seules sont exclues les quatre paires son-sens (1, c), (1, d), (3, a) et (3, b). Rappelez-vous que les prononciations (1), (2) et (3) de l'exemple précédent ne sont jamais que trois éléments pris dans l'ensemble infini P de toutes les séquences de sons qui sont des prononciations possibles en français. De même les sens (a), (b), (c) et (d) sont quatre éléments pris dans l'ensemble infini S de toutes les significations qui peuvent être communiquées en français. Et notre but est de découvrir la nature exacte de la correspondance que savent établir entre P et S tous ceux qui savent le français. Or définir avec précision cette correspondance implique de pouvoir définir avec précision les ensembles P et S. Prenons le cas de P. N'importe quelle séquence de sons n'est pas la prononciation d'une phrase française. La séquence [vazi] en est une (*vas-y!*), mais pas les séquences [aizv], [zavi] ou [vzia]. Interrogez n'importe quel français, il en conviendra sans hésitation. Quelqu'un qui sait le français sait non seulement faire correspondre d'une certaine manière son et sens, il sait aussi, étant donnée n'importe quelle séquence de sons, distinguer s'il s'agit d'une séquence bien formée ou non — « bien formé » au sens où nous l'employons ici ne veut pas dire conforme aux normes du « français correct ». Le « français correct » est défini par les grammaires normatives, dont l'objet est de prescrire certaines façons de parler et d'en proscrire d'autres : « ne dites pas *on a été à Paris*, mais dites *nous sommes allés à Paris.* » Le linguiste décrit la façon dont les gens parlent effectivement. Nous ferions la différence entre [vazi] et [aizv] même si on ne nous avait jamais dit qu'il y a des façons de parler qui sont plus « correctes » que d'autres. La plupart des règles qui régissent notre comportement linguistique ne nous ont pas été enseignées

19

explicitement. Nous les avons intériorisées inconsciemment en apprenant notre langue maternelle. C'est ces règles-là que le linguiste se propose d'expliciter, et c'est à elles que renvoie l'expression « bien formé ». En ce sens des phrases comme *on a été à Paris, t'as mangé quoi ?* sont bien formées, et le fait qu'elles soient proscrites par les puristes n'est pas pertinent de notre point de vue[4].

En conclusion, une langue est caractérisée par une certaine correspondance entre deux ensembles infinis : un ensemble de prononciations, soit $P = \{ p_1, p_2 ... p_i ... \}$, et un ensemble de significations, soit $S = \{ s_1, s_2 ... s_j ... \}$. Définir cette correspondance revient à définir un certain ensemble infini de paires son-sens (p_i, s_j) bien formées. *On appelle grammaire d'une langue un dispositif qui permet de définir explicitement l'ensemble des paires son-sens bien formées de cette langue. Décrire une langue, c'est construire une grammaire de cette langue.* Dans l'usage courant, on entend par « grammaire » l'ensemble des principes qui régissent la combinaison des mots dans la phrase. Nous prenons ce mot dans une acception beaucoup plus large, puisque nous y faisons entrer aussi tout ce qui touche à la prononciation.

LANGAGES FORMELS ET GRAMMAIRES

Décrire une langue requiert qu'on définisse un ensemble qui contient une infinité d'éléments (paires son-sens). Comment s'y prend-on en pratique pour délimiter rigoureusement un ensemble qui contient une infinité d'objets, que ces objets soient des paires son-sens ou autre chose ? Le linguiste se sert pour cela d'une méthode de définition qui a été forgée par les mathématiciens et les logiciens. Il est bon de présenter cette méthode dans toute sa généralité avant de montrer l'usage particulier que le linguiste en fait.

Appelons *langage formel* (ou *langage* tout court) tout ensemble de séquences finies de symboles tirés d'un alphabet fini[5]. Ces séquences sont appelées les *formules* du langage en question. Dans les langages conçus par les mathématiciens ou ceux utilisés pour la programmation des ordinateurs, les symboles

---

4 On emploie souvent l'adjectif « grammatical » en lui donnant un sens exactement équivalent à « bien formé ». Les phrases qui ne sont pas bien formées sont alors dites « agrammaticales » ou « non grammaticales ». Pour une présentation claire de la notion de grammaticalité, cf. Ruwet (1967 : 35-44).

5 On se gardera de confondre les langages formels, qui sont des objets d'un certain type, et *le* langage, qui est une faculté (cf. n. 2). Pour une introduction élémentaire à l'étude des langages formels, cf. Gross et Lentin (1967).

sont des lettres, des chiffres, des signes d'opérations logiques ou arithmétiques, des parenthèses, etc. Les formules des langages extrêmement simples que nous allons prendre à titre d'exemple sont toutes construites sur un alphabet de deux symboles seulement : *a* et *b*. Soit par exemple le langage $L_1 = \{ a, aa, abaa, ba \}$. L_1 est un ensemble qui contient quatre éléments, les séquences a^6, *aa*, *abaa* et *ba*. Ces séquences sont les formules de L_1. Soit d'autre part le langage L_2, qui est l'ensemble des séquences $\{ ba, bbb, ab \}$. La séquence *ba* est à la fois une formule dans L_1 et dans L_2. La séquence *aa* est une formule dans L_1 mais pas dans L_2. Enfin la séquence *ababab* n'est une formule ni dans L_1 ni dans L_2. Appelons E l'ensemble de toutes les séquences finies que l'on peut construire sur l'alphabet $\{ a, b \}$. E contient une infinité d'éléments, les séquences *a*, *b*, *aa*, *bb*, *ab*, *ba*, *aaa*, *bbb*, *aab*, *abb*, ... *aabaaabbba* ... etc. Définir un certain langage construit sur *a* et *b* revient à diviser l'ensemble E en deux ensembles complémentaires : d'une part l'ensemble des séquences de E qui sont des formules du langage en question, et de l'autre l'ensemble de toutes les séquences restantes, qui ne sont pas des formules du langage en question. Les langages L_1 et L_2 sont des ensembles qui contiennent un nombre fini d'éléments, c'est pourquoi il nous a été possible de les délimiter dans E en dressant la liste exhaustive de leurs éléments. Mais on peut concevoir des langages qui contiennent une infinité de formules.

Soit par exemple le langage L_3, qui est l'ensemble de toutes les séquences de la forme $a^n b^n$, c'est-à-dire construites en répétant un certain nombre *n* de fois la lettre *a*, puis le même nombre de fois la lettre *b*. $L_3 = \{ ab, aabb, aaabbb, aaaabbbb, ... \}$. L'ensemble L_3 contient autant de formules qu'il y a d'entiers *n* distincts, c'est-à-dire une infinité. Il est impossible de définir L_3 en dressant la liste exhaustive de ses éléments puisque ceux-ci sont en nombre infini et qu'une liste est par définition un répertoire fini. Il faut procéder autrement : en énonçant une propriété caractéristique des formules de L_3, c'est-à-dire une propriété que possèdent en commun toutes les séquences qui sont des formules de L_3, et que ne possède aucune autre séquence. On peut par exemple donner la définition (D) :

(D) « pour qu'une séquence appartienne à l'ensemble L_3, il faut et il suffit qu'elle contienne une séquence d'un certain nombre de *a* immédiatement suivie d'une séquence du même nombre de *b* ».

Si l'on s'accorde préalablement sur le sens des expressions « séquence », « immédiatement suivi », « même nombre », etc. cette définition semble à première vue suffisamment explicite pour interdire toute divergence d'interprétation. Voire.

---

6 *a* est une séquence qui contient un seul symbole.

Présentez uniquement à quelqu'un la définition (D) et la séquence *aaabbba*, et il vous dira probablement que cette séquence fait partie de L_3. Elle contient en effet une séquence de trois *a* immédiatement suivie d'une séquence de trois *b*, et la formulation (D) n'exclut pas explicitement la présence d'autre chose en plus d'une séquence $a^n b^n$. On pourrait évidemment remanier la définition (D), mais notre propos est ailleurs : faire sentir la difficulté d'arriver à des formulations rigoureuses. Encore avons-nous pris à dessein l'agencement particulièrement simple $a^n b^n$, dont la définition ne requiert pas un outillage conceptuel (trop) compliqué. Nous adopterons donc un autre mode de définition pour caractériser l'ensemble L_3.

Donnons-nous le dispositif G, qui est composé du *symbole initial J* et des *règles de réécriture* R1 et R2 :

$$G \begin{cases} \text{symbole initial} & J \\ \text{règles} & \begin{aligned} &\text{R1}: & J &\rightarrow aJb \\ &\text{R2}: & J &\rightarrow ab \end{aligned} \end{cases}$$

Le symbole initial *J* sert de point de départ aux opérations du dispositif. Il est donné à la façon dont est donnée la disposition des pièces sur un échiquier en début de partie. La règle R1 veut dire : « réécrire le symbole *J* comme la séquence de symboles *aJb* », ou de façon équivalente « remplacer le symbole *J* par la séquence de symboles *aJb* ». De même R2 veut dire « réécrire *J* comme *ab* ». Ces règles opèrent de la manière suivante. On commence par écrire le symbole initial *J*, et on applique les règles R1 et R2 autant de fois qu'on veut jusqu'à ce qu'aucune des deux ne soit plus applicable. Ainsi pour produire la séquence *aaaabbbb*, on procède par les pas successifs suivants, dont la suite constitue la *dérivation* de *aaaabbbb* :

(1)   *J*   (symbole initial)
(2)   *aJb*   (par application de R1 à *J*)
(3)   *aaJbb*   (par application de R1 à *aJb*)
(4)   *aaaJbbb*   (par application de R1 à *aaJbb*)
(5)   *aaaabbbb* (par application de R2 à *aaaJbbb*)

Chaque pas consiste à appliquer une des règles à la séquence obtenue à l'issue du pas précédent. Pas 1 : on écrit le symbole initial *J*; pas 2 : on remplace *J* par *aJb* (règle R1), d'où la séquence *aJb*; pas 3 : dans la séquence *aJb* obtenue à l'issue du pas précédent on remplace à nouveau *J* par *aJb* (règle R1), d'où la séquence *aaJbb*; pas 4 : dans la séquence *aaJbb* obtenue à l'issue du pas précédent, on remplace à nouveau *J* par *aJb* (règle R1), d'où la séquence *aaaJbbb*; pas 5 : dans la séquence *aaaJbbb* obtenue à l'issue du pas précédent, on remplace *J* par *ab* (règle R2), d'où la séquence *aaaabbbb*. La dérivation s'arrête lorsqu'apparaît une séquence qui ne contient aucun symbole susceptible d'être récrit. La séquence *aaaabbbb* ne contient que des *a* et des *b*; or les règles R1 et R2 ne permettent de récrire que le symbole *J*. A chaque pas de la dérivation, on a le choix entre remplacer *J* par *aJb* (règle R1) ou par *ab* (règle R2). Une fois qu'on a choisi d'appliquer la règle R2 la dérivation s'arrête forcément.

Le dispositif G − nous dirons désormais la grammaire G − est en quelque sorte une machine à fabriquer des séquences construites sur l'alphabet { a, b }. Nous avons décrit ci-dessus la suite des opérations qui permettent à la grammaire de construire la séquence *aaaabbbb*. On dit que la grammaire G *engendre* la séquence *aaaabbbb*. On appelle langage engendré par une grammaire l'ensemble des séquences que cette grammaire engendre.

Appelons L le langage engendré par la grammaire G. Il est facile de montrer que l'ensemble L contient toutes les séquences de la forme $a^n b^n$. Pour n'importe quel entier *n* donné, on produit la séquence $a^n b^n$ correspondante en appliquant $n-1$ fois la règle R1 et une fois la règle R2. En particulier, pour $n = 1$, on applique directement la règle R2 au symbole initial *J*, d'où la séquence *ab*. On se convaincra d'autre part aisément que toute séquence engendrée par la grammaire G est forcément de la forme $a^n b^n$. Bref le langage L engendré par la grammaire G et le langage L_3 défini plus haut sont une seule et même chose. Nous pouvons donc maintenant définir L_3 comme l'ensemble des séquences engendrées par la grammaire G, ou de façon équivalente, nous dirons que pour qu'une séquence soit une formule de L_3 il faut et il suffit qu'elle puisse être engendrée par la grammaire G. Nous voici maintenant armés d'une méthode de définition extrêmement générale. *Pour définir un langage donné, nous définirons un dispositif de taille finie (une grammaire) qui puisse construire mécaniquement toutes les séquences qui font partie de ce langage, et qui ne puisse construire que ces séquences-là.*

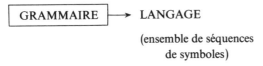

$$\boxed{\text{GRAMMAIRE}} \longrightarrow \text{LANGAGE}$$

(ensemble de séquences
de symboles)

Un autre exemple pour fixer les idées. Soit le langage L_4, qui est l'ensemble de toutes les séquences de la forme $(ab)^n$, c'est-à-dire l'ensemble infini de toutes les séquences formées en répétant un certain nombre de fois la séquence *ab*.

$L_4 = \{\ ab, abab, ababab, abababab... \}$. Voici une grammaire qui engendre le langage L_4, c'est-à-dire qui engendre toutes les séquences qui sont des formules de L_4, et qui ne peut pas en engendrer d'autres. Il s'agit de la grammaire G_4, qui consiste en le symbole initial J et les règles R2 (qui figurait déjà dans la grammaire G présentée plus haut) et R3 :

$$G_4 \begin{cases} \quad\quad J \\ R2: \quad J \rightarrow ab \\ R3: \quad J \rightarrow abJ \end{cases}$$

Cette grammaire engendre par exemple la séquence *abababab* au terme de la dérivation suivante :

J	(symbole initial)
abJ	(par application de R3 à J)
ababJ	(par application de R3 à *abJ*)
abababJ	(par application de R3 à *ababJ*)
abababab	(par application de R2 à *abababJ*)

Une grammaire donnée engendre évidemment un langage et un seul, mais l'inverse n'est pas vrai. Un langage donné peut toujours être engendré par plusieurs grammaires différentes. Ainsi le langage L_4 est engendré non seulement par la grammaire G_4, mais par la grammaire G'_4, qui contient le symbole initial J et les règles R2, R4, R5 et R6 :

$$G'_4 \begin{cases} \quad\quad J \\ R2: \quad J \rightarrow ab \\ R4: \quad J \rightarrow aKb \\ R5: \quad K \rightarrow ba \\ R6: \quad K \rightarrow bJa \end{cases}$$

Cette grammaire contient le symbole K. K n'est pas un symbole initial comme J ; il est introduit dans les dérivations par application de la règle R4. J et K sont des symboles auxiliaires en ce sens qu'ils jouent un rôle dans le fonctionnement de la grammaire, mais qu'à la différence de *a* et *b* ils ne figurent pas dans les séquences engendrées par cette grammaire. Voici par exemple la dérivation de la séquence *abababab* dans la grammaire G'_4 :

symb. in.	(R4)	(R6)	(R4)	(R5)
J	*aKb*	*abJab*	*abaKbab*	*abababab*

Le lecteur pourra vérifier par lui-même qu'outre G_4 et G'_4, les deux grammaires suivantes engendrent également le langage L_4 : { symbole initial J; règles :

$J \rightarrow ab$; $J \rightarrow Jab$ } et { symbole initial J; règles : $J \rightarrow ab$; $J \rightarrow aK$; $K \rightarrow bJ$ }.

Ceci vient nous mettre en garde contre les confusions auxquelles le terme « engendrer » prête souvent. Engendrer un ensemble, c'est le définir en énumérant tous ses éléments. Peu importe le détail des opérations matérielles qui permettent cette énumération. Les mathématiciens peuvent définir un tronc de cylindre comme le volume engendré en faisant tourner un rectangle autour d'un de ses axes de symétrie (fig. 1a). Le même tronc de cylindre peut aussi bien être engendré en faisant subir à un cercle une translation parallèle à son axe (fig. 1b). Les deux modes de définition caractérisent en fin de compte le même objet.

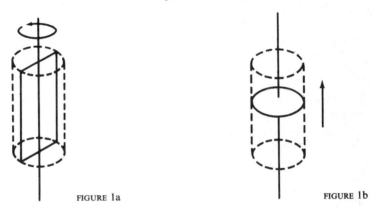

FIGURE 1a   FIGURE 1b

Une remarque enfin sur le rôle des symboles initiaux. Formons la grammaire G_5 définie de la façon suivante : elle a les mêmes règles R2, R4, R5, R6, que G'_4, mais on commence les dérivations en se donnant K comme symbole initial, et non J comme dans G'_4. Tandis que G'_4 énumère l'ensemble des séquences de la forme $(ab)^n$, G_5 énumère l'ensemble des séquences de la forme $(ba)^n$. Le langage engendré par une grammaire dépend non seulement des règles de cette grammaire, mais aussi du point de départ des dérivations.

Si nous considérons un symbole isolé comme un cas particulier d'une séquence de symboles, c'est-à-dire comme une séquence qui ne contient qu'un symbole, nous pouvons généraliser et construire des grammaires où les dérivations partent non plus d'un symbole initial, mais d'une *séquence initiale*. Par exemple la grammaire qui a les mêmes règles que G_4, mais la séquence initiale *bbJ*, définit le langage $bb(ab)^n$, c'est-à-dire l'ensemble de toutes les séquences composées d'une séquence *bb* suivie d'un certain nombre de répétitions de la séquence *ab*. Rien n'empêche d'autre part de concevoir des grammaires qui aient plusieurs séquences initiales. Considérons par exemple la grammaire qui a les mêmes règles que G'_4 et les quatre séquences initiales *J, K, bJ, aK*. Cette grammaire engendre l'ensemble des séquences d'au moins deux symboles où *a* et *b* alternent régulièrement : { *ab, ba, aba, bab, abab, baba, ababa, ...* }.

Chaque grammaire définit donc de façon précise un certain langage formel. Ce langage est l'ensemble des séquences qu'elle engendre. L'intérêt de grammaires comme G ou G_4 est double : d'une part elles permettent d'énumérer des ensembles infinis de séquences en partant d'une liste finie de séquences initiales et de règles. D'autre part, une fois spécifiée la façon dont les règles doivent être utilisées, elles délimitent strictement le champ des manipulations symboliques possibles et leur résultat final, sans laisser la moindre liberté d'interprétation à l'opérateur humain. Elles constituent donc des définitions parfaitement explicites des langages qu'elles engendrent, c'est-à-dire des définitions construites de façon à éliminer toute source d'obscurité.

Nous verrons que pour décrire une langue, les linguistes cherchent à construire une *grammaire générative,* c'est-à-dire une grammaire qui engendre l'ensemble des phrases de cette langue. Les grammaires génératives construites par les linguistes sont bien plus complexes que les grammaires des langages formels présentées ici, mais leur principe est le même. On trouve couramment dans les ouvrages de linguistique contemporains des assertions de la forme : « la grammaire engendre telle phrase au terme de telle dérivation », où la dérivation en question est une suite de séquences dont chaque terme est construit en appliquant une certaine règle au terme précédent. C'est une erreur très fréquente de croire que la dérivation d'une phrase est une représentation directe du processus psychologique qui prend place dans le cerveau des locuteurs avant qu'ils ne prononcent cette phrase. Selon cette conception, la progression pas à pas de la dérivation représenterait la succession dans le temps d'un certain nombre d'opérations mentales élémentaires, ce serait en quelque sorte le film au ralenti de la gestation au terme de laquelle l'esprit accouche d'une phrase nouvelle. Nous ne disons rien de tel. Quand nous disons qu'une grammaire engendre un ensemble de phrases, nous disons simplement qu'elle permet de caractériser cet ensemble de manière explicite en énumérant systématiquement tous ses éléments. Ni plus, ni moins. Une grammaire d'une langue caractérise ce que le sujet sait de sa langue, pas la façon dont il met ce savoir en œuvre pour parler ou comprendre. Seules les grammaires *engendrent* des phrases et des langues; les sujets parlants, eux, *produisent* ou *émettent* des phrases, et *savent* des langues. Nous savons tous faire des multiplications, c'est-à-dire que nous connaissons tous un certain nombre de règles qui déterminent de façon univoque le produit de deux nombres quelconques. C'est ce savoir partagé qui nous permet de convenir tous que le produit de 99 par 9 est 891. Mais ceci ne veut pas dire que nous soyons tous arrivés au résultat de la même façon. Pour multiplier mentalement 99 par 9, certains auront d'abord multiplié 100 par 9 et retranché 9 au produit ainsi obtenu, d'autres auront multiplié 99 par 10 et retranché 99, d'autres encore auront additionné le produit de 90 par 9 et celui de 9 par 9. Ce que nous savons de la multiplication détermine de façon univoque le résultat final, mais pas nécessairement le cheminement qui nous y amène.

La définition d'un langage formel ne dit rien du sens qui s'attache aux symboles de l'alphabet sur lequel il est construit. Elle n'indique même pas qu'il faille nécessairement leur en attacher un. C'est justement pourquoi on parle de langages « formels ». Il s'agit de combinatoires où n'entre en ligne de compte que l'arrangement des symboles les uns par rapport aux autres. L'étude des langages formels est une province des mathématiques. Le linguiste, lui, ne s'intéresse directement qu'aux langues humaines, mais il emprunte certains de ses outils de travail à la mathématique des langages formels. Celle-ci est à la linguistique ce que la géométrie analytique est à la mécanique céleste. Elle lui fournit un cadre conceptuel et un langage rigoureux pour parler des phénomènes empiriques étudiés. Quel usage le linguiste fait-il exactement des langages formels et des grammaires qui les définissent?

Supposons que nous puissions représenter n'importe quelle phrase par une séquence de symboles qui indique avec précision sa prononciation et son sens. Une telle séquence, que nous appellerons la *description* de la phrase en question, pourrait être construite en mettant bout à bout la séquence de symboles phonétiques qui indique sa prononciation (sa *représentation phonétique*) et une séquence de symboles indiquant sa signification (sa *représentation sémantique*[7]). Puisqu'à toute paire son-sens correspond maintenant une description qui la caractérise sans ambiguïté, définir l'ensemble des phrases du français (ou de toute autre langue) revient à définir l'ensemble de leurs descriptions. Appelons F l'ensemble des séquences de symboles qui sont la description d'une phrase française. F est un langage formel dont chaque formule est la description d'une paire son-sens

---

7 Il n'existe pas pour l'instant de symbolisme qui permette de décrire avec précision le sens de n'importe quelle phrase, car la signification est encore un domaine très mal connu. C'est ce qui explique qu'en matière de représentations sémantiques on doive se contenter de phrases entre guillemets.

bien formée en français. *Décrire la langue française revient à définir l'ensemble F.* Et définir F c'est définir une grammaire qui engendre F (qui engendre toutes les séquences qui font partie de F, et aucune autre).

Comme F est un ensemble infini, le linguiste ne peut jamais en obtenir qu'une toute petite partie par l'observation directe. Il doit donc procéder par extrapolations successives. Il commence par recueillir auprès des locuteurs un certain nombre de phrases dont il note la description. Il obtient ainsi un ensemble de descriptions : l'ensemble A des descriptions des phrases (bien formées) qu'il a recueillies. L'ensemble A est un échantillon fini de l'ensemble infini F. Une fois qu'il est en possession de cet échantillon, le linguiste se pose le problème suivant : connaissant A, définir exactement F [8].

Le linguiste imagine alors une certaine grammaire G, et il fait l'hypothèse que cette grammaire G engendre F. Il se met ensuite en devoir de vérifier cette hypothèse. Pour être une candidate possible, G doit remplir deux conditions : le langage qu'elle engendre doit être un ensemble infini de descriptions, puisque F est un ensemble infini de descriptions, et ce langage doit contenir tous les éléments de A, puisque tout élément de A est contenu dans F. Supposons que la grammaire G imaginée par notre linguiste remplit ces deux conditions. Elle engendre donc tous les éléments de A et une infinité d'autres descriptions. Elle est compatible avec l'ensemble A des données observées, mais quelle garantie a-t-on qu'elle est également compatible avec n'importe quel autre échantillon du français qui aurait pu être rassemblé ? Quand la grammaire proposée par le linguiste engendre une description donnée, elle fait une certaine prédiction : elle prédit que la paire son-sens caractérisée par cette description est bien formée en français. Le linguiste teste sa grammaire en vérifiant auprès des locuteurs que chacune des descriptions qu'elle engendre correspond effectivement à une phrase bien formée. Pour fixer les idées, imaginons qu'on ait construit la grammaire G, qui engendre entre autres les descriptions des paires son-sens suivantes :

(1) [ɔ̃nɛpovr] « on naît pauvre »
(2) [ɔ̃ɛpovr] « on est pauvre »
(3) [sɛtɔ̃nɔ̃br] « c'est ton nombre »
(4) [sɛtɔ̃ɔ̃br] « c'est ton ombre »

On propose une à une ces phrases aux locuteurs. Leurs réponses indiquent que les paires (1) et (3) sont effectivement bien formées. Ces nouvelles données confirment

---

8 Voyez un problème classique en astronomie : ayant déterminé par l'observation un certain nombre de points de l'orbite d'une planète, caractériser l'ensemble infini des points de cette orbite, c'est-à-dire trouver une équation qui définisse cet ensemble.

l'hypothèse que le langage engendré par G est l'ensemble F. Les locuteurs consultés nous apprennent en revanche que les paires (2) et (4) sont mal formées, ce qui infirme cette hypothèse; ils nous informent en effet que *on est pauvre* ne se prononce pas *[ɔ̃ɛpovr][9] mais [ɔ̃nɛpovr] (comme *on naît pauvre*), et que *c'est ton ombre* ne se prononce pas *[sɛtɔ̃ɔ̃br] mais [sɛtɔ̃nɔ̃br] (comme *c'est ton nombre*)[10]. Nous voici donc à la recherche d'une autre grammaire. La mise à l'épreuve de la grammaire G s'est soldée par un échec, mais elle nous a permis d'obtenir de nouvelles données. Nous pouvons maintenant ajouter à l'ensemble A les descriptions des paires bien formées (1), (3), (5) et (6) :

(5) [ɔ̃nɛpovr] « on est pauvre »
(6) [sɛtɔ̃nɔ̃br] « c'est ton ombre »

Nous pouvons d'autre part commencer à tenir une liste de données d'un nouveau genre, les descriptions des phrases mal formées. Les données dont devra tenir compte la prochaine grammaire que nous proposerons seront donc d'une part un ensemble A de descriptions de phrases bien formées, d'autre part un ensemble B de descriptions de phrases mal formées. Cette grammaire devra engendrer tous les éléments de A, et aucun des éléments de B. En effet, F ne contient aucun des éléments de B. Pour définir l'ensemble F, il est aussi important de savoir ce qui ne s'y trouve pas que de savoir ce qui s'y trouve. Pour le linguiste qui décrit une langue, les données en quelque sorte négatives, c'est-à-dire celles concernant les paires son-sens mal formées, sont aussi précieuses que les données « positives », c'est-à-dire celles qui ont trait aux paires son-sens bien formées. Les échantillons A et B sont de taille finie, mais on peut les accroître indéfiniment en y incluant de nouvelles paires son-sens bien ou mal formées recueillies auprès des locuteurs en testant des hypothèses successives. Le linguiste n'accumule pas les données en interrogeant ses informateurs au petit bonheur; chaque donnée nouvelle ne l'intéresse que dans la mesure où elle lui permet de confirmer ou d'infirmer l'hypothèse qu'il avait échaffaudée pour rendre compte des données recueillies antérieurement.

ORGANISATION GÉNÉRALE DES GRAMMAIRES

Dans le code numérique de la p. 16, les messages se découpent en tranches successives de deux chiffres dont chacune a un sens fixé une fois pour toutes dans

9 On fait précéder une forme d'un astérisque pour indiquer qu'elle est mal formée.
10 La grammaire G ne prédit pas certaines liaisons.

le lexique. Par exemple la tranche *23* a toujours le sens *B*, la tranche *12* toujours le sens *C*, etc. Chacune de ces tranches s'analyse à son tour en une séquence de deux chiffres mais ces chiffres n'ont par eux-mêmes aucun sens. Pour l'attribution du sens chaque tranche est prise comme un tout, et les chiffres qui la composent n'interviennent que comme des marques matérielles qui la distinguent d'autres tranches. Les langues ont une propriété similaire. Les sons d'une phrase n'ont pas de sens en tant que tels. Les unités douées de sens sont, non pas les sons, mais les *morphèmes,* qui sont représentés par des tranches sonores plus étendues. Définir précisément le morphème nous entraînerait dans des complications superflues ici. Contentons-nous de dire que la notion de morphème englobe comme des cas particuliers celles de préfixe, suffixe, racine, terminaison, etc. Par exemple la phrase *votre ami retrouvera son cheval* se compose des morphèmes suivants, que nous avons séparés par le signe + pour indiquer les frontières de morphème : *votre+ami+re+trouv+er+a+son+cheval.*

Les morphèmes d'une langue sont en nombre fini. Parmi toutes les séquences de morphèmes concevables, seules certaines sont bien formées. Les séquences *votre+ami+re+trouv+er+a+son+cheval* et *son+ami+re+trouv+er+a +votre+cheval* sont bien formées, mais pas la séquence **son+votre+ami+cheval +er+a+re+trouv.* La grammaire d'une langue doit spécifier à quelles conditions une séquence de morphèmes est bien formée.

La grammaire d'une langue n'est pas un dispositif tout d'une pièce qui engendre directement l'ensemble des descriptions des paires son-sens bien formées. C'est l'agencement de trois dispositifs ou *composantes* spécialisés chacun dans une tâche particulière. Chacune de ces composantes est un système de règles. La *composante syntaxique* engendre un ensemble de *structures syntaxiques* dont chacune contient entre autres une séquence de morphèmes bien formée. La *composante sémantique* attribue un sens à chacune de ces structures syntaxiques, et la *composante phonologique* leur attribue une prononciation (cf. diagramme).

La composante syntaxique est l'épine dorsale du système. C'est elle qui rend compte de la créativité que nous avons constatée plus haut (p. 17), de cette aptitude à faire toujours des combinaisons nouvelles à partir d'un nombre fini de morphèmes. Les deux autres composantes se contentent d'interpréter les objets engendrés par la composante syntaxique en les munissant d'une face audible (prononciation) et d'une face intelligible (sens).

La composante syntaxique est un système de règles qui engendre un ensemble infini de structures syntaxiques. La structure syntaxique d'une phrase est un objet

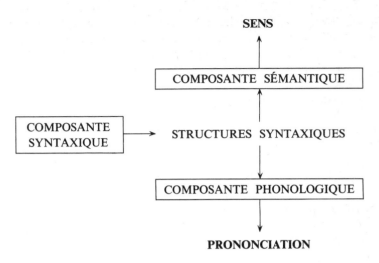

SENS

COMPOSANTE SÉMANTIQUE

COMPOSANTE
SYNTAXIQUE → STRUCTURES SYNTAXIQUES

COMPOSANTE PHONOLOGIQUE

PRONONCIATION

abstrait qui contient toute l'information nécessaire pour permettre de déduire par règles le sens et la prononciation de cette phrase. Cet objet a une structure complexe que nous ne pourrions caractériser avec précision sans décrire en détail la composante syntaxique. Comme le présent livre est consacré à la phonologie, nous ne nous intéresserons qu'à celles des propriétés des structures syntaxiques qui jouent un rôle dans la description des faits de prononciation. Pour les autres nous renvoyons à Ruwet (1967), Lyons (1970), et aux références contenues dans ces ouvrages. On appelle *structure superficielle* la partie d'une structure syntaxique qui contient toutes les informations nécessaires pour spécifier la prononciation de la phrase correspondante. Pour spécifier la prononciation d'une phrase, il est nécessaire (mais non suffisant, cf. p. 38) de connaître les morphèmes qui la composent et l'ordre dans lequel ils sont rangés. Chaque structure syntaxique engendrée par la composante syntaxique doit donc contenir, entre autres informations, une séquence de morphèmes bien formée. En engendrant l'ensemble des structures syntaxiques, la composante syntaxique engendre du même coup l'ensemble des séquences de morphèmes bien formées. Dans le cas du français cet ensemble doit être défini de manière à contenir les séquences *vous+trouv+er+ez+votre+ami* et *trouv+er+ez+vous+votre+ami,* mais pas **vous+er+ami+ez+votre+trouv.*

Le *lexique* est l'équivalent d'un dictionnaire. C'est la liste (finie) des *éléments lexicaux,* en quelque sorte le jeu de pièces détachées où la syntaxe puise les matériaux nécessaires à la construction des structures syntaxiques. Les éléments lexicaux sont des morphèmes isolés (*ami, cheval*) ou des assemblages fixes de

31

morphèmes (*entre+prendre,* *mé+connaiss+able,* *porte+plume,* *rire+jaune,* *prendre+en+grippe*).

Le sens de chaque morphème d'une phrase contribue pour une part qui lui est propre à déterminer le sens de cette phrase. La grammaire d'une langue doit contenir des principes généraux qui permettent, étant donné n'importe quelle structure syntaxique, de lui assigner un sens global en partant des sens individuels des morphèmes qui la composent et de la façon dont ces morphèmes sont combinés. C'est la tâche des règles sémantiques, dont l'ensemble constitue la composante sémantique de la grammaire. La composante sémantique est un dispositif qui prend une à une les structures syntaxiques engendrées par la composante syntaxique et leur assigne à chacune une représentation sémantique (cf. p. 27). A partir de l'ensemble des structures syntaxiques engendrées par la composante syntaxique, la composante sémantique construit un ensemble infini S^{11} de représentations sémantiques qui correspond terme à terme à cet ensemble. Les propriétés de la composante sémantique et la nature exacte des rapports qu'elle entretient avec la composante syntaxique sont un sujet très difficile sur lequel on sait encore très peu de choses.

Il nous reste enfin à présenter la composante phonologique, qui est l'ensemble des *règles phonologiques.* Étant donné n'importe quelle structure syntaxique, la composante phonologique lui assigne une prononciation en partant de la prononciation de chaque morphème pris individuellement et de la manière dont ces morphèmes sont combinés. Nous avons dit que chaque structure syntaxique contenait une structure superficielle qui consistait pour l'essentiel en une séquence de morphèmes bien formée. Prédire la prononciation d'une séquence de morphèmes n'est pas un problème trivial. Il ne suffit malheureusement pas de mettre bout à bout les prononciations individuelles des morphèmes dont elle est composée. En effet, la prononciation d'un morphème donné varie le plus souvent d'une combinaison à l'autre. Prenons par exemple les séquences de morphèmes (1) et (3), qui ont respectivement les prononciations (2) et (4) :

(1) *Jacques+ne+regrett+ait+pas+de+être+ven+u*
(2) [žak-NŒ-RGRɛT-ɛ-PA-D-ɛt-vœn-ü]
     (*Jacqu' ne r'grettait pas d'êt' venu*)

(3) *Jacques+regrett+ait+de+ne+pas+être+ven+u*
(4) [žak-RŒGRɛT-ɛ-DŒ-N-PAZ-ɛt-vœn-ü]
     (*Jacqu' regrettait de n' pas-zêt' venu*)

---

11 Cf. p. 18.

Nous avons introduit des traits d'union dans les représentations phonétiques pour faciliter le repérage de la séquence de sons qui correspond à chaque morphème, et nous avons mis en petites capitales les prononciations qui varient d'une séquence à l'autre. Dans la graphie traditionnelle entre parenthèses qui accompagne chaque représentation pour en rendre l'interprétation plus aisée, tous les *e* muets qui n'ont pas été remplacés par une apostrophe doivent être prononcés.

Quatre des neufs morphèmes ne se prononcent pas de la même façon dans l'une et l'autre séquence. Pour les morphèmes *ne, regrett* et *de*, la variation tient à l'apparition ou la disparition du son [œ]. Le morphème *pas* se prononce [pa] dans (2) et [paz] dans (4). La composante phonologique d'une grammaire du français doit expliciter les principes généraux qui gouvernent de telles variations.

Le problème est encore compliqué du fait qu'une même séquence de morphèmes admet souvent plusieurs prononciations. En plus de (2), la séquence (1) admet par exemple les représentations phonétiques (5), (6) et (7), où nous avons mis en petites capitales les prononciations qui diffèrent des prononciations correspondantes de (2) :

(5) [žak-nœ-RŒGRɛT-ɛ-pa-d-ɛt-vœn-ü]
  (*Jacqu' ne regrettait pas d'êt' venu*)

(6) [žak-nœ-rgrɛt-ɛ-pa-d-ɛTRŒ-vœn-ü]
  (*Jacqu' ne r'grettait pas d'être venu*)

(7) [žak-nœ-RŒGRɛT-ɛ-pa-d-ɛTRŒ-vœn-ü]
  (*Jacqu' ne regrettait pas d'être venu*)

Que l'on prononce (1) comme (2), (5), (6) ou (7), cela n'affecte pas son identité. Il s'agit de la même phrase prononcée de quatre façons différentes. Nous dirons dans de tels cas qu'il y a *variation libre* entre plusieurs prononciations, et que les représentations phonétiques (2), (5), (6) et (7) sont des *variantes libres*. Certaines variations de prononciation sont possibles pour une séquence donnée, mais pas n'importe lesquelles. Par exemple, lorsqu'on prononce (1), on ne peut jamais donner aux morphèmes *ne* et *pas* les prononciations qu'ils ont dans (4). On ne peut pas donner à (1) la prononciation *[žak-N-rgrɛt-ɛ-PAZ-d-ɛt-vœn-ü] (**Jacqu' n' r'grettait pazz d'êt' venu*).

La composante phonologique prend les structures syntaxiques engendrées par la composante syntaxique et assigne à chacune une représentation phonétique (ou plusieurs dans les cas de variation libre). L'ensemble de toutes les représentations phonétiques ainsi définies est l'ensemble P de toutes les représentations phonétiques bien formées de la langue en question (cf. p. 18).

33

Nous voyons maintenant comment une grammaire définit l'ensemble infini des paires son-sens bien formées d'une langue. La composante syntaxique engendre un ensemble infini de structures syntaxiques. Les structures syntaxiques sont en quelque sorte le pont qui relie son et sens. Chaque structure syntaxique est munie d'une représentation sémantique par la composante sémantique, et d'une ou plusieurs représentations phonétiques par la composante phonologique. Chacune des structures syntaxiques engendrées par la composante syntaxique donne donc naissance à une ou plusieurs paires composées chacune d'une représentation sémantique et d'une représentation phonétique. L'ensemble des paires ainsi engendrées est l'ensemble des descriptions [12] des paires son-sens bien formées. Pour le français, une grammaire adéquate devra par exemple engendrer un ensemble de descriptions qui contienne les paires (1, a) et (3, d) (cf. p. 19), mais pas la paire (3, b), puisque c'est un fait que tous les français savent qu'il n'y a pas de phrase qui se prononce [vulaprãdreavɔttur] et veuille dire « vous la prendrez à votre retour ».

L'organisation des grammaires telle que nous l'avons présentée appelle plusieurs remarques.

En premier lieu on opposera nettement le lexique aux composantes syntaxique, sémantique et phonologique. Chacune de ces trois composantes est un ensemble organisé de principes généraux, de règles applicables à une infinité de phrases. La composante syntaxique d'une grammaire du français contient par exemple une règle qui stipule que le verbe s'accorde en personne et en nombre avec son sujet. Point n'est besoin d'avoir déjà rencontré cette phrase pour savoir qu'on doit dire *tu démusèleras ce chien* et pas ** tu démusèlerons ce chien*. Au contraire le lexique est une liste de faits particuliers qui ne découlent d'aucun principe général, et qui pour cette raison doivent être rencontrés et appris un par un par le sujet qui apprend la langue. Il est impossible à quiconque n'a pas déjà rencontré le mot *ménisque* [menisk] de savoir qu'il s'agit d'un nom masculin qui désigne une lentille concave d'un côté et convexe de l'autre. La prononciation [menisk] plutôt que **[nimɛsk]*, le sens particulier qui s'y attache, le fait qu'on dit *un ménisque* et non ** une ménisque,* autant de traits singuliers qui doivent être mis en réserve dans la mémoire des sujets. On entend

12 P. 27 nous n'avons pas défini une description comme une paire de représentations, mais comme la séquence obtenue en mettant ces représentations bout à bout. Les deux définitions sont évidemment équivalentes. Il s'agissait alors d'établir une analogie simple entre les langues et les langages formels présentés dans les pages précédentes. Or les langages formels étaient des ensembles de séquences, et non·des ensembles de paires de séquences.

souvent les gens dire « tiens, je ne connaissais pas ce mot, c'est la première fois que je le rencontre ». On n'entend jamais dire la même chose d'une phrase entière, bien qu'on rencontre infiniment plus de phrases nouvelles que de mots nouveaux.

La distinction entre les traits de langue qui relèvent de règles générales et les autres, les traits singuliers — on dit souvent : *idiosyncratiques* — est une distinction absolument fondamentale en linguistique. En première approximation, on peut dire que le lexique est la liste de tous les faits idiosyncratiques, liste qui doit être mémorisée élément par élément par les sujets parlants. Nous avons dit plus haut que cette liste ne contenait pas que des morphèmes isolés, mais aussi certains assemblages de morphèmes. C'est qu'il existe un grand nombre de tels assemblages qui possèdent globalement des propriétés qui ne peuvent pas être déduites par règle des propriétés individuelles des morphèmes qui les composent. Donnons quelques exemples. L'élément lexical *surprendre* se compose des deux morphèmes *sur*, qui indique entre autres une intensité excessive (cf. *surchauffer, surcharger, suralimenter*, etc.) et *prendre* « saisir ». Si *sur+prendre* figure comme un tout dans le lexique, c'est que la grammaire du français ne contient aucune règle qui permette de déduire le sens « frapper l'esprit par son caractère inattendu » par combinaison des sens respectifs de *sur* et *prendre*. Il est nécessaire d'avoir déjà rencontré l'assemblage *sur+prendre* pour savoir qu'il a ce sens-là plutôt que « prendre (qqch) en excès », par exemple. Ou encore considérez la locution *prendre la mouche* « se fâcher », dont le sens ne découle certainement pas par règle de celui de ses composants. La phrase *j'ai pris la mouche* peut s'entendre de deux façons, « je me suis fâché », ou littéralement, « j'ai pris la mouche ». Il existe en français deux assemblages distincts *prendre+la+mouche*, et seul le premier figure comme un tout dans le lexique. Le second n'a pas besoin d'être appris, puisqu'il peut être réinventé à chaque instant en combinant les éléments lexicaux *prendre*, Article Défini et *mouche* conformément aux règles de la syntaxe et signifie littéralement « prendre la mouche ». Si *j'ai pris une petite mouche* ou *la mouche que j'ai prise* s'entendent forcément au sens littéral, de la même façon que *j'ai pris une petite guêpe* ou *la guêpe que j'ai prise*, c'est que la locution *prendre la mouche* « se fâcher » ne jouit pas, comme elle le devrait s'il s'agissait d'un assemblage régulier, de toutes les latitudes de combinaison que les règles syntaxiques permettent normalement à une séquence Verbe + Article + Nom. Ces irrégularités doivent figurer dans le lexique.

Tout n'est d'ailleurs pas idiosyncratique dans cette locution *prendre la mouche*. Elle respecte par exemple la règle d'accord (*prendre le mouche*), celle qui place l'article devant le nom (*prendre mouche la*), celle qui place l'objet derrière le verbe (*la mouche prendre*), etc. C'est que la structure de la langue impose un ordre jusque dans l'irrégularité. Les règles de la grammaire délimitent strictement le champ des idiosyncrasies possibles. De même, les monstres ne sont pas affranchis de toutes les lois : les veaux à cinq pattes ont une queue et des sabots comme les autres.

Chaque élément lexical est représenté dans le lexique par une *entrée lexicale,* un article qui contient des indications de trois sortes : des indications syntaxiques, qui spécifient ses possibilités de combinaison avec les autres morphèmes, des indications sémantiques qui spécifient son sens, et des indications phonologiques qui spécifient sa prononciation. L'entrée lexicale de *écueil* contient entre autres les indications suivantes :

syntaxiques   : Nom, Commun, Masculin, etc.
sémantiques   : « rocher à fleur d'eau »
phonologiques : /ekœy/

Celle de *brutaliser* contient entre autre les indications suivantes :

syntaxiques   : Verbe, Transitif, etc.
sémantiques   : « traiter de façon brutale »
phonologiques : /brüt+al+iz/

Strictement parlant, un élément lexical est un ensemble de propriétés : l'ensemble des propriétés contenues dans son entrée lexicale[13]. Cette entrée lexicale se subdivise en trois sections qui correspondent aux trois composantes, syntaxique, sémantique et phonologique. L'information contenue dans la section syntaxique définit le comportement de l'élément lexical par rapport aux règles syntaxiques, l'information sémantique son comportement par rapport aux règles sémantiques, et l'information phonologique son comportement par rapport aux règles phonologiques. Une grammaire est donc un assemblage de trois grands systèmes : une

---

13 On se gardera de confondre les éléments lexicaux (ou les morphèmes) et leur prononciation. La séquence de sons [ekœy] et le morphème *écueil* sont deux choses différentes. Le morphème *écueil* est un ensemble de propriétés, ensemble dont la séquence [ekœy] n'est qu'un des éléments. Plutôt que d'identifier chaque élément lexical ou morphème en énumérant chaque fois toutes les propriétés qui le constituent, on le désigne par sa graphie traditionnelle. La séquence de lettres *é-c-u-e-i-l* est le nom du morphème *écueil,* comme *Molière* est le nom de l'auteur du Malade Imaginaire.

syntaxe, une sémantique et une phonologie. Chacun de ces systèmes présente deux sortes d'entités : d'une part des principes généraux de combinaison (règles), de l'autre des indications définissant individuellement un certain nombre d'éléments de combinaison et leur comportement par rapport à ces règles (information lexicale).

Un mot pour terminer sur l'information syntaxique contenue dans les entrées lexicales. Cette information indique que l'élément lexical considéré appartient à un certain nombre de *catégories syntaxiques* définies par le fonctionnement de la composante syntaxique, comme Nom, Verbe, Adjectif, Masculin, Transitif, etc. Tous les éléments lexicaux qui appartiennent à une catégorie syntaxique donnée ont en commun certaines propriétés combinatoires caractéristiques de cette catégorie. Par exemple tous les éléments lexicaux de la classe Nom appartiennent forcément à l'une ou à l'autre des classes Masculin et Féminin, ils peuvent être immédiatement précédés d'un morphème du type *un, ce, le*,etc. : *un+soupir, le+silence*; tous ceux de la classe Verbe sont nécessairement suivis d'une terminaison (ils se conjuguent) : *vous+part+ez, vous+part+ir+i+ez*; tous les éléments lexicaux qui appartiennent à la classe Verbe et en outre à la classe Transitif prennent un complément d'objet, comme *cet+enfant* et *le* dans *ne+brut+al+iz+ez+pas+cet+enfant* et *il+le+sav+ait,* etc. Les propriétés syntaxiques d'un élément lexical sont autant de restrictions imposées aux combinaisons dans lesquelles cet élément peut entrer.

LES STRUCTURES SUPERFICIELLES

La composante syntaxique engendre un ensemble infini de structures syntaxiques qui comportent chacune une structure superficielle. La structure superficielle d'une phrase contient toute l'information nécessaire pour spécifier la prononciation de cette phrase. Cette structure superficielle doit entre autres contenir une séquence de morphèmes, mais ceci n'est pas suffisant, car il ne suffit pas de connaître les morphèmes qui composent une phrase et l'ordre dans lequel ils sont rangés pour pouvoir prédire la prononciation de cette phrase. Il faut en outre tenir compte d'un certain nombre d'autres propriétés syntaxiques que nous examinons ci-dessous.

Les morphèmes successifs d'une phrase ne sont pas simplement disposés bout à bout comme des dominos sur une table. Ils se groupent tout d'abord en *mots*. La phrase *votre ami retrouvera son cheval* contient huit morphèmes groupés en cinq mots. Nous utiliserons le signe # pour marquer les frontières de mot.

Nous écrirons donc #votre#ami#re+trouv+er+a#son#cheval#. L'ortho-graphe française utilise divers symboles pour indiquer les frontières de mot : le blanc, le trait d'union, l'apostrophe, les signes de ponctuation, etc. Elle ne dispose par contre d'aucun symbole pour indiquer les frontières de morphème. Les règles phonologiques doivent tenir compte de la répartition des frontières de mot pour assigner une prononciation à une séquence de morphèmes. Le morphème *galop* se prononce [galo] lorsqu'il est un mot à lui seul (#galop#), et [galɔp] lorsqu'il est suivi d'autres morphèmes à l'intérieur du même mot (#galop+ade#, #galop+i+ez#). De même *cachet* se prononce [kašɛ] dans #cachet# et [kašt] dans #dé+cachet+ez# [dekašte].

Pour permettre de prédire correctement la prononciation d'une phrase, une structure superficielle doit contenir une séquence de morphèmes découpée en mots, mais ce n'est pas encore suffisant. Prenez par exemple la séquence #all+ez#vous#écout+er#. Cette séquence appartient en commun à deux structures syntaxiques différentes engendrées indépendamment l'une de l'autre par la composante syntaxique, celle qui caractérise la paire son-sens (1), et celle qui caractérise la paire son-sens (2) :

(1) [alevuzekute] « allez vous écouter »

(2) [alevuekute] « allez-vous écouter ? »

Au singulier la phrase équivalente à (1) est *va t'écouter* (par exemple pour demander à quelqu'un d'aller écouter un enregistrement magnétique de sa propre voix), et celle équivalente à (2) est *vas-tu écouter ?*

La phrase (1) exprime un ordre, et la phrase (2) une question. (1) se prononce avec une intonation descendante et *vous* s'y prononce [vuz]. (2) se prononce avec une intonation montante et *vous* s'y prononce [vu]. La différence entre (1) et (2) vient de ce que les mots qui les composent, quoiqu'identiques et se succédant dans le même ordre, n'entretiennent pas entre eux les mêmes rapports synta-xiques[14]. *Vous* est plus étroitement lié à *écouter* dans (1), alors qu'il est plus étroitement lié à *allez* dans (2). On peut représenter cette différence en écrivant (1) sous la forme (*allez* (*vous écouter*)) et (2) sous la forme ((*allez vous*) *écouter*).

---

14 Autre exemple : la séquence *les connaisseurs apprécieront tous vos livres* peut vouloir dire « tous les connaisseurs apprécieront vos livres », auquel cas *tous* se prononce [tus]. Ou bien elle peut vouloir dire « tous vos livres seront appréciés des connaisseurs », auquel cas *tous* se prononce [tu].

Le mot n'est donc pas la seule unité intermédiaire entre le morphème et la phrase. Le découpage des phrases en mots n'est qu'une conséquence particulière d'un fait très général : une phrase est une structure hiérarchisée de *constituants* emboîtés les uns dans les autres. Le constituant le plus grand, qui est la phrase elle-même, se décompose successivement en constituants de plus en plus petits jusqu'à ce qu'on atteigne finalement les constituants ultimes, qui sont les morphèmes. Les mots ne sont que des constituants d'un type particulier[15].

.Prenons par exemple la phrase *mon frère aimait la sculpture.* Cette phrase (P) se décompose en deux constituants : *mon frère* et *aimait la sculpture.* Le constituant *mon frère* est un groupe nominal (GN) composé du Déterminant (D) *mon* et du Nom (N) *frère.* Le constituant *aimait la sculpture* est un groupe verbal (GV) composé du Verbe (V) *aimait* et du groupe nominal (GN) *la Sculpture.* Le Verbe *aimait* est composé du Verbe *aim* et de la Terminaison (T) *ait.* Le groupe nominal *la sculpture* est composé de l'Article (Ar) *la* et du Nom *sculpture,* qui se décompose à son tour en le Verbe *sculpt* et le Suffixe (S) *ure* (cf. *piquer/piqûre, rogner/rognure,* etc.). On peut représenter la hiérarchie des constituants par un arbre renversé dont chacun des nœuds représente un constituant (fig. 2a). Chaque nœud est *étiqueté,* c'est-à-dire qu'il est muni d'un symbole[16] (une étiquette) qui est l'abréviation du nom du constituant qu'il représente. Par exemple le nœud qui domine le constituant *mon frère* est muni de l'étiquette GN pour indiquer que ce constituant est un groupe nominal. Un autre mode de représentation, strictement équivalent à la représentation en arbre étiqueté, consiste à enfermer chaque constituant dans une paire de parenthèses étiquetées (fig. 2b). A chacun des treize nœuds étiquetés de la fig. 2a correspond dans la fig. 2b une paire de parenthèses munies de l'étiquette correspondante, soit en tout vingt-six parenthèses étiquetées. La fig. 2b est répartie sur deux lignes pour permettre une présentation plus aérée.

En examinant les fig. 2a et 2b et en se référant au commentaire qui en est donné plus haut, on voit que les séquences de morphèmes qui sont des constituants forment des unités en quelque sorte organiques, tandis que les autres ne sont que des amas incohérents. Opposez par exemple la séquence *la+sculpt+ure,* qui correspond à un nœud GN, et *ait+la+sculpt,* qui ne correspond à aucun

15 Ceci est une simplification grossière, mais comme nous ne parlerons pas du principe d'application cyclique, cette simplification n'affecte en rien la cohérence de notre présentation. Sur la notion de « mot », cf. *The Sound Pattern of English* (désormais désigné par les initiales SPE), p. 12-14 et 367-370.

16 Les groupes de plusieurs lettres qui constituent des abréviations uniques, comme GN, Ar, etc. comptent pour un seul symbole.

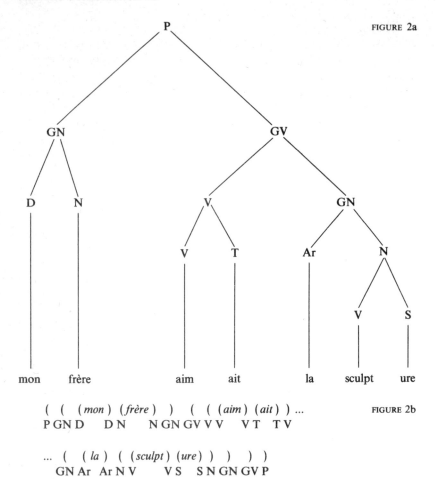

FIGURE 2a

(((*mon*) (*frère*)) (((*aim*) (*ait*)) ...   FIGURE 2b
P GN D   D N   N GN GV V V   V T   T V

... ((*la*) ((*sculpt*) (*ure*))))))
GN Ar   Ar N V   V S   S N GN GV P

nœud. Le constituant *aim+ait* entretient avec le constituant *la+sculpt+ure*
des rapports plus étroits qu'avec le constituant *mon+frère*, quoique *mon+frère*
et *la+sculpt+ure* soient aussi proches l'un que l'autre de *aim+ait* dans la
séquence de morphèmes. C'est que *aim+ait* et *la+sculpt+ure* sont tous les
deux situés sous le nœud GV et forment à ce titre un tout au sein de la phrase, tandis
que pour trouver un nœud qui domine à la fois *aim+ait* et *mon+frère* il faut
remonter jusqu'au nœud le plus haut, le nœud P qui domine la phrase toute
entière.

40

Les figures 2a et 2b (qui, encore une fois, sont des représentations strictement équivalentes du même objet abstrait) contiennent toute l'information qu'il est nécessaire de connaître pour que les règles phonologiques puissent en déduire mécaniquement la prononciation de la phrase *mon frère aimait la sculpture*. Elles représentent la structure superficielle de cette phrase. Pour des raisons de pure commodité typographique, les phonologues utilisent en général la représentation par parenthèses de préférence à celle en arbre. La structure superficielle d'une phrase est une séquence de morphèmes munie d'un jeu de parenthèses étiquetées qui assignent une structure de constituants à cette séquence. C'est donc une séquence finie composée de symboles de deux sortes : des morphèmes (chacun comptant ici pour un seul symbole) et des parenthèses étiquetées. La structure superficielle d'une phrase est un des éléments qui entrent dans la composition de la structure syntaxique de cette phrase. En engendrant un ensemble infini de structures syntaxiques, la composante syntaxique engendre du même coup l'ensemble infini des structures superficielles contenues dans ces structures syntaxiques [17].

Les phénomènes de liaison en français illustrent bien de quelle façon la prononciation d'une phrase dépend de sa structure de constituants. Nombreux sont les mots français qui ont deux prononciations dont l'une se déduit de l'autre en retranchant une consonne finale. *Vous* se prononce [vuz] dans *vous écoutez* et [vu] dans *vous regardez, petit* se prononce [pœtit] dans *petit écrou* et [pœti] dans *petit boulon*, etc. Le *z* final de *vous* et le *t* final de *petit* sont des *consonnes latentes*, et on dit qu'il y a *liaison* lorsqu'une consonne latente est prononcée. On fait la liaison entre *vous* et *écoutez* mais pas entre *vous* et *regardez*, entre *petit* et *écrou* mais pas entre *petit* et *boulon*. On ne prononce jamais la consonne latente d'un mot lorsque celui-ci est en fin de phrase (*levez-vous, c'est trop petit*) ou précède un mot commençant par une consonne (*vous regardez, petit boulon*). Lorsqu'il précède un mot commençant par une voyelle, on ne fait la liaison que si les deux mots sont dans un rapport syntaxique suffisamment étroit. On fait par

17 Toute séquence de symboles munie de parenthèses étiquetées est appelée un indicateur syntagmatique (angl. *phrase-marker*). Une structure syntaxique est un certain ensemble d'indicateurs syntagmatiques engendrés les uns à partir des autres par application des règles syntaxiques. Une structure superficielle est donc un indicateur syntagmatique particulier parmi tous ceux qui constituent une structure syntaxique. On la dit « superficielle » par opposition à un autre indicateur syntagmatique, la *structure profonde*, qui joue un rôle essentiel dans l'assignation du sens par la composante sémantique. La structure superficielle d'une phrase est dérivée de sa structure profonde par l'opération de règles syntaxiques appelées *transformations*. Voyez là-dessus Ruwet (1967), Chomsky (1965) et plus récemment Chomsky (1972).

exemple la liaison entre *les* et *attendre* dans *va les attendre,* mais pas dans *faites-les attendre.* Le rapport syntaxique entre *les* et *attendre* est suffisamment étroit pour permettre la liaison dans le premier cas mais pas dans le second. En résumé, pour qu'il y ait liaison, il faut que deux conditions soient remplies simultanément. Il y a d'une part une condition d'ordre phonologique qui stipule que le mot à consonne latente doit être suivi d'un mot commençant par une voyelle, et d'autre part une condition syntaxique qui stipule que le rapport syntaxique entre les deux mots doit être suffisamment étroit.

Les faits de liaison montrent qu'en français il faut distinguer au moins deux sortes de frontières de mot : les frontières « faibles », qui permettent la liaison, et les frontières « fortes », qui l'interdisent. Convenons de représenter les frontières faibles par le symbole # et les frontières fortes par une séquence # #. Nous écrirons par exemple *vous # écoutez, petit # écrou, va # # les # attendre, faites # les # # attendre.* On prendra bien garde que la présence d'un seul symbole # indique seulement que la structure syntaxique permet la liaison, pas que la liaison a effectivement lieu. Nous écrirons par exemple *vous # regardez* et *petit # boulon* car la structure syntaxique est identique à celle de *vous écoutez* et *petit écrou.* Si la liaison ne se fait pas dans *vous regardez* et *petit boulon,* c'est que la condition phonologique de la liaison n'est pas remplie : *regardez* et *boulon* ne commencent pas par une voyelle. Nous avons de même noté un seul symbole # entre *faites* et *les* dans *faites-les attendre* parce que la liaison se fait dans *faites-en attendre cinq* et que le rapport syntaxique est le même entre *faites* et *en* qu'entre *faites* et *les.*

Une grammaire du français doit rendre compte du fait que toute personne qui sait le français sait découper n'importe quelle phrase en mots, et sait où faire la liaison et où ne pas la faire[18]. Les structures superficielles ne séparent pas explicitement les mots, car d'après ce que nous avons dit page 41, elles ne contiennent pas de symboles #. Une grammaire du français contient un ensemble de règles qui distribuent mécaniquement les frontières # et # # dans n'importe quelle structure superficielle en se fondant sur l'agencement des parenthèses étiquetées. Ceci n'est d'ailleurs pas particulier au français. La plupart des langues, sinon toutes, présentent des faits de prononciation qui dépendent de manière systématique de l'étroitesse des rapports syntaxiques entre mots contigus. Selkirk (1972) a étudié certaines des règles qui distribuent les frontières # dans les structures superficielles de l'anglais et du français. Peu importe ici le détail de leur fonctionnement, qui est assez complexe. Afin de fixer les idées, nous ferons

---

18 Nous faisons bien entendu référence aux normes inhérentes au parler des sujets, et non à celles du « français correct » imposé par l'école.

comme si ces règles procédaient en deux temps. Certaines règles insèrent d'abord le symbole # en chaque point où on passe d'un mot au suivant; d'autres remplacent ensuite le symbole # par le double # # en chaque point où la structure syntaxique interdit la liaison, ne laissant subsister un seul symbole # qu'aux points où la structure syntaxique permet la liaison.

Reprenons l'opposition entre (1) *allez vous écouter* et (2) *allez-vous écouter?* (cf. p. 38). La structure superficielle de (1) et (2) est représentée dans les figures 3a et 3b.

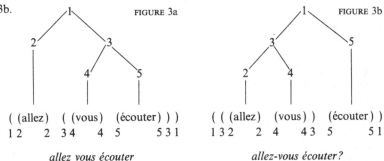

FIGURE 3a

FIGURE 3b

((allez) ((vous) (écouter)))
1 2   2 3 4   4 5   5 3 1

(((allez) (vous)) (écouter))
1 3 2   2 4   4 3 5   5 1

allez vous écouter

allez-vous écouter?

Nous n'avons pas représenté la décomposition de *all+ez* et *écout+er,* qui n'est pas pertinente pour notre propos, ni les étiquettes attachées à chaque constituant, que nous avons remplacées par des numéros arbitraires. Le rapport syntaxique entre *vous* et *écouter* est plus étroit dans 1 (fig. 3a) que dans 2 (fig. 3b). Dans (1), *vous* est le complément d'objet du verbe *écouter,* comme *les* dans *je vais les écouter, ne les écoutez pas.* Les pronoms complément sont toujours des satellites immédiats de leur verbe. Dans (2), *vous* n'est pas l'objet de *écouter,* mais le sujet de *allez,* comme *ils* dans *vont-ils écouter?, vont-ils vous écouter?* La phrase *vont-ils écouter?* a exactement la même structure que *allez-vous écouter?* On y fait la liaison entre le verbe *vont* et le pronom sujet *ils,* qui sont liés étroitement, mais pas entre *ils* et *écouter.*

Les figures 3a et 3b illustrent une propriété intéressante de la représentation par parenthèses des structures de constituants : plus il y a de parenthèses entre deux mots contigus, moins la relation syntaxique entre eux est étroite. Les parenthèses qui se trouvent entre deux mots contigus indiquent toutes des frontières de constituant qui passent entre ces deux mots, et deux mots sont d'autant moins étroitement liés qu'ils n'appartiennent pas aux mêmes constituants. Deux mots contigus sont forcément séparés par au moins deux parenthèses, une parenthèse fermante indiquant la fin du premier, et une parenthèse ouvrante indiquant le début du second. Par exemple dans la figure 3a, *vous* est séparé de *écouter* par la parenthèse fermante « $)_4$ » qui indique la fin du constituant *vous*, et par la parenthèse ouvrante « $_5($ » qui indique le début du constituant *écouter*. *Vous* et *écouter* ne sont séparés par aucune autre parenthèse, c'est-à-dire qu'il n'y a pas de constituants autres que le n° 4 et le n° 5 dont la limite passe juste entre *vous* et *écouter*. Par contre *allez* et *vous* sont séparés par trois parenthèses. Outre la parenthèse fermante « $)_2$ » qui indique la fin du constituant *allez* et la parenthèse ouvrante « $_4($ » qui indique le début du constituant *vous*, il y a la parenthèse ouvrante « $_3($ » qui indique le début du constituant *vous écouter*. Cette parenthèse passe entre *allez* et *vous* puisque *allez* se trouve à l'extérieur de ce constituant tandis que *vous* se trouve à l'intérieur.

On voit mieux maintenant comment l'agencement des parenthèses étiquetées peut être mis à profit par les règles qui marquent les frontières de mot comme faibles ou fortes (les règles de redoublement du symbole # dont il est question p. 43). Si tous les cas à décrire étaient comme (1) et (2), il suffirait d'une règle qui dise : « remplacer # par # # en chaque point où on trouve une séquence de trois parenthèses ou plus. La réalité est malheureusement beaucoup plus complexe. Notez en particulier que certaines liaisons (les liaisons dites facultatives) dépendent du style de diction, *je vais à Paris* et *je suis arrivé* se prononcent avec liaison dans la diction soignée, mais sans liaison dans la conversation familière. La structure syntaxique de ces phrases est évidemment la même quel que soit le style de diction. Ce qui change, ce sont les règles de redoublement de #. Chaque style de diction est caractérisé par un certain système de règles de redoublement de #. Ces règles ne varient d'ailleurs pas du tout au tout d'un style à l'autre. Il est certaines liaisons qui se font toujours (*vous-zécoutez*) et d'autres qui ne se font jamais (**Jean-nest venu*).

Une dernière remarque. L'orthographe possède des symboles spécialisés dans l'indication des frontières de mot : blanc, apostrophe, etc. A tout blanc, apostrophe, etc. correspond une frontière de mot, et il n'existe pas de frontière de mot qui ne soit pas signalée par un blanc, une apostrophe, etc. Rien de tel dans la parole. Dans aucune langue à notre connaissance il n'existe de marques sonores spécialisées dans l'indication des frontières de mot. Les enregistrements instrumentaux montrent en particulier qu'il n'y a pas d'arrêts de la voix entre les mots, ni même en général entre des membres de phrase qui sont séparés par des virgules dans l'orthographe, et il n'y a a priori aucune raison pour qu'il en soit autrement [19]. Il est donc parfaitement illusoire de vouloir définir le mot dans une

19 L'orthographe française ne note donc pas que les propriétés phonétiques des phrases. Elle note aussi certaines de leurs propriétés syntaxiques : les frontières entre mots ou entre constituants plus importants (virgules).

langue en termes purement phonétiques ou phonologiques. Le découpage en mots découle par certaines règles de la structure de constituants, et la structure de constituants est définie par la composante syntaxique.

Jusqu'ici, nous nous sommes toujours guidés dans nos exemples sur l'orthographe pour découper les phrases en mots, et nous continuerons à le faire. C'est que sur ce point au moins, l'orthographe française reflète fidèlement la réalité linguistique. Le découpage de l'orthographe correspond en général avec celui qu'il est de toutes façons nécessaire de postuler pour rendre compte adéquatement des faits de prononciation. Ce point mérite d'être souligné : le linguiste n'a pas le droit de tirer argument des faits de graphie pour justifier ses analyses, puisque son objet d'étude est l'expression orale, et que la graphie n'en donne pas toujours une transcription fidèle. Sur bien des points, l'orthographe française ne transcrit pas la réalité linguistique contemporaine mais des traits de langue aujourd'hui disparus. Pour savoir dans quels cas la graphie reflète fidèlement la réalité et dans quels cas elle s'en écarte, le linguiste doit d'abord étudier cette réalité pour elle-même, sans faire intervenir aucune considération orthographique, puis confronter ensuite son analyse point par point avec l'orthographe. Le *s* final de la graphie *divers* recouvre une réalité linguistique, car on dit *diverse, diversité*, et non par exemple **divère, *divérité* (cf. *sévère, sévérité*). En revanche celui qui figure à la fin de *corps* et *printemps* est une pure fiction orthographique (cf. *corporel, printanier*). A priori il n'y a aucune raison de penser que l'orthographe doive être un calque plus fidèle de la langue en ce qui concerne la répartition des blancs qu'en ce qui concerne les *s* finaux. Si nous acceptons l'analyse en mots suggérée par l'orthographe, c'est parce qu'en étudiant la langue en toute indépendance de la graphie, on se voit forcé de découper les phrases en unités qui correspondent précisément à celles qui sont séparées par des blancs dans l'écriture. Qu'on appelle ces unités des mots ou autrement, c'est purement une affaire de préférences terminologiques.

LA THÉORIE LINGUISTIQUE

Si les linguistes s'astreignent à construire les grammaires de langues diverses, ce n'est pas pour pouvoir ensuite les aligner comme les spécimens d'une collection d'histoire naturelle, mais pour obtenir des lumières sur la faculté du langage.

Seuls de tout le règne animal, les humains ont la capacité d'apprendre au cours des premières années de leur vie ce système extraordinairement compliqué qu'est une langue. A partir du petit nombre de phrases qu'il a l'occasion d'entendre l'enfant est capable d'induire les principes généraux qui gouvernent la formation et l'interprétation de l'ensemble infini des phrases de la langue en question (autrement dit d'en découvrir la grammaire). Quand on songe à l'énormité de la tâche, la rapidité et la facilité relatives avec lesquelles tous les enfants s'en acquittent sont proprement déconcertantes. A moins qu'il n'existe certains traits de structure qui soient des constantes universelles valables pour toutes les langues — les *universaux* — et que ces constantes ne soient inscrites dans le patrimoine génétique de l'espèce, de sorte que chaque enfant naîtrait en connaissant en quelque sorte par avance le modèle universel sur lequel toutes les langues sont bâties. Exposé par exemple au français, il ne lui resterait plus à découvrir que celles des propriétés du français qui ne sont pas des universaux. En l'état actuel des connaissances, l'idée que les universaux du langage sont déterminés par les caractéristiques génétiques de l'espèce n'est encore qu'une hypothèse, mais l'existence même d'universaux ne peut pas être mise en doute. Les langues sur lesquelles nous possédons quelques données représentent un échantillon ridiculement petit de l'ensemble de celles qui ont existé depuis les débuts de l'humanité. Et pourtant, sous une extraordinaire diversité de surface, elles présentent entre elles des similitudes si profondes et si frappantes qu'il ne fait pas de doute que les différences de langue à langue ne sont que des variations secondaires autour d'un schéma fondamental unique. Un des moyens de découvrir ce schéma est de construire les grammaires de diverses langues et de les comparer entre elles.

Le linguiste poursuit donc deux entreprises distinctes et complémentaires. D'une part il essaie de découvrir les grammaires de langues particulières, de l'autre il essaie de découvrir le modèle universel sur lequel ces grammaires sont construites. Construire une grammaire G d'une langue L revient à proposer une définition de la notion « phrase bien formée de L ». Cette définition est de la forme : « pour qu'une paire son-sens soit une phrase bien formée de L, il faut et il suffit qu'elle soit engendrée par la grammaire G (vient ensuite une description

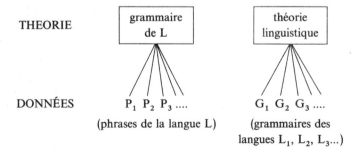

THEORIE — grammaire de L — théorie linguistique

DONNÉES — P_1 P_2 P_3 .... — G_1 G_2 G_3 ....
(phrases de la langue L) — (grammaires des langues L_1, L_2, L_3...)

détaillée de la grammaire G) ». Une grammaire d'une langue L est une théorie des phrases de L. Nous élevant d'un degré dans l'abstraction, nous cherchons d'autre part à construire une *théorie linguistique,* une théorie qui définisse la notion « langue humaine en général » en prenant comme données les grammaires des langues particulières (cf. diagramme).

Il est aisé de concevoir un système de correspondance son-sens qui ne soit pas une langue possible. Imaginons par exemple une langue où les phrases auraient même sens qu'en français, mais où la prononciation serait celle obtenue en permutant le premier et le dernier son de la prononciation française normale. Ce système établirait la correspondance son-sens suivante (la prononciation française normale est donnée entre parenthèses) :

([parl])	[larp]	« parle »
([parle])	[earlp]	« parlez »
([parleo])	[oarlep]	« parlez haut »
([iparl])	[lpari]	« il parle »
([iparlɛ])	[ɛparli]	« il parlait »

Il n'est pas besoin d'être grand clerc pour assurer qu'aucune langue humaine attestée n'a jamais été bâtie sur ce modèle, et qu'aucune langue ne pourra jamais l'être. Pour obtenir la grammaire de cette langue fictive il faut prendre la grammaire du français et ajouter à la fin de sa composante phonologique une règle phonologique qui permute le premier et le dernier son de chaque phrase. Or la grammaire d'aucune langue connue ne contient de règle phonologique de ce type. La langue fictive en question n'est pas une langue possible parce que sa grammaire contient une règle phonologique qui n'est pas une règle phonologique possible (ou « bien formée », cf. infra).

Chaque langue particulière étant caractérisée par une certaine grammaire, la théorie linguistique énonce les propriétés nécessaires et suffisantes que doit posséder une grammaire pour que l'ensemble de paires son-sens que cette grammaire engendre soit une langue possible. Les considérations des sections précédentes touchant à l'organisation générale des grammaires relèvent précisément de la théorie linguistique.

En transposant au plan de l'étude des langues en général la terminologie que nous avons adoptée pour celle des phrases d'une langue particulière, nous pouvons décréter « bien formées » les grammaires qui engendrent des ensembles de paires son-sens qui sont des langues possibles, et « mal formées » toutes les autres. La grammaire de notre langue fictive est mal formée. De même que la théorie des phrases d'une langue particulière L (la grammaire de L) doit définir la notion « phrase bien formée de L », de même la théorie des langues en général (la théorie linguistique) doit définir la notion « grammaire bien formée ». Inutile de préciser qu'actuellement on est encore très loin du compte.

Une langue donnée a donc deux sortes de propriétés. Certaines se retrouvent dans toutes les langues humaines (attestées ou simplement possibles). D'autres au contraire lui sont propres. La description d'une langue particulière ne doit contenir que ce qui distingue en propre cette langue de toutes les autres. Le reste relève de la théorie linguistique. *On ne peut donc prétendre décrire une langue particulière sans faire implicitement ou explicitement des hypothèses sur toutes les langues. La recherche de ce qui est commun à toutes les langues et la recherche de ce qui peut varier d'une langue à l'autre sont deux tâches qui se présupposent mutuellement.*

II Des structures superficielles aux représentations phonétiques

LES REPRÉSENTATIONS PHONÉTIQUES

Si l'on filme aux rayons X la bouche d'un sujet qui prononce la phrase *tu m'éblouis*, on observe une succession de manœuvres où entrent simultanément en jeu diverses pièces de l'appareil phonatoire : les lèvres, la masse et la pointe de la langue, les cordes vocales, etc. Il en résulte un certain objet sonore − un signal − qui se propage dans l'air et vient frapper le tympan de celui qui écoute. Ce signal est un train d'ondes sonores, une succession rapide de fluctuations de la pression de l'air. On étudie la parole du point de vue articulatoire lorsqu'on examine les mouvements·des organes de la parole qui donnent naissance aux signaux vocaux. On l'étudie du point de vue acoustique lorsqu'on examine les propriétés physiques de ces signaux. L'acoustique est la branche de la physique qui traite des sons.

Considérée de ces deux points de vue, la prononciation d'une phrase est un « continuum », un ensemble de variations continues sans limite tranchée qui marque la charnière d'un son et du suivant. Pour passer du [u] au [i] de [eblui] *éblouis* on tire les lèvres en arrière en leur faisant perdre leur arrondissement, et on déplace en même temps la masse de la langue vers l'avant de la bouche. Il s'agit là de mouvements qui prennent un certain temps, pendant lequel la cavité de la bouche change progressivement de forme, rendant successivement toute la gamme des timbres intermédiaires entre [u] et [i]. Et pourtant nous entendons les deux voyelles se succéder sans bavure, nettement délimitées l'une par rapport à l'autre. A partir des variations continues du signal dans le temps notre perception construit une suite finie t-ü-m-e-b-l-u-i, suite dont les termes sont des segments inanalysables en segments plus petits, et que nous identifions comme appartenant chacun à une

49

certaine catégorie abstraite appelée *son du langage*.[1] C'est cette suite de sons du langage que symbolise la représentation phonétique [tümeblui].

On prendra garde de bien faire la distinction entre un signal — ou la séquence de mouvements articulatoires qui lui donne naissance — et la représentation phonétique qui est associée à ce signal. Dans le cas du signal on a affaire à une certaine séquence d'événements physiques, vibrations sonores ou manœuvres articulatoires, et en tant que telle cette séquence est unique. Il est impossible d'effectuer deux fois exactement les mêmes gestes articulatoires, ni de produire deux fois exactement le même train d'ondes sonores (le même signal). Du point de vue physique, deux événements ne sont jamais absolument identiques. Et pourtant lorsque nous répétons *tu m'éblouis* nous avons le sentiment de prononcer plusieurs fois « de la même façon », et ceux qui nous écoutent, d'entendre « la même chose ».

Qu'on nous permette une comparaison. Il n'y a pas deux pièces de un franc qui soient exactement identiques, mais on néglige les différences matérielles que l'on constate entre elles tant que ces différences n'altèrent pas leur conformité au type abstrait « pièce de un franc » dont elles sont en quelque sorte des réalisations matérielles, des exemplaires[2]. Seuls sont *pertinents* l'effigie, la devise, les chiffres et les motifs décoratifs qui sont gravés sur chaque face, leurs grandeurs relatives et leur disposition les uns par rapport aux autres, etc. Par contre les irrégularités causées par l'usure ou de minimes différences dans le processus de fabrication sont non pertinentes. Il en va de même des différents objets sonores produits en répétant *tu m'éblouis*. Ce sont autant d'exemplaires d'un certain type abstrait défini par les règles de la langue française, et c'est à ce type que renvoie la représentation phonétique [tümeblui], non à tel ou tel des objets sonores concrets qu'on produit en prononçant *tu m'éblouis*. Ou encore, il y a entre une représentation phonétique et les divers signaux vocaux qui lui correspondent une relation de même nature qu'entre la partition d'un air de musique et les exécutions qu'on peut en donner à des moments différents, avec des musiciens ou des instruments différents. Chaque exécution est une séquence d'événements (gestes des exécutants et productions sonores) qui est unique en son genre, mais toutes matérialisent la même structure abstraite. Les auditeurs peuvent fort bien percevoir des différences d'une exécution à l'autre, mais ces différences ne leur apprennent rien sur l'air qui est joué, elles

---

1 Notre œil fait quelque chose de semblable lorsqu'il découpe le trait continu de l'écriture manuscrite en tranches successives qu'il assigne chacune à une des vingt-six lettres de l'alphabet.

2 Faute de mieux, nous adoptons les termes *type* et *exemplaire* pour rendre la distinction que l'anglais fait entre *type* et *token*.

les renseignent seulement sur la manière des exécutants, la qualité des instruments, etc.

Toutes les propriétés physiques des signaux ne sont pas exploitées à des fins linguistiques, car toutes ne peuvent pas être contrôlées par les sujets parlants. Ceux-ci ne sont par exemple pas maîtres du timbre de leur voix, qui dépend de leurs caractéristiques anatomiques individuelles, de leur état de santé, etc. Celui qui écoute fait donc un tri dans ce qu'il entend, n'en retenant que ce qui est pertinent du point de vue linguistique. *Sont linguistiquement pertinentes toutes les propriétés d'un énoncé qui sont gouvernées par des règles.*

Le linguiste ramène l'infinité des productions vocales possibles à un alphabet fini de symboles phonétiques. Il fait en cela l'hypothèse que les propriétés linguistiquement pertinentes de la prononciation de n'importe quelle phrase de n'importe quelle langue peuvent être décrites exhaustivement en utilisant un nombre fini de paramètres, chaque paramètre décrivant une échelle de valeurs discrètes [3] elles-mêmes en nombre fini. Prenons par exemple les positions de la masse de la langue dans la bouche. Elle peut se déplacer dans deux dimensions : de bas en haut (axe vertical) ou d'avant en arrière (axe horizontal). Entre son abaissement maximum et son élévation maximum vers la voûte de la bouche, il existe sur l'axe vertical une infinité de positions intermédiaires. Il existe de même une infinité de positions entre les points extrêmes de l'axe horizontal. L'ensemble des positions que peut occuper la masse de la langue dans la bouche constitue donc un espace bidimensionnel d'une infinité de points, et à cette infinité de points correspond pour chaque individu une infinité de sons physiquement distincts. On constate en fait que les langues du monde tirent un parti très limité de ces possibilités. Seules sont utilisées à des fins linguistiques les différences entre sons produits par des articulations assez distantes les unes des autres. Les différences entre sons produits par des articulations trop voisines sont ignorées. Sur le champ continu et infini des possibilités articulatoires et acoustiques, les langues imposent une grille discrète et finie de catégories phonétiques universelles, les sons du langage. A chaque son du langage correspond un symbole de l'alphabet phonétique.

Les sons du langage ne sont pas des entités inanalysables. Chacun est défini par la place unique qu'il occupe dans le système universel des *traits pertinents* (en anglais *distinctive features*). Par exemple le son [z] est [+ cons, + voix, − son, ...], c'est-à-dire que c'est un son consonantique, voisé, non-sonant, etc. (ces termes seront définis ci-après), tandis que le son [a] est [− cons, + voix, + son, ...],

---

3 *Discret* s'oppose à *continu*. Les nombres entiers 1, 2, 3... sont des entités discrètes. Au contraire les points d'une droite forment une suite continue.

c'est-à-dire non-consonantique, voisé, sonant, etc. Les traits pertinents sont posés une fois pour toutes et valables pour la description des sons de n'importe quelle langue, et leur système définit l'ensemble des possibilités articulatoires et auditives que l'homme peut employer à des fins linguistiques. Chaque trait représente une dimension articulatoire et perceptuelle qui peut varier indépendamment des autres. Nous admettrons en simplifiant que les traits pertinents sont tous binaires, c'est-à-dire qu'ils ne peuvent prendre que deux valeurs distinctes[4], que nous représenterons par les signes plus (+) et moins (−). On peut considérer chaque trait comme une certaine propriété P. Pour tous les sons du langage qui possèdent cette propriété P, le trait [P] a la *valeur* (ou la *spécification*) [+ P]. Pour tous les autres, tous ceux qui ne possèdent pas la propriété P, le trait [P] a la spécification [− P]. Tout son du langage est ou bien [+ P] ou bien [− P], et il n'en est pas qui soit à la fois [+ P] et [− P]. Chaque son du langage est défini par la liste de ses spécifications au regard des divers traits pertinents. Si φ est le nombre total des traits pertinents proposés par la théorie linguistique, chaque son du langage est défini par un ensemble de φ spécifications + ou −. L'idée d'un système universel des traits binaires a été développée à l'origine par Roman Jakobson dans une perspective théorique bien différente de celle adoptée ici[5], cf. Jakobson, Fant et Halle (1952), Jakobson et Halle (1956).

On trouvera à la p. 286 un tableau où sont caractérisés par traits pertinents les sons du langage qui reviennent le plus fréquemment dans le présent livre. La première colonne de ce tableau indique par exemple que le son du langage qu'on représente par la lettre *p* dans les transcriptions phonétiques, est défini par les spécifications [− sonant, − syllabique, + consonantique, − continu...]. Seuls ont un statut théorique les traits pertinents. Les lettres de l'alphabet phonétique sont simplement des abréviations commodes pour désigner des ensembles de spécifications[6]. Ainsi [p] n'est rien qu'une abréviation commode pour l'ensemble [− sonant, − syllabique, + consonantique, − continu...].

4 Afin de ne pas compliquer, nous admettons que les traits pertinents sont binaires au niveau phonétique aussi bien qu'au niveau phonologique, et nous passons sous silence la distinction qu'on fait entre leur fonction classificatoire et leur fonction de paramètres phonétiques, cf. Chomsky et Halle (1968 : 65, 169, 297), et Postal (1968 : 109 ss.).

5 On trouvera dans Chomsky et Halle (1968 : 306-308) certaines des raisons qui ont amené à modifier le système proposé originellement par Jakobson et ses collaborateurs.

6 Des différents alphabets phonétiques, le plus couramment utilisé est celui de l'Association Phonétique Internationale, dont on trouvera une description dans la brochure *The Principles of the International Phonetic Association,* qui est réimprimée périodiquement (Londres, University College). Pour d'autres alphabets, cf. Haudricourt et Thomas (1967).

Le système des traits pertinents doit fournir un cadre de référence universel qui permette de situer les uns par rapport aux autres, non seulement les différents sons d'une même langue, mais les sons de langues différentes. Nous voulons un vocabulaire qui nous permette de dire précisément, non seulement en quoi le son initial de *beau* est différent de celui de *peau*, mais aussi en quoi il est plus proche de celui du mot russe *bog* « dieu » que de celui du mot anglais *boat* « bateau ». Toute distinction phonétique, aussi fine soit-elle, doit trouver sa place dans ce système, à partir du moment où elle est faite systématiquement dans une langue ou dans une autre. Seules sont ignorées les régularités qui se retrouvent dans toutes les langues et peuvent être mises sur le compte de certaines contraintes imposées par la structure de l'appareil articulatoire ou perceptuel de l'homme. Il est par exemple inutile de noter la différence entre la consonne nasale bilabiale [7] qui apparaît à la fin de *femme* [fam] dans *femme pâle* et la nasale labiodentale qui la remplace souvent dans *femme forte*. Il n'existe en effet dans aucune langue de règle qui distingue systématiquement ces deux types de sons, et les nasales labiodentales n'apparaissent régulièrement qu'en remplacement de nasales bilabiales lorsque celles-ci précèdent immédiatement un [f] ou un [v] (Ladefoged, 1971 : 37).

En pratique, les transcriptions phonétiques qu'on trouve dans les livres de linguistique sont des approximations très éloignées de l'idéal dont il vient d'être question. Elles sont comme des cartes géographiques de régions encore partiellement inexplorées. Outre les traits phoniques qui n'ont pas encore attiré l'attention des chercheurs, certains n'y figurent pas parce qu'on est encore dans l'incertitude sur la meilleure façon de les décrire systématiquement. Tel est par exemple le cas des variations de la hauteur mélodique de la voix, qui jouent un rôle important dans l'intonation de toute langue.

Le degré de précision des transcriptions phonétiques employées varie aussi en fonction des besoins de l'exposition. Hormis les cas où c'est précisément ce point qui est en discussion, il est par exemple inutile de rappeler à chaque instant au lecteur qu'en français *r* se prononce sourd ([r̥]) au voisinage d'une consonne sourde (cf. p. 66), et sonore ([r]) partout ailleurs, et on se contente de noter partout un son unique [r]. De telles inexactitudes sont sans inconvénients tant qu'elles n'affectent pas la validité des points débattus. Ceci dit, il est essentiel de se souvenir qu'en droit, une représentation phonétique est une caractérisation finie et exhaustive de l'ensemble de toutes les propriétés linguistiquement pertinentes de la prononciation d'une forme. Prenons par exemple la phrase *vous écriviez* et

---

7 Sur bilabial et labiodental, cf. p. 64.

sa représentation phonétique [vuzekṛivye]. C'est une séquence de dix sons du langage, chaque son du langage étant défini par un ensemble de φ spécifications qui correspondent aux φ traits pertinents du stock universel. Si on fait figurer sur la même verticale les spécifications qui caractérisent un son du langage donné et sur la même horizontale les spécifications successives que prend un même trait pour les différents sons de la séquence, on obtient une table rectangulaire ou *matrice* dont chaque colonne figure un son et chaque ligne un trait pertinent. On trouvera la matrice en question à la figure 11b de la p. 71. La séquence de symboles phonétiques entre crochets carrés [vuzekṛivye] n'est qu'un substitut commode et sans statut théorique pour cette matrice.

LE SYSTÈME DES TRAITS PERTINENTS

On ne connaît encore qu'une partie du stock universel des traits pertinents. Chomsky et Halle ont proposé dans *The Sound Pattern of English* un système d'une trentaine de traits qui devra être complété et remanié à mesure que la phonologie des langues sera mieux connue. Nous ne présenterons pour notre part qu'un fragment de ce système, nous bornant au minimum nécessaire pour rendre intelligible le principe général des traits pertinents et la discussion de divers exemples concrets. Pour la présentation du système dans son entier, nous renvoyons au livre de Chomsky et Halle. Le propos de ce qui va suivre n'est donc pas de survoler, même rapidement, l'éventail complet des différentes possibilités articulatoires utilisables à des fins linguistiques. Les possibilités articulatoires présentées ici et les traits pertinents qui leur correspondent ne constituent qu'un sous-ensemble restreint de ce qui a été répertorié à ce jour. Les lecteurs qui désirent prendre une vue plus large des différentes branches de la phonétique liront avec profit l'introduction générale de Denes et Pinson (1963). On trouvera un inventaire plus complet des sons du langage dans Malmberg (1954) et les éditions les plus récentes de Martinet (1960). Pour des exposés plus détaillés, cf. Haudricourt et Thomas (1967), Ladefoged (1964 et 1971), Malmberg (1968), Smalley (1968), Westermann et Ward (1933). En ce qui concerne la phonétique acoustique, voyez l'introduction élémentaire de Ladefoged (1962).

Dans un premier contact avec la phonologie, peu importe que le lecteur soit capable de donner la définition complète en traits pertinents de tous les sons du langage mentionnés dans ce livre. Il suffit qu'il ait une vue claire du principe général de la classification par traits pertinents, et de la délimitation exacte des traits les plus importants, comme [syllabique], [consonantique], [sonant], [nasal]. Il ne doit pas s'effrayer de la luxuriance de la terminologie. Dans une première lecture, il s'attachera avant tout aux choses décrites, qui sont fort simples, sans trop se soucier de retenir les termes qui les désignent. L'index et les tableaux situés à la fin du livre lui permettront de se familiariser progressivement avec la terminologie phonétique à mesure qu'elle sera réemployée dans les chapitres suivants. A leur première apparition, les termes qui désignent des traits pertinents sont mis en italiques. Ce sont les seuls qui aient un statut théorique. Nous avons également donné les principaux termes consacrés par la tradition, et nous nous en servirons chaque fois qu'ils permettent d'abréger. Il n'y a par exemple pas de trait pertinent [fricatif], mais rien n'empêche d'employer ce terme comme une abréviation commode pour « continu non-sonant ».

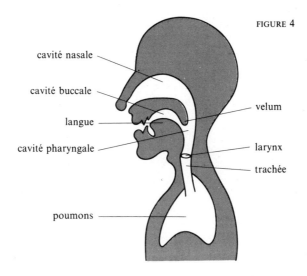

FIGURE 4

cavité nasale

cavité buccale

langue

cavité pharyngale

velum

larynx

trachée

poumons

L'énergie nécessaire à la parole est fournie par la compression de l'air contenu dans les poumons. Cet air s'échappe par la trachée en un flux continu (expiration). Pour parvenir à l'extérieur, la colonne d'air ainsi mise en mouvement doit passer par le larynx et le conduit vocal (fig. 4).

Le larynx et le conduit vocal

Le larynx est une structure cartilagineuse située au sommet de la trachée. C'est là que se trouvent les cordes vocales, deux replis en forme de lèvre qui fonctionnent comme une valve. L'écartement des cordes vocales est réglable et permet de contrôler le débit de l'air. Schématiquement, les cordes vocales sont comme les branches d'un V situé dans un plan horizontal, et dont la pointe est tournée vers l'avant du corps (vers la pomme d'adam). La glotte est l'espace libre compris entre les cordes vocales. La quantité d'air qui peut s'écouler par la glotte à un instant donné dépend de l'écartement des cordes vocales. La glotte est fermée lorsque les cordes vocales sont serrées l'une contre l'autre, formant une barrière hermétique au passage de l'air. Les cordes vocales peuvent aussi être largement écartées, et n'offrir ainsi aucune résistance à l'écoulement de l'air (comme durant la respiration normale). On dit alors que la glotte est ouverte.

Dans certaines conditions[8], ouvertures et fermetures de la glotte se suivent à grande vitesse (plusieurs centaines de fois par seconde) et le flux d'air continu qui arrive de la trachée est débité en un chapelet de petites bouffées d'air correspondant à autant d'ouvertures successives de la glotte. On dit alors qu'il y a vibration des cordes vocales, et les sons dont la production s'accompagne de la vibration des cordes vocales sont dits *voisés* ou sonores ([+ voix]), tandis que les autres sont dits par opposition *non-voisés* ou sourds ([− voix]). Les bouffées d'air successives qui correspondent à chacune des ouvertures de la glotte se suivent à un rythme trop rapide pour qu'on puisse les percevoir séparément. Il en résulte un bourdonnement continu, le son laryngien. Le son laryngien excite les résonances propres du conduit vocal (en anglais *vocal tract*).

Une comparaison simple fera comprendre les rôles respectifs des cordes vocales et du conduit vocal. Lorsqu'on pince une corde de guitare, ses vibrations se transmettent à la masse d'air contenue dans la caisse de résonance, et la nature du son qui nous parvient dépend de deux facteurs : de la façon dont la corde vibre, et des caractéristiques de la caisse de résonance. Pour une caisse donnée, la façon dont la corde vibre détermine la hauteur et l'intensité du son. Plus la corde vibre vite (plus elle est tendue) plus la note est haute dans la gamme; plus l'amplitude des vibrations est grande (plus on joue fort) plus le son est intense. De leur côté, les caractéristiques de la caisse de résonance déterminent le timbre (la couleur) du son.

La même corde ne rend pas un son identique selon qu'elle est tendue sur la caisse d'une guitare ou d'un banjo. C'est qu'en reprenant les vibrations de la corde à son propre compte, l'air contenu dans la caisse les remanie. Il en accentue certains aspects et en atténue d'autres. Bref, il leur impose sa coloration propre, qui dépend

8 Le mécanisme de la vibration des cordes vocales est décrit très simplement dans SPE : 301.

en dernière analyse de la forme de la caisse, de son volume, de la disposition de ses ouvertures, etc. L'appareil phonatoire est comme un instrument de musique dont on pourrait faire varier à volonté la caisse de résonance (conduit vocal).

Des ajustements complexes dans le larynx et au-dessous permettent de contrôler le mode de vibration des cordes vocales, dont dépendent la hauteur et l'intensité des sons produits. Le timbre est réglé par la forme et l'agencement des diverses cavités qui constituent le conduit vocal.

Nous ne nous étendrons pas sur la hauteur et l'intensité. Non qu'il s'agisse de phénomènes d'importance secondaire ou que l'on ne puisse encore rien en dire de précis. Mais le cadre étroit de la présente introduction nous oblige à nous limiter. Disons simplement qu'elles jouent un rôle essentiel dans les langues à tons[9], dans la manifestation de l'accent[10], et dans l'intonation, sur laquelle on sait encore malheureusement fort peu de choses.

La cavité nasale et la cavité pharyngobuccale

Le conduit vocal est l'ensemble de deux cavités : la cavité nasale et la cavité pharyngobuccale (pharynx + bouche). La cavité nasale communique avec l'extérieur par les narines. A son autre extrémité, elle se jette dans la cavité pharyngobuccale. Au carrefour où les deux cavités se rejoignent se trouve un tissu musculaire mobile, le velum ou palais mou, situé dans le prolongement de la voûte osseuse de la bouche (palais dur). Le velum agit comme un portillon. Au repos il pend vers le bas, ce qui permet à tout ou partie de l'air en provenance du pharynx de s'écouler vers l'extérieur en empruntant la cavité nasale. Les sons ainsi produits sont dits *nasals* ([+ nas])[11]. Le velum peut aussi se relever à l'horizontale, interdisant toute communication entre la cavité pharyngobuccale et la cavité nasale. L'air en provenance du pharynx est alors forcé de passer par la bouche uniquement. On obtient dans ce cas des sons *non-nasals* ([− nas]), cf. figures 6, 7, 9 et 10.

9 Cf. Pike (1948). Pour des traitements dans un cadre de la phonologie générative, cf. par exemple Leben (1971), Maran (1971), Wang (1967), Woo (1969; 1970).

10 Outre SPE, dont la plus grande partie est consacrée à une étude très détaillée de l'accent en anglais, on pourra par exemple consulter sur les phénomènes d'accent : Bierwisch (1968), Brame (1971), Bresnan (1971; 1972), Browne et McCawley (1965), Halle (1970; 1971), Halle et Keyser (1971), McCawley (1968a), Ross (1972), Zeps et Halle (1971).

11 Cf. les figures 4 et 5, qui représentent la disposition des organes durant l'émission d'une voyelle nasale, et la figure 8.

La cavité nasale a une forme et un volume à peu près fixes, et ne peut être obstruée qu'en un seul point, son extrémité postérieure. Au contraire le tube pharyngobuccal est susceptible de prendre des formes variées et d'être rétréci ou bouché en divers points de sa longueur.

Les timbres vocaliques

En nous en tenant à l'essentiel, les propriétés de résonance de la cavité pharyngobuccale dépendent de deux facteurs : la position des lèvres et celle de la langue. La projection en avant et l'arrondissement des lèvres ont pour effet d'augmenter la longueur totale du tube pharyngobuccal et de réduire la taille de l'ouverture par laquelle il communique avec l'extérieur. Les sons ainsi produits sont dits *arrondis* ([+ rond]) (*u*, *o*, *ü*, etc.). Les autres sont dits *non-arrondis* ([− rond]) (*i*, *e*, *a*, etc.).

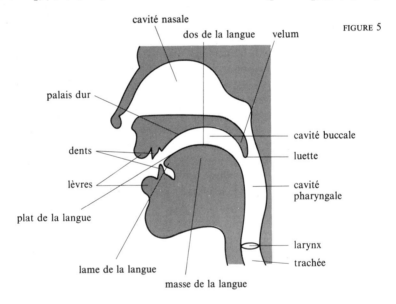

FIGURE 5

cavité nasale

dos de la langue   velum

palais dur

cavité buccale

dents

luette

lèvres

cavité pharyngale

plat de la langue

larynx

trachée

lame de la langue

masse de la langue

Sur la plus grande partie de sa longueur, la paroi inférieure du tube pharyngobuccal est constituée par la face supérieure de la langue (cf. figure 5). La langue est un assemblage de muscles terminé à l'avant par une pointe capable de mouvements extrêmement rapides et précis. On appelle lame (anglais *blade*) de la langue la partie antérieure comprenant la pointe et ce qui se trouve dans son voisinage immédiat. Le reste est ce que nous appellerons la masse de la langue. La face supérieure de la langue se divise parallèlement en deux zones : la face supérieure de la lame ou plat de la langue, et le dos, qui s'étend vers l'arrière jusqu'à la racine de la langue. La configuration de la lame peut être contrôlée indépendamment de celle de la masse.

La masse de la langue peut se déplacer dans deux dimensions, avec un mouvement concomitant de la mâchoire inférieure : de bas en haut (axe vertical) et d'avant en arrière (axe horizontal). A mesure que la masse de la langue s'élève vers le haut, le dos se rapproche de la voûte de la bouche, et le diamètre du tube pharyngobuccal se rétrécit. Mais ce rétrécissement n'a pas lieu uniformément sur toute la longueur du tube. La zone où le rétrécissement est maximum forme une espèce d'étranglement qui divise le tube pharyngobuccal en deux cavités ayant chacune leur résonance propre. L'emplacement de cet étranglement le long du tube dépend de la position de la masse de la langue sur l'axe horizontal.

Dans le système proposé par Chomsky et Halle la masse de la langue ne peut prendre que trois positions distinctes sur l'axe vertical, et deux sur l'axe horizontal. Les sons durant la production desquels la masse de la langue est abaissée au maximum sont *bas* ([+ bas]) (ε, a, ɔ, etc.), ceux durant la production desquels elle a son élévation maximum sont *hauts* ([+ haut]) (*i, ü, u*, etc.). Il suit de cette définition qu'aucun son ne peut être à la fois [+ bas] et [+ haut]. Les sons qui ne sont ni [+ bas] ni [+ haut], c'est-à-dire ceux qui sont à la fois [− bas] et [− haut], sont ceux produits avec une élévation moyenne de la masse de la langue (*e, ö, o*, etc.). Les sons durant la production desquels la langue est massée en arrière de la bouche sont d'*arrière* ([+ arr]) (*u, o, a*, etc.) et les autres sont d'avant ou *non-arrière* ([− arr]) (*i, e, ü, ö*, etc.). En combinant les trois positions possibles sur l'axe vertical et les deux possibles sur l'axe horizontal, on obtient un tableau à six cases où nous rangeons les voyelles du français :

	[− arrière]	[+ arrière]
[+ haut] [− bas]	i ü	u
[− haut] [− bas]	e ö	o
[− haut] [+ bas]	ε œ	a ɔ

Deux voyelles situées à l'intérieur d'une même case sont distinguées par l'arrondissement des lèvres. Lorsqu'on fait intervenir les spécifications [− rond] et [+ rond] on obtient le tableau I de la p. 284 [12].

Les sons qui figurent dans ce tableau sont tous non-nasals; le velum est relevé et les vibrations glottales n'excitent que les résonances du tube pharyngo-buccal. En abaissant le velum on permet à une partie de l'air de s'écouler par le nez et on ajoute aux résonances du tube pharyngobuccal celles de la cavité nasale. A chaque position des lèvres et de la masse de la langue dans la bouche correspondent donc deux voyelles distinctes, une non-nasale et une nasale. On a coutume de symboliser une voyelle nasale en ajoutant un tilde à la lettre qui note la voyelle non-nasale correspondante. Ainsi [ɛ] note une voyelle [− nas, − haut, + bas, − arr, − rond], et [ɛ̃] note une voyelle [+ nas, − haut, + bas, − arr, − rond].

Les consonnes : mode d'articulation

Dans la production des sons examinés au paragraphe précédent, l'air qui s'écoule par le tube pharyngobuccal ne rencontre aucun obstacle sur son passage. De tels sons sont dits *non-consonantiques* ([− cons]). Nous allons maintenant examiner la façon dont sont produits les sons *consonantiques* ([+ cons]). La production de tels sons nécessite la fermeture totale ou partielle du tube pharyngo-buccal. Cette fermeture peut être le fait des lèvres, de la lame ou du dos de la langue. Selon l'importance de l'obstacle opposé au passage de l'air [13], on distingue entre les obstruantes ou *non-sonantes* ([− son]) et les *sonantes* ([+ son]). Nous examinerons d'abord les obstruantes [14].

Les obstruantes peuvent être *continues* ([+ cont]) ou *non-continues* ([− cont]). Durant l'émission des obstruantes continues, les organes sont disposés de façon à créer un fort étranglement en un point du tube pharyngobuccal,

12 Depuis la publication de SPE diverses modifications ont été proposées, qui aboutissent à un remaniement profond du système des traits en matière de timbres vocaliques, cf. Halle et Stevens (1969), Perkell (1971). Pour une autre classification proposée récemment, cf. Ladefoged (1971).

13 Pour une formulation plus précise, cf. SPE : 302.

14 Ce mot est apparenté à *obstruer, obstruction*. Les obstruantes correspondent aux « bruyantes » de la traduction française des *Principes de Phonologie* de Troubetzkoy (cf. p. 15 n. 1).

comme par exemple lorsque la lèvre inférieure est rapprochée de l'arête des incisives supérieures (fig. 6). L'écoulement de l'air par l'étroit passage laissé libre donne naissance à un bruit de friction, d'où le nom de fricatives communément donné aux obstruantes continues (*f, v, s, z,* etc.). Dans leur mécanisme de production et leur nature acoustique, les fricatives sont comparables au bruit que fait entendre l'air sous pression qui s'échappe d'une valve de chambre à air. Les obstruantes continues sont [+ cons, − son, + cont].

Les obstruantes non-continues sont des sons au cours de la production desquels l'écoulement de l'air se trouve momentanément interrompu par l'obstruction complète du tube pharyngobuccal. Ainsi pour produire un [b] ou un [p] on bouche le tube pharyngobuccal à son extrémité antérieure en serrant les lèvres et on relève le vélum pour empêcher l'air de s'écouler par le nez (fig. 7). La masse d'air emprisonnée derrière les lèvres est comprimée, et lorsqu'enfin les lèvres s'écartent à nouveau, elle s'échappe subitement avec un léger bruit d'explosion. Les obstruantes non-continues sont [+ cons, − son, − cont]. On les appelle traditionnellement des occlusives. Pour certains auteurs les occlusives englobent également les consonnes nasales et le coup de glotte (cf. infra). Nous ne suivrons pas cet usage, et dans ce livre le terme d'occlusive est toujours employé comme un synonyme exact d'obstruante non-continue. Les occlusives qu'on trouve en français sont *p, b, t, d, k* et *g.* Les fricatives ne sont pas les seuls sons du langage à être des continues. Sont aussi des continues les voyelles, les consonnes nasales, les liquides et les glides (cf. infra).

Avant de quitter les obstruantes il faut mentionner un type d'obstruante qui n'existe pas en français, les affriquées (mot construit sur la même racine que *friction, fricative*). Dans les affriquées l'obstruction complète du début n'est pas relâchée de façon franche, comme dans *p, t, k,* etc., mais graduellement, d'où une période où l'obstacle au passage de l'air n'est que partiellement levé, et où on entend un bruit de friction semblable à celui des fricatives. Sont par exemple des affriquées les sons *č* et *ž* qu'on trouve à la fin des mots anglais *beach* « plage » et *bridge* « pont », et que les Français ont tendance à interpréter comme des séquences *t + š, d + ž,* car leur langue ne contient pas d'affriquées. Le trait *relâchement retardé* (en anglais *delayed release*) permet d'opposer en bloc les affriquées et les fricatives, qui sont [+ rel ret], aux obstruantes restantes, qui sont [− rel ret].

Passons maintenant aux segments [+ cons, + son]. Il en existe deux sortes, les nasales et les liquides, que nous allons passer successivement en revue.

Imaginons qu'on ferme complètement le tube pharyngobuccal en un point, comme pour produire une obstruante non-continue, mais sans relever le velum.

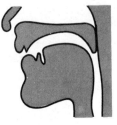

FIGURE 6
[f] et [v]

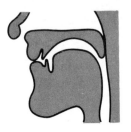

FIGURE 7
[p] et [b]

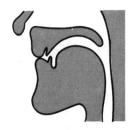

FIGURE 8
[m]

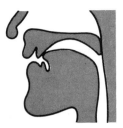

FIGURE 9
[t] et [d]
(pour [n] le velum
est abaissé)

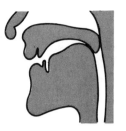

FIGURE 10
[k] et [g]
(pour [ŋ] le velum
est abaissé)

L'air s'écoule alors sans obstacle vers l'extérieur en empruntant la seule cavité nasale (fig. 8). Les sons produits de cette manière sont consonantiques et nasals, en vertu des définitions données plus haut. On obtient diverses consonnes nasales selon le point du tube pharyngobuccal où a lieu la fermeture complète (*m, n, ñ,* ŋ). Les consonnes nasales sont [+ cons, + son, + cont, + nas].

Passons aux liquides. Il s'agit de sons comme le *l* et le *r* français. Dans *l* la pointe de la langue barre le tube pharyngobuccal en son milieu (derrière les incisives supérieures), mais l'air contourne facilement l'obstacle et s'écoule librement par les côtés car les bords de la langue sont abaissés. Dans la variété de *r* normale à Paris, l'air s'écoule sans turbulence audible par l'espace laissé libre entre la partie postérieure du dos de la langue et la luette, un petit appendice qui termine le velum. Les liquides sont [+ cons, + son, + cont, − nas].

La syllabicité

Si toutes les obstruantes sont nécessairement consonantiques, il n'en va pas de même des sonantes. Outre les consonnes nasales et liquides, il existe aussi des sonantes non-consonantiques. On range les sonantes non-consonantiques en deux catégories selon qu'elles sont ou non *syllabiques*. Sont syllabiques ([+ syll]) les sons qui peuvent à eux-seuls constituer une syllabe. Les autres sont *non-syllabiques* ([− syll]). Quoique cette distinction pose des problèmes théoriques épineux, son contenu intuitif est clair, et cela suffira pour notre propos. Le son de timbre *u* qui apparaît dans la prononciation de *troua* [trua] compte pour une syllabe, mais pas celui qui apparaît dans *trois* [trwa]. Le premier, qui est noté [u], est une sonante non-consonantique et syllabique, ou plus communément une voyelle. Le second, qui est noté [w], est une sonante non-consonantique et non-syllabique. Les nomenclatures traditionnelles l'appellent indifféremment une semi-voyelle ou une semi-consonne. Il existe en français trois semi-voyelles, qui font pendant aux trois voyelles hautes : [w] correspond à [u], [y] (qu'on appelle yod) correspond à [i], et [ẅ] correspond à [ü]. Les sonantes consonantiques et syllabiques n'existent pas en français mais sont attestées dans de nombreuses langues. Ainsi la consonne finale fait syllabe dans les mots anglais *bottle* [bɔtl̩] « bouteille », *cotton* [kʰɔtn̩] « coton ».

Les glides

Outre les voyelles et les semi-voyelles, la catégorie [− cons] englobe *h* et ʔ. On produit *h* en laissant la glotte ouverte et en donnant au conduit vocal la configuration qu'il a normalement pendant l'émission d'une voyelle. Ce son n'existe pas dans le français qu'on parle à Paris. C'est celui qu'on entend à l'initiale de mots anglais comme *hat* « chapeau », *house* « maison ». Pour produire ?, souvent appelé coup de glotte ou occlusion glottale, on ferme complètement la glotte et on la rouvre brusquement, ce qui donne à la voyelle suivante une attaque brutale. La toux n'est qu'un coup de glotte particulièrement énergique. En français, tout mot qui commence par une voyelle peut dans certaines conditions être prononcé avec un coup de glotte initial, comme par exemple dans les commandements militaires (*? une-deux ! ? une-deux !*) ou les slogans (*? à-bas-l'armée !*).

Comme les semi-voyelles, *h* et ? sont [+ son, − cons, − syll], et forment avec elles une classe de sons qu'on appelle en anglais les *glide*. Faute de trouver un équivalent français satisfaisant, nous reprendrons le terme anglais. *h* est [+ cont] et ? est [− cont].

Les traits [son], [cons] et [syll] permettent une première répartition des sons entre les catégories générales du tableau II de la p. 284. En regard de chaque combinaison de valeurs des traits nous avons donné la désignation habituelle de la catégorie en question dans la nomenclature phonétique traditionnelle, et quelques exemples. L'opposition entre [+ cons] et [− cons] correspond à peu près à la distinction qu'on fait traditionnellement entre consonnes d'une part, voyelles et semi-voyelles de l'autre.

Les consonnes : lieu d'articulation

Les sons [+ cons] sont produits en resserrant le tube pharyngobuccal en un point traditionnellement appelé point ou lieu d'articulation. L'obstruction au passage de l'air en ce point est complète dans les obstruantes non-continues et les consonnes nasales, et partielle dans les obstruantes continues et les liquides. Cette obstruction peut être le fait des lèvres ou de diverses parties de la langue.

L'obstruction complète des occlusives *p, b* et de la nasale *m* est obtenue en pressant les lèvres l'une contre l'autre, d'où leur nom de bilabiales, qui vient du latin *labia* « lèvre ». Pour les fricatives *f, v,* la lèvre inférieure est rapprochée du tranchant des incisives supérieures, d'où leur nom de labiodentales. Le terme « labial » recouvre les bilabiales et les labiodentales.

L'obstruction complète des occlusives et des nasales dentales (*t, d, n*) est obtenue en appuyant la pointe de la langue contre les dents (fig. 9). Pour les fricatives dentales (*s, z*) le rétrécissement du conduit est l'étroit passage laissé entre la face intérieure et les gencives des incisives supérieures d'une part, et la lame de la langue d'autre part. La constriction de *š* et *ž* se fait un peu plus en arrière. *s*, *z* et les affriquées correspondantes *c*, *ẓ* sont souvent appelées des sif-flantes. *š*, *ž* et les affriquées correspondantes *č*, *ẓ̌* sont souvent appelées des chuin-tantes, ou encore des palato-alvéolaires.

Les labiales et les dentales, toutes consonnes dont le point d'articulation est situé au niveau de celui de *s*, *z* ou plus en avant, sont des *antérieures* ([+ ant]) par opposition aux consonnes *non-antérieures* ([− ant]) comme *š*, *ž*, *k*, *g*, *ñ*, etc., dont le point d'articulation est situé en arrière de celui de *s* et *z*. On distingue d'autre part entre les *coronales* ([+ cor]), dont l'articulation met en jeu la lame de la langue, et les *non-coronales* ([− cor]). Les labiales sont antérieures et non-coronales, les dentales sont antérieures et coronales, et *š*, *ž*, *č* et *ẓ̌* sont non-antérieures et coronales. Il existe enfin en français des consonnes qui sont non-antérieures et non-coronales : *ñ*, *k* et *g*.

L'obstruction de la consonne nasale *ñ* est obtenue en appuyant la partie antérieure du dos de la langue contre le palais dur, et celle de *k* et *g* en appuyant la partie postérieure du dos de la langue contre le velum ou la partie postérieure du palais dur (fig. 10). Dans la nomenclature traditionnelle, *ñ* est une prépalatale ou plus simplement une palatale, et *k* et *g* sont des vélaires. Les occlusives palatales qui correspondent à *ñ* n'apparaissent en français que dans certaines formes de prononciations réputées vulgaires, par exemple dans des mots comme *cinquième*, *fringué*, mais elles sont très fréquentes dans les langues du monde. Nous les noterons *ḳ* et *ǧ*. La nasale vélaire qui correspond à *k* et *g*, notée *ŋ*, est la consonne qui s'écrit *ng* en anglais (*song* [sɔŋ] « chanson »). Pour appuyer le dos de la langue contre le palais dur ou le velum, il faut que la masse de la langue s'élève au maximum dans la bouche. Les palatales et les vélaires sont donc [+ haut], comme les voyelles *i*, *ü* et *u*. Les palatales s'articulent avec la langue massée en avant et les vélaires avec la langue massée en arrière. Les palatales et les vélaires sont donc respectivement [− arrière] et [+ arrière]. *š*, *ž*, *č* et *ẓ̌* sont [+ haut] et [− arr] comme les prépalatales mais elles sont [+ cor], tandis que les palatales (et les vélaires) sont [− cor], car leur articulation ne met pas en jeu la lame de la langue.

Nous avons groupé la plupart des consonnes dont il a été question aux paragraphes précédents dans le tableau III de la p. 285. Ce tableau ne résume que partiellement ce qui a été dit de ces consonnes, puisqu'il prend seulement en considération huit des treize traits que nous avons présentés. C'est ce qui explique en particulier que *t* y soit dans la même case que *c*, et *d* dans la même que *ẓ* : le trait de relâchement retardé, qui est le seul à les distinguer dans le système que nous avons donné, ne figure pas dans le tableau. De même les semi-voyelles et les liquides se trouvent sur la même ligne horizontale parce que le trait

65

[cons] ne figure pas dans le tableau. Comparez avec le tableau II, qui tient compte du trait [cons], et où les semi-voyelles et les liquides sont situés sur des lignes différentes.

Afin de permettre à l'œil de saisir plus rapidement le contenu des règles phonologiques, et d'éviter autant que possible l'accumulation des spécifications de traits dans le corps du texte, nous adoptons les conventions suivantes : V est équivalent à [+ syll], C à [− syll], N à [+ cons, + nas], O à [− son] (obstruante), L à [+ son, + cons, − nas] (liquide). On notera que conformément à nos conventions, C englobe non seulement des segments consonantiques (non-syllabiques) mais aussi les glides : *w, y, h,* etc. Le mot « consonne » sera employé de la même manière tout au long de ce livre. Sauf mention explicite du contraire, nous utilisons ce terme comme un raccourci pour « segment non-syllabique ». On prendra garde d'autre part à ne pas confondre O avec le symbole Ø, qui note « zéro ».

DES STRUCTURES SUPERFICIELLES AUX REPRÉSENTATIONS PHONÉTIQUES

Si on dressait un catalogue de tous les sons du langage qui apparaissent dans la prononciation du français, on arriverait à une liste de plusieurs centaines ou plus probablement plusieurs milliers d'unités différentes, chacune n'étant susceptible d'apparaître que lorsque sont remplies des conditions phonétiques et syntaxiques très particulières. Il existe par exemple des consonnes sonantes non-voisées [l̥], [r̥], [n̥], [m̥], qui n'apparaissent jamais qu'au voisinage d'une autre consonne non-voisée, et des consonnes voisées correspondantes [l], [r], [n], [m] qui apparaissent partout ailleurs : la consonne initiale du deuxième mot est non-voisée dans *cette latte* [sɛtlat], *cette rate* [sɛtrat], *cette natte* [sɛtnat], *cette masse* [sɛtmas], alors qu'elle est voisée dans *des lattes* [delat], *des rates* [derat], etc. De même la dernière consonne du verbe est non-voisée dans *vous appelez* [vuzaple], *vous semez* [vusme], alors qu'elle est voisée dans *vous appellerez* [vuzapɛlre], *vous sèmerez* [vusɛmre]. Les petits Français n'ont pas besoin d'apprendre séparément les deux variantes [l̥at] et [lat] du morphème *latte,* les deux variantes [n̥at] et [nat] du morphème *natte,* etc. Pour pouvoir prononcer correctement ces morphèmes dans tous les contextes, il leur suffit de retenir que *latte* commence par un son du type *l, natte* par un son du type *n,* etc., ainsi que la règle (1) :

(1) Les segments [+ son, − syll] sont non-voisés au voisinage immédiat d'un segment [− voix].

Ou encore, prenez le fait qu'on peut distinguer au moins deux degrés de longueur vocalique dans les représentations phonétiques du français. La voyelle de *bouge* est sensiblement plus longue que celle de *bouche*, celle de *case* que celle de *casse*, celle de *vire* que celle de *ville*, celle de *sauve* que celle de *sauf*. Il s'agit ici encore d'une alternance automatiquement réglée par le contexte. L'enfant qui apprend les mots *bouge* et *bouche* n'a pas besoin de retenir que le *u* du premier est plus long que celui du second. Il lui suffit de retenir que le segment qui suit la voyelle est un *ž* dans le premier et un *š* dans le second, et de connaître une règle qui veut que dans certaines conditions une voyelle s'allonge devant un *ž*, un *z*, un *r* ou un *v*.

Voici enfin un dernier exemple. Le radical du verbe *manier* se prononce [mani] dans *il le maniera* [manira], *j'en manie un* [mani], *j'en connais le maniement* [manimã]. Il se prononce [many] dans *vous le maniez* [manye], *c'est très maniable* [manyabl]. Ces prononciations ne diffèrent pas du tout au tout ; la tranche [man] reste constante. Seul varie le dernier segment, et encore sa variation est-elle minime, puisque [i] et [y] ne se distinguent que par la spécification du trait [syll] : [i] est [+ syll] et [y] est [− syll]. L'alternance entre [+ syll] et [− syll] dans la prononciation du dernier segment de *mani-* est un cas particulier de la règle (2) :

(2) Les segments [+ son, + haut] se prononcent [− syll] lorsqu'ils précèdent immédiatement une voyelle qui appartient au même mot[15].

C'est la règle (2) qui rend compte du fait que *avou-* se prononce [avw] dans *avouez* [avwe], par opposition à [avu] dans *il avoue* [avu], *il avouera* [avura]. Voyez de même les alternances de syllabicité dans les séries *expédiez, expédie, expéditeur* ; *contribuable, contribue, contribution* ; *statuette, statue, statufier* ; *échouer, échoue* ; *génial, génie*, etc. Il est inutile aux sujets de mémoriser dans chaque cas les deux prononciations alternantes.

Les linguistes considèrent les sons du langage qui apparaissent dans les représentations phonétiques d'une langue comme les manifestations d'entités sous-jacentes plus abstraites, les *phonèmes* de cette langue. On dira par exemple qu'en français [l̥] et [l] sont deux réalisations d'un même phonème /l/, que le phonème /i/ se réalise comme [i] dans *dévie* [devi] et comme [y] dans *dévier* [devye].

---

15 La formulation de cette règle a été grandement simplifiée pour les besoins de l'exposition. Nous ne tenons pas compte des cas où le segment [+ son, + haut] est précédé d'une obstruante et d'une liquide, comme dans *refluer, trouer*, etc., cf. Morin (1971) et Dell (1972).

On peut ainsi ramener à un système de quelques dizaines de phonèmes (une tren-taine pour le français) les centaines de sons du langage qui apparaissent dans les représentations phonétiques, ce qui permet de considérer les diverses prononciations d'un même morphème comme les réalisations phonétiques d'une séquence de phonèmes unique entreposée dans le lexique. Dans le lexique en effet, les indications relatives à la prononciation de chaque morphème sont couchées en termes de phonèmes, et non en termes de sons du langage. L'entrée lexicale de *petit* donne par exemple la *représentation phonologique*[16] /pətit/, c'est-à-dire la séquence de phonèmes /p/, /ə/, /t/, /i/, /t/, et ce sont les règles phonologiques qui se chargent d'indiquer que la représentation phonologique /pətit/ se réalise comme la repré-sentation phonétique [pti] dans *des petit tas* [deptita], comme [pœti] dans *sept petits tas* [sɛtpœtita], comme [ptit] dans *un petit os* [ɛ̃ptitɔs] et comme [pœtit] dans *chaque petit os* [šakpœtitɔs].

Les propriétés phoniques qui caractérisent la prononciation d'un morphème dans une phrase donnée sont de deux sortes. Certaines découlent d'autres pro-priétés du morphème en question ou de ceux qui l'entourent dans la phrase, et peuvent être prédites par règle. Il est donc inutile que les sujets parlants s'en encombrent la mémoire pour chaque morphème pris individuellement. D'autres au contraire ne peuvent pas être prédites. Elles appartiennent en propre au mor-phème en question — elles sont idiosyncratiques — et doivent être apprises par cœur. Dans *cette latte* [sɛtl̥at], sachant que le segment initial de *latte* est [+ son, − syll] et qu'il est précédé d'un segment [− voix] (le *t* qui précède), la règle (1) prédit que ce segment initial doit lui-même être [− voix]. Est par contre idio-syncratique le fait que *latte* commence par un segment non-nasal (par opposition à *natte*), sonant (par opposition à *datte*), antérieur (par opposition à *rate*), etc. Ce sont des faits idiosyncratiques de ce genre que l'on résume en disant que dans le lexique la somme des indications relatives à la prononciation de *latte* est la séquence /latə/.

On dit que l'inventaire des phonèmes du Français ne contient qu'un seul pho-nème du type /l/ parce que l'enfant qui apprend un nouveau mot français contenant un *l* n'a pas besoin de retenir s'il est voisé ou non-voisé. La différence de voisement entre [l] et [l̥] ne peut servir à distinguer deux éléments lexicaux. Ces deux sons du langage sont des réalisations d'un même phonème /l/. Il n'en va pas de même en birman, où s'opposent dans le lexique un *l* voisé et un *l* non-voisé.

---

16 Pour simplifier, nous supposons pour l'instant que le lexique contient des repré-sentations phonologiques. La distinction entre représentations phonologiques et repré-sentations lexicales sera introduite à la p. 105.

On distingue dans un même contexte [la] « lune » et [l̥a] « beau », qui doivent être considérés comme les prononciations de deux séquences de phonèmes distinctes /la/ et /l̥a/.

Notez que la règle (1) ne dit pas que la spécification du trait de voisement est toujours prédictible en français. Cette règle vaut seulement pour les segments sonants et non-syllabiques. Rien ne permet par exemple de prédire le caractère voisé de l'obstruante *b* dans *cette boule* [sɛtbul], par opposition au caractère non-voisé de *p* dans *cette poule* [sɛtpul], et ceci nous oblige à inclure dans l'inventaire des phonèmes du français deux phonèmes distincts /p/ et /b/, qui ne diffèrent que par la spécification du trait [voix].

Soit à engendrer la phrase (3), qui a la représentation phonétique (4) :

(3) *vous écriviez*

(4) [vuzekr̥ivye]

La composante syntaxique engendre la structure superficielle dont les grandes lignes sont représentées en (5) :

(5)   ((*vous*) (*écriv* + *impf* + *2plur*))
      P N   N V   V P

impf est le nom du morphème qui marque l'imparfait, et *2plur* celui du morphème qui marque le deuxième personne du pluriel. En appliquant à (5) les règles qui insèrent les frontières #, on obtient (6) :

(6)   # # vous # *écriv+impf+2plur* # #

Pour *vous*, *écriv-*, *impf* et *2plur*, le lexique donne les représentations phonologiques respectives /vuz/, /ekriv/, /i/ et /ez/. La phrase (3) a donc la représentation phonologique (7) :

(7)   /# # vuz # ekriv+i+ez # #/

En toute rigueur nous aurions dû faire figurer dans (6) et (7) le jeu complet des parenthèses étiquetées de (5). Mais dans aucun des cas concrets discutés **dans le présent livre** la structure syntaxique n'agit sur la phonologie autrement que par le biais de la répartition des frontières + et #. Nous omettons donc toujours les parenthèses étiquetées dans ce qui suit pour ne pas encombrer inutilement l'exposition. Le lecteur se rappellera cependant qu'en droit ces parenthèses sont partie intégrante des représentations phonologiques au même titre que les phonèmes ou les frontières + et #. Chomsky et Halle (1968) ont par exemple montré que ces parenthèses jouent un rôle capital dans l'opération des règles qui permettent de prévoir la place de l'accent en anglais.

Ce sont les diverses règles de la composante phonologique du français qui font passer de la représentation phonologique (7) à la représentation phonétique (4). La règle (1) (cf. p. 67) indique que le /r/ de /ekriv/ se réalise comme [ṛ], puisqu'il suit /k/, qui est non-voisé. La règle (2) (cf. p. 67) indique que le /i/ de la terminaison -*iez* se réalise comme [y], puisqu'il précède /e/, qui est une voyelle et appartient au même mot. Enfin nous verrons plus tard qu'il existe en français une règle qui indique qu'une obstruante qui précède # # se réalise comme zéro, c'est-à-dire qu'il ne lui correspond aucun son dans la représentation phonétique. Cette règle efface le /z/ final de la représentation (7). La suite d'opérations que nous venons de décrire succinctement est la dérivation de la représentation phonétique [vuzekrivye] à partir de la représentation phonologique /# # vuz # ekriv+i+ez # #/.

La composante phonologique est un dispositif qui associe à chaque représentation phonologique une ou plusieurs représentations phonétiques. On peut concevoir ce dispositif comme une sorte de machine à fabriquer des représentations phonétiques à partir des représentations phonologiques qu'on lui fournit. A l'entrée (input) de cette machine on introduit des représentations phonologiques et à la sortie (output) on obtient des représentations phonétiques. Pour comprendre comment ce mécanisme fonctionne, il faut d'abord expliciter ce que sont exactement les représentations phonologiques, et de quelle façon les règles phonologiques s'y appliquent.

C'est par souci de brièveté que nous avons représenté jusqu'ici les phonèmes comme des lettres phonétiques encloses entre des barres obliques. Les phonèmes sont en réalité des colonnes de φ spécifications correspondant aux φ traits pertinents définis par la théorie phonétique universelle (cf. p. 52). En pratique, comme les colonnes de spécifications de traits sont encombrantes et difficiles à lire, il est commode de désigner chacune par la lettre phonétique qui lui correspond. Lorsque nous disons que la représentation phonétique de *vous écriviez* est /# # vuz # ekriv+i+ez # #/ et sa représentation phonétique [vuzekṛivye], il s'agit simplement d'abréviations commodes pour les représentations (a) et (b) de la figure 11 [17] :

---

17 Nous avons mis en gras tous les détails par lesquels ces figures diffèrent afin de faciliter la comparaison entre elles. Les représentations phonologiques françaises postulées dans ce chapitre ne valent qu'à titre d'illustration. Elles n'impliquent aucune prise de position en ce qui concerne les représentations les plus abstraites, car il s'agit en fait de représentations intermédiaires que nous avons à dessein choisies assez proches des représentations phonétiques.

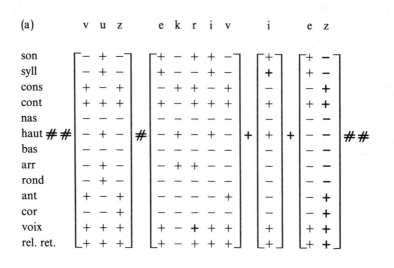

FIGURE 11

De même que les sons du langage, les phonèmes d'une langue sont caractérisés par des colonnes de spécifications de traits, mais la ressemblance s'arrête là. L'ensemble des sons du langage est défini une fois pour toutes au sein de la théorie phonétique, c'est-à-dire en faisant seulement référence aux possibilités articulatoires et perceptuelles utilisables à des fins linguistiques par n'importe quel être humain. La représentation phonétique d'une phrase caractérise directement une certaine prononciation, sans faire intervenir aucune considération propre à la langue particulière à laquelle cette phrase appartient. Au contraire une représentation phonologique est un objet abstrait qui n'a d'interprétation qu'à l'intérieur du système d'une langue donnée, en vertu des règles phonologiques de cette langue. Chaque langue a en propre un petit nombre de phonèmes qui se combinent diversement dans le lexique pour donner les représentations phonologiques des morphèmes. Ce sont les règles phonologiques qui donnent une interprétation phonétique aux représentations phonologiques.

La composante phonologique du français contient par exemple les règles suivantes :

$$(8) \quad 1 \quad \rightarrow \quad [-\text{syll}] \quad / \quad \begin{bmatrix} +\text{ son} \\ +\text{ haut} \end{bmatrix} \quad [+\text{syll}]$$
$$\qquad\qquad\qquad\qquad\qquad\qquad\quad 1 \qquad\qquad\quad 2$$

$$(9) \quad 2 \quad \rightarrow \quad [-\text{voix}] \quad / \quad [-\text{voix}] \quad \begin{bmatrix} +\text{ son} \\ -\text{ syll} \end{bmatrix}$$
$$\qquad\qquad\qquad\qquad\qquad\qquad\quad 1 \qquad\qquad 2$$

$$(10) \quad 1 \quad \rightarrow \quad \emptyset \quad / \quad [-\text{son}] \quad \# \quad \#$$
$$\qquad\qquad\qquad\qquad\qquad\quad 1 \qquad\quad 2 \quad 3$$

(8) indique que toute sonante haute qui précède une voyelle est non-syllabique ; (9) indique que toute sonante non-syllabique qui suit une non-voisée est non-voisée ; enfin (10) indique que toute obstruante qui précède deux frontières # est effacée.

Ces règles phonologiques peuvent être interprétées de deux façons. On peut d'une part les envisager comme des *assertions* suivant lesquelles certaines propriétés de la prononciation d'une phrase française peuvent être déduites à partir d'autres propriétés. Par exemple la règle (8) exprime formellement la généralisation suivante : dans une séquence de deux segments dont le premier est sonant et haut, et le deuxième syllabique, le premier est non-syllabique. Sachant qu'en un point d'une phrase se trouve un segment [+ son, + haut] immédiatement suivi d'un segment [+ syll], nous pouvons automatiquement en déduire que le premier segment se prononce [− syll] (cf. règle (2) p. 67).

On peut d'autre part considérer une règle phonologique comme un ensemble d'instructions qui indiquent de quelle façon effectuer une certaine *opération*. Cette opération produit, à partir de toute représentation (input) qui est soumise à la règle, une autre représentation (output) obtenue en y effectuant certaines modifications : « à partir de toute représentation *W* qui a la propriété K, on fabriquera une autre représentation *W'* qu'on obtient en modifiant *W* de telle et telle façon ». Les règles phonologiques sont toutes de la forme $X \rightarrow Y /K$, « réécrire *X* comme *Y* lorsque la condition K est remplie ». Ainsi la règle (8) donne la consigne suivante : dans toute représentation qui contient une séquence de deux segments dont le premier est sonant et haut, et le deuxième, syllabique, écrire un signe moins dans la case du premier qui correspond au trait [syll].

La partie de la règle qui est à droite de la barre oblique indique quelles conditions une représentation doit remplir pour tomber sous le coup de la règle. Seules peuvent tomber sous le coup de la règle (8) des représentations qui contiennent une séquence de deux segments dont le premier est [+ son, + haut] et le second [+ syll]. On appelle cette partie de la règle sa *description structurale*. La partie de la règle qui se trouve à gauche de la barre oblique indique quelles modifications effectuer dans une représentation qui répond à la description structurale. C'est le *changement structural* de la règle. Le changement structural de (8) indique que le premier segment doit être remplacé par un segment en tous points identique, sauf en ce qui concerne la spécification du trait [syll], qui doit être réécrite [− syll]. Lorsqu'un segment d'une représentation répond aux conditions requises par la description structurale d'une règle pour pouvoir être modifié par cette règle, nous dirons que ce segment est *du ressort* de la règle en question, et lorsqu'une règle modifie un segment, nous dirons qu'elle *affecte* ce segment, ou encore qu'elle y *prend effet*.

Supposons qu'on soumette la représentation (7) /# # vuz # ekriv + i + ez ## / à la règle (8). On examine méthodiquement tous les segments de la représentation qui lui est soumise (input) pour repérer ceux qui sont de son ressort. Le /v/ de /vuz/ n'est pas du ressort de (8), puisque c'est un segment [− son], et que cette règle ne concerne que les segments [+ son]. Le /u/ suivant n'est pas non plus du ressort de (8); c'est bien un segment [+ son, + haut], mais il est suivi de /z/ qui est [− syll], alors que la règle ne vise que les segments qui sont suivis d'un segment [+ syll]. On examine ainsi de proche en proche tous les segments de la représentation input. Dans le cas qui nous occupe, seul est du ressort de (8) le /i/ du morphème de l'imparfait. Il est [+ son, + haut], et il est suivi de /e/, qui est [+ syll]. Conformément à ce que prescrit le changement structural, on remplace par [− syll] la spécification [+ syll] qui se trouve dans la colonne correspondant à ce /i/. En d'autres termes on remplace la voyelle *i* par la semi-voyelle *y*. La règle laisse inchangés tous les autres segments de la repré-sentation (7), puisqu'ils ne sont pas de son ressort. Bref à partir de l'input /##vuz#ekriv+i+ez##/, l'application de la règle (8) donne l'output ##vuz#ekriv+y+ez##.

On dérive une représentation phonétique correspondant à une représentation phonologique donnée en appliquant successivement toutes les règles de la composante phonologique. Chaque règle modifie les segments qui sont de son ressort *et laisse les autres inchangés*. Voici par exemple la suite des opérations par lesquelles une grammaire qui contient les règles (8), (9) et (10) associe la représentation phonétique (4) à la représentation phonologique (7) :

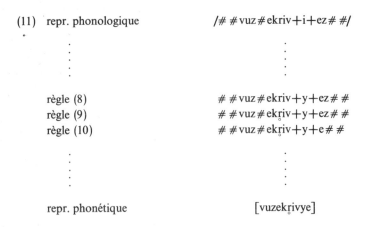

(11) repr. phonologique   /##vuz#ekriv+i+ez##/

règle (8)   ##vuz#ekriv+y+ez##
règle (9)   ##vuz#ekr̥iv+y+ez##
règle (10)   ##vuz#ekr̥iv+y+e##

repr. phonétique   [vuzekr̥ivye]

En face du nom de chaque règle figure la représentation qui a été obtenue en appliquant cette règle (l'output de la règle). Chaque règle prend comme input l'output de la règle précédente. Ainsi la règle (9) s'applique à la représentation ##vuz#ekriv+y+ez## qui a été obtenue par application de la règle (8). Cette représentation est l'output de (8) et l'input de (9). La règle (9) indique qu'en français une sonante non-syllabique est non-voisée lorsqu'elle est précédée d'un segment non-voisé (cf. règle (1) p. 67). Elle énonce la consigne suivante : dans une séquence de deux segments dont le premier est [− voix] et le second

[+ son, − syll], le second doit être réécrit comme [− voix][18]. (9) s'applique à l'output de (8) en y récrivant *r* comme $\underset{\circ}{r}$, d'où la représentation
vuz # ekṛiv+y+ez # # qui est ensuite soumise à la règle (10). Cette règle indique que les obstruantes ne se prononcent pas lorsqu'elles sont suivies de deux frontières de mot. Elle prescrit de récrire une obstruante comme zéro dans ce contexte, autrement dit de l'effacer (∅ veut dire « zéro »). Cette règle sera justifiée au chap. IV (p. 182). On prendra garde que lorsqu'une colonne [− son] est suivie de # #, c'est la colonne toute entière qui est supprimée de la représentation, et pas simplement la spécification [− son] à l'intérieur de cette colonne. La règle (10) transforme donc l'output de (9) en la nouvelle représentation # # vuz # ekṛiv+y+e # #.

Outre (8), (9) et (10), la composante phonologique de la grammaire du français contient de nombreuses autres règles dont il n'est pas fait état ici. Pour simplifier les choses nous supposons que leur application ne modifie aucune spécification au cours de la dérivation qui mène de la représentation phonologique (7) à la représentation phonétique (4)[19]. Le détail des pas successifs qui correspondent à l'application de ces règles est remplacé par des points de suspension dans la dérivation représentée en (11). Une fois que la dernière règle phonologique de la grammaire s'est appliquée, toutes les frontières # et + sont effacées automatiquement en vertu d'une convention générale admise une fois pour toutes et valable pour toutes les grammaires. Admettre cette convention revient à affirmer que les frontières de mot et de morphème n'ont pas en tant que telles d'interprétation phonétique, c'est-à-dire qu'il ne leur correspond pas dans le signal de marques matérielles qui les caractérisent en propre. Ces frontières n'ont qu'un effet phonétique indirect, en conditionnant dans certains cas la réalisation des phonèmes avoisinants. C'est l'application de cette convention qui fait passer de l'output de la règle (10) à la représentation phonétique [vuzekṛivye]. L'ensemble ordonné des représentations successives qui figurent dans (11) est ce qu'on appelle la dérivation

---

18 Telle que nous l'avons formulée, cette règle n'est pas assez générale. Elle ne concerne que les cas où la non-voisée et la sonante non-syllabique se succèdent immédiatement, sans frontière de mot qui les sépare. Elle rend compte du dévoisement du premier *r* mais non du second dans *trente # rats* [tṛãtṛa]. D'autre part elle ne dit rien des cas de dévoisement où la sonante non-syllabique est non pas précédée, mais suivie par un segment non-voisé, comme dans *carte* [kaṛt]. Ceci est sans importance pour la présente discussion, dont le seul but est de faire comprendre à l'aide d'exemples simples ce que sont les règles phonologiques.

19 Autrement dit, nous supposons qu'elles s'appliquent trivialement, cf. p. 76.

de [vuzekṛivye]. La représentation phonologique /# #vuz#ekriv+i+ez# #/ est l'input de cette dérivation, et la représentation phonétique [vuzekṛivye] en est l'output. Si nous comparons ces deux représentations (cf. p. 71), nous constatons que la plupart des spécifications de traits pertinents sont identiques dans l'une et dans l'autre. Seules sont modifiées en cours de dérivation les spécifications qui tombent sous le coup d'une règle. Dans la représentation phonologique, le /i/ de /ekriv/ et celui du morphème de l'imparfait sont deux occurrences du même segment [+ son, + syll, + haut...] défini préalablement par la grammaire comme faisant partie de la liste des phonèmes du français. Au cours de la dérivation, le second /i/ est réécrit comme [− syll] par application de la règle (8), tandis que le premier n'est modifié par aucune règle et apparaît inchangé au niveau phonétique. Si le second /i/ se réalise phonétiquement comme [− syll], c'est en vertu de la règle (8); mais si le premier se réalise phonétiquement comme [+ syll], c'est en vertu du fait que par définition, le phonème /i/ du français est [+ syll], *et qu'aucune règle n'est venue modifier cette spécification en cours de dérivation.* Autrement dit, à moins qu'une règle phonologique n'indique explicitement le contraire, le phonème français /i/ se réalise comme le son du langage [i] ; ceci est une conséquence automatique de la composition en traits pertinents de la colonne qui caractérise le phonème /i/.

Si on efface toutes les frontières # et + qui figurent dans une représentation phonologique, on obtient une matrice de traits pertinents que rien n'empêche d'interpréter comme une séquence de sons du langage[20]. Si on fait par exemple subir cette opération à la représentation phonologique (7)/# #vuz#ekriv+i+ez# #/, on obtient une certaine matrice de traits qui correspond à la séquence de sons [vuzekriviez], et qui est en quelque sorte l'interprétation phonétique que (7) recevrait si (7) n'était du ressort d'aucune des règles de la composante phonologique du français. Bref, les spécifications des traits d'une représentation phonétique ne diffèrent de celles de la représentation phonologique dont elle dérive que dans la mesure où les différences peuvent être mises sur le compte de règles phonologiques, et on ne postule l'existence d'une règle phonologique que si cela permet d'éclairer des régularités qui resteraient sans cela inexprimées[21].

Au cas où l'application d'une règle R à un input *W* associe à cet input l'output identique *W,* on dit que R s'applique trivialement à *W.* Il y a par exemple application triviale lorsque l'input *W* n'a en aucun point la propriété requise pour

20 Cf. note 4 p. 52.

21 Cf. p. 161.

être du ressort de R (ne satisfait pas la description structurale de R)[22]. L'application triviale a un statut en quelque sorte analogue à la multiplication par 1, qui associe à tout nombre ce nombre lui-même. Par exemple la règle (9) s'applique trivialement à #vuz# dans la dérivation (11), et associe à l'input #vuz# l'output identique #vuz#. Il est fastidieux de noter systématiquement tous les cas d'application triviale, comme nous l'avons fait dans la dérivation (11) en ce qui concerne les règles (8), (9) et (10). En pratique lorsqu'on donne la dérivation d'une forme il est fréquent qu'on ne présente explicitement que les aspects de cette dérivation qui représentent des cas d'application non triviale; le reste est sous-entendu. Par exemple on présentera la dérivation (11) sous la forme (11′) :

(11′)   /# #vuz#ekriv+i+ez# #/

règle (8)   ẏ

règle (9)   ŗ

règle (10)   Ø

[vuzekŗivye]

On gardera toujours présent à l'esprit que (11′) n'est qu'une abréviation de (11) adoptée à des fins de pure commodité. Qu'il soit bien entendu qu'une règle s'applique (et prend effet le cas échéant) simultanément en tous les points de l'input qui lui est soumis, et que dans une dérivation, toutes les règles de la composante phonologique s'appliquent successivement. En droit, dans une grammaire dont la composante phonologique contient *n* règles, toute dérivation est une séquence de *n* + 2 représentations[23], où la première est une représentation phonologique, la dernière une représentation phonétique, et les *n* représentations restantes, des représentations de niveau intermédiaire qui correspondent chacun à l'output d'une règle. Si les dérivations qu'on donne généralement n'ont que quatre ou cinq lignes, c'est que tous les autres pas de ces dérivations sont sous-entendus parce que correspondant à des cas d'application triviale, ou parce

22 Sur les cas où une règle prend effet « à vide », cf. p. 90.

23 Nous faisons abstraction du principe d'application cyclique et des cas d'ordre disjonctif, cf. p. 96 notes 35 et 36.

qu'ils mettent en jeu des règles qui sont hors du champ de la discussion. Les représentations phonologiques sont signalées par des barres obliques (/X/) et les représentations phonétiques par des crochets carrés ([X]). Quant aux représentations intermédiaires, elles apparaissent au cours de ce livre tantôt avec des barres obliques tantôt sans, sans qu'il faille voir là autre chose qu'une commodité d'exposition.

Revenons à la règle (8) telle qu'elle est formulée à la p. 72. Nous avons vu que les deux segments qui figurent à droite de la barre oblique ne jouent pas le même rôle. Tandis que l'application de la règle récrit le segment n° 1 comme [− syll], elle laisse le segment n° 2 inchangé. Le segment n° 2 indique simplement le contexte où la règle opère. On évite l'emploi de numéros d'ordre en écrivant (8) sous la forme (8a), où la barre horizontale indique la position qu'occupe le segment à modifier par rapport au contexte :

$$(8a) \quad \begin{bmatrix} + \text{ son} \\ + \text{ haut} \end{bmatrix} \quad \rightarrow \quad [- \text{ syll}] \quad / \quad \text{——} \ [+ \text{ syll}]$$

De même les règles (9) et (10) de la p. 72 s'écrivent sous la forme (9a) et (10a) :

$$(9a) \quad \begin{bmatrix} + \text{ son} \\ - \text{ syll} \end{bmatrix} \quad \rightarrow \quad [- \text{ voix}] \quad / \quad [- \text{ voix}] \ \text{——}$$

$$(10a) \quad [- \text{ son}] \quad \rightarrow \quad \emptyset \quad / \quad \text{——} \ \# \#$$

Rien n'empêche de considérer comme faisant partie du contexte, non seulement les spécifications de la description structurale qui définissent les segments adjacents au segment à modifier, mais même des spécifications qui définissent le segment à modifier lui-même. On peut par exemple écrire (8) comme (8b), (8c) ou (8d) :

$$(8b) \quad [+ \text{ son}] \quad \rightarrow \quad [- \text{ syll}] \quad / \quad \begin{bmatrix} \text{——} \\ + \text{ haut} \end{bmatrix} [+ \text{ syll}]$$

$$(8c) \quad [+ \text{ haut}] \quad \rightarrow \quad [- \text{ syll}] \quad / \quad \begin{bmatrix} \text{——} \\ + \text{ son} \end{bmatrix} [+ \text{ syll}]$$

$$(8d) \quad [\ \ ] \quad \rightarrow \quad [- \text{ syll}] \quad / \quad \begin{bmatrix} \text{——} \\ + \text{ son} \\ + \text{ haut} \end{bmatrix} [+ \text{ syll}]$$

(8), (8a), (8b), (8c) et (8d) sont des variantes notationnelles strictement équivalentes. L'essentiel est de bien voir que dans tous les cas la description structurale de la règle est la somme de ce qui se trouve à gauche de la flèche et à droite de la barre oblique. Pour ce qui est du changement structural, la barre horizontale indique la position du segment qui doit être récrit par rapport au contexte, et les spécifications situées entre la flèche et la barre oblique indiquent comment il doit être récrit.

Les règles que nous avons vues jusqu'ici sont des règles obligatoires, c'est-à-dire qu'elles prennent forcément effet chaque fois que leur description structurale est satisfaite. Il existe des règles dites facultatives, qui ne prennent pas forcément effet chaque fois qu'elles le peuvent. Ces fluctuations donnent naissance, pour le même input, à deux outputs en variation libre (cf. p. 33). Ainsi en français toute voyelle située en début de phrase peut être facultativement précédée d'un coup de glotte. En supposant que le début et la fin d'une phrase sont marqués par un symbole § dans les représentations phonologiques, nous écrirons la règle facultative suivante :

$$(12) \quad \emptyset \ \rightarrow \ ? \quad / \quad \S \ \text{------} \ [+ \text{syll}]$$

Cette règle récrit facultativement zéro comme ? entre § et une voyelle, autrement dit elle introduit facultativement un coup de glotte devant une voyelle située en début de phrase. *Annette tombe* peut se prononcer [anɛtɔ̃b] ou [?anɛttɔ̃b]. L'input unique /§anɛt#tɔ̃b§/ donne naissance à l'output identique /§anɛt#tɔ̃b§/ lorsque la règle ne prend pas effet, et à l'output /§?anɛt#tɔ̃b§/ lorsqu'elle prend effet, d'où finalement les deux prononciations en variation libre [anɛttɔ̃b] et [?anɛttɔ̃b]. Il existe en français une autre règle, en vertu de laquelle une occlusive sonore située en fin de phrase se nasalise facultativement lorsque le segment qui précède est une voyelle nasale (Morin, 1971 : 51).

$$(13) \quad \begin{bmatrix} - \text{cont} \\ + \text{voix} \end{bmatrix} \ \rightarrow \ [+ \text{nas}] \quad / \quad \begin{bmatrix} + \text{syll} \\ + \text{nas} \end{bmatrix} \text{------} \ \S$$

Suivant que cette règle prend effet ou non, le deuxième mot de *Annette tombe* se prononce [tɔ̃m] ou [tɔ̃b]. En combinant ces deux possibilités avec celles permises par la règle précédente, on peut dériver à partir de l'input unique /§anɛt#tɔ̃b§/ quatre représentations phonétiques en variation libre [anɛttɔ̃b], [?anɛttɔ̃b], [anɛttɔ̃m] et [?anɛttɔ̃m].

La plupart du temps, toutes les variations dans la prononciation d'un morphème peuvent être mises sur le compte des règles phonologiques. Le morphème en question a alors une représentation phonologique unique qui est sous-jacente aux différentes formes phonétiques sous lesquelles il se manifeste. Les deux prononciations [l̥at] et [lat] sont les manifestations d'une même représentation phonologique /latə/. Mais prenons par exemple le radical du verbe *aller*, morphème que nous appellerons *all-*. Ce morphème se prononce [al] dans *vous allez* [ale], et [i] dans *vous irez* [ire] (le *r* qui suit ne fait pas partie du radical, c'est la manifestation du morphème du futur). A la différence de ce que nous avons constaté pour [l̥at] ~ [lat], les représentations phonologiques [al] et [i] forment une paire isolée qui n'entre dans aucune série d'alternances analogues. Le futur de *pédalez*, *emballez*, *étalez* est *pédalerez*, *emballerez*, *étalerez* et non **pédirez*, **embirez*, **étirez*. Supposons qu'on veuille dériver [al] et [i] d'une même représentation phonologique, disons /al/ pour fixer les idées. La composante phonologique devra contenir une règle qui récrive *al* comme *i* dans un certain contexte K, et dans la formulation de cette règle devra figurer une caractérisation du contexte K qui soit suffisamment restrictive pour empêcher que la grammaire n'engendre **pédirez*, **embirez*, etc., autrement dit pour que la règle ne puisse prendre effet que dans le cas du seul verbe *aller*. Reconnaissons plutôt l'alternance [al] ~ [i] pour ce qu'elle est : il ne s'agit pas là d'une conséquence d'un trait de structure général, mais d'une propriété idiosyncratique du morphème *all-*. Plutôt que d'encombrer la composante phonologique d'une règle dont la portée est limitée aux formes du futur du seul morphème *all-*, nous attribuerons à ce morphème deux représentations phonologiques distinctes, /al/ qui est sous-jacent à *allez*, et /i/ qui est sous-jacent à *irez*.

Ou considérer le mot *œil* [œy], qui fait *yeux* [yö] au pluriel, alors qu'on a *deuil* ~ *deuils* (et non **dieux*), *écureuil* ~ *écureuils* (et non **écurieux*), *seuil* ~ *seuils* (et non **sieux*), etc. L'entrée lexicale de *œil* contient d'une part la représentation phonologique /œy/, qui apparaît dans *œil*, *œillade*, *œillère*, etc., et de l'autre /iö/[24], qui apparaît dans *yeux*.

Voici d'autres alternances qui nécessitent deux représentations phonologiques distinctes pour un même morphème : *monsieur* ~ *messieurs*, *échec* ~ *échiquier*, *cœur* ~ *cardiaque*, *nager* ~ *natation*, *vivez* ~ *vécu*, *chaude* ~ *chauffer*, *pleuvoir* ~ *pluvieux*, *calculateur* ~ *calculatrice*, etc.

---

24 Le premier segment de /iö/ sera récrit comme *y* par la règle phonologique (8), d'où finalement [yö].

On dit qu'il y a supplétion lorsqu'un morphème a plusieurs représentations phonologiques, et on dit que ces représentations phonologiques sont des allomorphes du morphème en question. *all-* est un morphème à supplétion, et les représentations phonologiques /al/ et /i/ sont des allomorphes de ce morphème. Nous emploierons ici le terme d'allomorphe avec une acception plus étendue, de façon à pouvoir désigner aussi bien les représentations phonologiques uniques des morphèmes sans supplétion, qui constituent l'immense majorité du lexique. Nous dirons par exemple que la représentation phonologique /mani/ est l'allomorphe (unique) du morphème *mani-*.

Appelons épellation l'opération qui associe un allomorphe à chacun des morphèmes contenus dans une structure superficielle (opération qui épelle chacun de ces morphèmes comme une certaine séquence de phonèmes). C'est cette opération qui permet par exemple de passer de la représentation (6) de la p. 69 à la représentation (7). On peut considérer la partie phonologique de chaque entrée lexicale comme un ensemble de *règles d'épellation* spécifiques à l'élément lexical considéré, règles de la forme : « l'élément lexical E a la représentation phonologique /X/ lorsqu'il se trouve dans le contexte K ». Dans le cas le plus fréquent, celui où un morphème n'a qu'un seul allomorphe, son entrée lexicale contient une règle d'épellation unique : « E a la représentation phonologique /X/. » Cette règle unique ne dit rien du contexte K, c'est-à-dire qu'elle prend uniformément effet dans toutes les structures superficielles où le morphème en question est susceptible d'apparaître. Par exemple « *mani-* a la représentation phonologique /mani/ ». En cas de supplétion, en revanche, l'entrée lexicale contient plusieurs règles d'épellation, relatives chacune à un contexte donné. Ainsi l'entrée lexicale de *all-* indique que ce morphème s'épelle comme /i/ au futur et au conditionnel (*i-r-ez, i-r-i-ez*), comme /v/ aux personnes du singulier et à la troisième personne du pluriel de l'indicatif présent (*v-ais, v-as, v-a, v-ont*) ainsi qu'au singulier de l'impératif (*v-a*), et enfin comme /al/ dans toutes les autres formes.

Il existe également des règles d'épellation qui associent une matrice phonologique à une séquence de morphèmes. La préposition *de* et l'article *le* s'épellent normalement /də/ et /lə/. Ainsi la séquence *de le* a la représentation phonologique /də#lə/ dans *la valeur de l'or*[25]. Cette séquence s'épelle par contre /dü/ lorsque le mot suivant commence par une consonne, comme dans *la valeur du diamant*,

---

25 La chute de la voyelle de /lə/ devant une voyelle, qui est indiquée dans l'orthographe par une apostrophe, résulte d'une règle phonologique dont il sera question au chapitre V.

dont la structure superficielle est (abstraction faite des parenthèses étiquetées) *la valeur de le diamant*. Comme il s'agit d'un fait isolé dont on ne peut rendre compte par l'interaction de règles générales, force est d'en donner acte en introduisant dans la grammaire une règle d'épellation qui associe à la séquence *de # le* la matrice phonologique /dü/ dans le contexte —— # C.

Ainsi, nous avons à notre disposition deux types de mécanismes pour rendre compte des variations dans la prononciation des morphèmes, les règles phonologiques et les règles d'épellation. La décision de mettre une variation donnée sur le compte des unes ou des autres n'est pas une affaire de convenances personnelles. Les règles phonologiques ont une portée générale et reflètent des traits structuraux qui caractérisent la langue en tant que système. Au contraire les règles d'épellation font partie de l'information idiosyncratique contenue dans les entrées lexicales. Les cas de supplétion constituent autant d'irrégularités que les sujets parlants doivent mémoriser une à une.

Nous voici maintenant à même de décrire de bout en bout la séquence d'opérations au terme de laquelle une grammaire engendre l'ensemble des représentations phonétiques des phrases bien formées. Chaque structure superficielle engendrée par la composante syntaxique est l'input des règles d'insertion de # et des règles d'épellation, qui associent à cette structure superficielle une certaine représentation phonologique. Cette représentation phonologique est soumise aux règles de la composante phonologique, qui lui associent une ou plusieurs représentations phonétiques (cf. diagramme).

Strictement parlant, on n'appelle donc phonologiques que les règles qui permettent de passer des représentations phonologiques aux représentations phonétiques. Des règles comme celles d'insertion de # et celles d'épellation, qui font en quelque sorte le pont entre l'output de la composante syntaxique (structures superficielles) et l'input de la composante phonologique (représentations phonologiques) sont appelées règles de rajustement, et leur ensemble forme la composante de rajustement.

Comme les représentations phonologiques sont l'output de la composante de rajustement et l'input de la composante phonologique, la description de la composante de rajustement et celle de la composante phonologique sont deux tâches qui se présupposent mutuellement. *Toute variation dans la prononciation d'un morphème qui n'est pas prise en charge par la composante phonologique doit l'être par la composante de rajustement, et inversement.* A proprement parler, décrire la phonologie d'une langue, c'est simplement décrire ses règles phonologiques et leur agencement mutuel, mais on ne peut s'acquitter même partiellement de cette tâche sans faire un certain nombre d'hypothèses sur les propriétés de la composante de rajustement. Nous dirons donc que la tâche du phonologue qui décrit une langue est achevée lorsqu'il a spécifié dans tous ses détails la partie du diagramme qui est entourée d'une ligne en pointillé, lorsqu'il a construit un certain dispositif qui engendre l'ensemble des représentations phonétiques des phrases bien formées en prenant comme input l'ensemble des structures superficielles correspondantes. En théorie, le problème du linguiste qui entreprend la description phonologique d'une langue est donc le suivant : connaissant l'ensemble infini Σ des structures superficielles de la langue en question et l'ensemble infini P des représentations phonétiques qui leur correspondent, construire un dispositif qui définisse exactement la correspondance entre Σ et P, c'est-à-dire qui engendre P en prenant comme inputs les éléments de Σ.

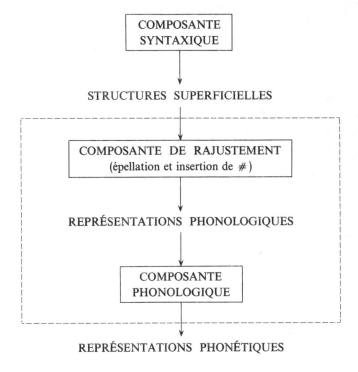

Comme la structure superficielle d'une phrase n'est pas un donné brut immédiatement accessible à l'observation, mais un certain objet abstrait engendré par la

83

composante syntaxique, supposer Σ connu, c'est supposer que la composante syntaxique de la langue en question a déjà été décrite complètement au terme de recherches antérieures, ce qui n'est évidemment jamais le cas dans la réalité. Notre connaissance de la syntaxe des langues les mieux étudiées reste encore pour l'instant extrêmement fragmentaire. Heureusement, il n'est pas nécessaire de connaître tous les aspects de la syntaxe d'une langue pour pouvoir décrire sa phonologie, car seuls certains des traits syntaxiques qui figurent dans les structures superficielles sont pertinents pour prédire la prononciation. C'est ce qui nous a permis de nous contenter de représentations grossièrement schématiques chaque fois que dans les pages qui précèdent nous avons donné des exemples concrets de structures superficielles de phrases françaises. Nous serions incapables d'en fournir des représentations plus détaillées, mais ceci importe relativement peu, puisque nous savons que les détails manquants ne sont pas pertinents pour prédire la prononciation, au moins en ce qui concerne les aspects de la phonologie française qui sont déjà assez bien connus. Cette dernière restriction est de taille, car il est certain que l'étude de certains aspects de la phonologie française qui sont encore très mal connus, comme par exemple l'accentuation et les courbes d'intonation, ne pourra pas progresser sans un examen plus détaillé des structures superficielles.

Pour conclure, il n'est pas inutile de mettre en parallèle les grammaires formelles présentées aux pages 20 à 26 et les composantes phonologiques, considérées comme des grammaires formelles d'un type particulier. Dans le cas d'une composante phonologique, les formules à engendrer sont des représentations phonétiques bien formées. Les séquences initiales dont partent les dérivations sont l'ensemble infini des représentations phonologiques. Une composante phonologique est donc une grammaire formelle qui a un ensemble infini de séquences initiales, et non un petit nombre fini comme les grammaires G_4, G_5, etc. des p. 24-26. Le langage infini que constituent ces séquences initiales est lui-même engendré par une autre grammaire formelle, composée des composantes syntaxique et de rajustement. De même que dans les dérivations des grammaires G_4, G_5, etc. figurent des symboles auxiliaires J, K, qui n'apparaissent jamais dans les formules du langage engendré, de même dans les dérivations d'une composante phonologique on trouve des symboles comme #, +, qui ne font pas partie des représentations phonétiques auxquelles ces dérivations aboutissent.

Une composante phonologique a une organisation très différente de celle des grammaires particulières G_4, G_5, etc. que nous avions choisies pour introduire la notion générale de grammaire formelle. Dans l'un et l'autre cas, les règles s'appliquent séquentiellement, mais la ressemblance s'arrête là. Dans les grammaires G_4, G_5, etc. l'ordre dans lequel les règles de réécriture sont données n'a aucune importance, et une règle donnée peut s'appliquer plusieurs fois au cours d'une même dérivation. Au contraire dans une composante phonologique les règles s'appliquent dans un certain ordre fixé à l'avance, et chaque règle ne s'applique qu'une seule fois par dérivation. Enfin la condition d'arrêt des dérivations est très différente. Dans le premier cas une dérivation s'arrête lorsque la séquence traitée ne contient plus aucun symbole qui puisse être réécrit par aucune règle. Dans l'autre cas, c'est lorsque la dernière règle s'est appliquée.

L'ORDRE D'APPLICATION DES RÈGLES PHONOLOGIQUES [26]

Nous avons expliqué à la p. 77 que pour dériver une représentation phonétique à partir d'une représentation phonologique, on applique successivement toutes les règles phonologiques dans un ordre donné une fois pour toutes, chaque règle prenant pour input la représentation issue de l'application de la règle précédente, d'où l'existence entre le niveau des représentations phonologiques et celui des représentations phonétiques d'une succession étagée de niveaux intermédiaires correspondant chacun à l'output d'une des règles phonologiques. Il n'y a a priori aucune raison pour que les grammaires soient organisées de cette façon. Considérez par exemple la dérivation (11′) de la p. 77. L'ordre d'application des règles ne change rien au résultat final. Peu importe qu'on les applique dans l'ordre (8)-(9)-(10) où nous les avons données, ou par exemple dans l'ordre (10)-(8)-(9), c'est-à-dire en effaçant le *z* final avant de récrire le *i* comme *y*, cette opération précédant elle-même le remplacement de *r* par ṛ. On aurait tout aussi bien pu décider que toutes les règles s'appliquent simultanément à la représentation phonologique, chacune prenant effet dans les segments qui sont de son ressort. Il n'y a alors pas de niveaux de représentation intermédiaires, et la représentation phonétique est obtenue en opérant simultanément dans la représentation phonologique les modifications prescrites par chacune des règles [27]. La dérivation (11′) prendrait alors l'aspect suivant :

26 Cf. SPE : 18-20, 340-350 ; Chomsky (1964 : 70-75 ; 1967 *b*), Halle (1962), McCawley (1968 *a* : 19-23), Postal (1968 : 140-152). Sur l'ordre des règles chez Bloomfield, cf. Bloomfield (1933 : 213, 222 ; 1939) et les commentaires de Chomsky (1964 : 70 n. 8).

27 et en effaçant toutes les frontières # et +, cf. p. 75.

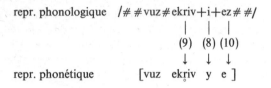

S'il en était ainsi, les règles phonologiques seraient des assertions qui établissent une relation directe entre les phonèmes et les sons du langage qui leur correspondent dans les représentations phonétiques. La règle (9) indiquerait par exemple qu'à tout *phonème* [+ son, − syll] précédé d'un *phonème* [− voix] correspond au niveau phonétique un *son du langage* [− voix].

Nous voici donc placés devant un choix entre deux modes concurrents d'organisation de la composante phonologique : application séquentielle ou application simultanée ? Bien évidemment, ce choix n'a d'intérêt que dans la mesure où il a des conséquences empiriques, c'est-à-dire si nous pouvons trouver des faits dont l'une des deux hypothèses rend mieux compte que l'autre. De tels faits ne sont pas difficiles à trouver, les langues du monde en fournissent à foison. Nous allons en examiner deux exemples, et nous verrons que dans chaque cas c'est l'application séquentielle qui s'impose.

Notre premier exemple est emprunté au français. La règle (8a) de la p. 78, que nous appellerons désormais la règle SEM (pour « semivocalisation »), récrit comme une semi-voyelle toute voyelle haute qui est immédiatement suivie d'une autre voyelle. Comme les voyelles sont toutes [+ voix] dans les représentations phonologiques, les semi-voyelles ainsi obtenues sont toutes [+ voix]. Mais considérez les formes suivantes :

dévie [devi] ∼ *dévié* [devye] ; *défie* [defi] ∼ *défié* [defye]
avoue [avu] ∼ *avoué* [avwe] ; *bafoue* [bafu] ∼ *bafoué* [bafwe]
gradue [gradü] ∼ *gradué* [gradẅe] ; *situe* [sitü] ∼ *situé* [sitẅe]

Ces formes montrent que les semi-voyelles sont [+ voix] derrière un segment [+ voix], mais [− voix] derrière un segment [− voix]. Le dévoisement des semi-voyelles derrière [− voix] fait immédiatement penser à celui des consonnes nasales et liquides dans le même contexte sous l'influence de la règle (9a) de la p. 78, que nous appellerons désormais DEV (pour « dévoisement »). L'alternance entre [y] et [y̥] dans *dévié* [devye], *défié* [defye] est parallèle à celle entre [l] et [l̥] dans *meublé* [mœble], *peuplé* [pœple], entre [r] et [r̥] dans *givré* [živre], *chiffré* [šifr̥e], etc. Mettez de même en parallèle l'alternance entre [y] et [y̥] dans *gaviez* [gavye], *gaffiez* [gafy̥e] et celle entre [r] et [r̥] dans *gaverez* [gavre], *gafferez* [gafr̥e]. Comment exprimer le fait que le dévoisement des consonnes nasales et liquides et celui des semi-voyelles issues de voyelles hautes adjacentes à un segment non-voisé sont deux manifestations d'un processus unique? Si toutes les règles phonologiques s'appliquent simultanément à la représentation phonologique /defi+e/ (*défié*), nous ne pouvons pas mettre le non-voisement du [y̥] de *défié* sur le même pied que celui du [r̥] de *chiffré* en les attribuant tous les deux à la règle DEV. En effet, telle qu'elle est formulée pour l'instant, DEV n'affecte que les sonantes non-syllabiques, alors que dans la représentation phonologique le segment /i/ sous-jacent à [y̥] est [+ syll]. Et il n'est pas question de reformuler DEV de façon à ce qu'elle affecte toutes les sonantes, les syllabiques aussi bien que les non-syllabiques, car alors elle dévoiserait toute voyelle précédée d'une consonne sourde, et notre grammaire engendrerait par exemple *[kaf̥e] à la place de [kafe] (*café*), etc. Or en français les seules voyelles qui se réalisent régulièrement comme des sons [− voix] sont les voyelles hautes, et ce précisément dans le cas où elles perdent leur syllabicité par application de la règle SEM.

On obtient exactement le résultat souhaité en appliquant d'abord SEM, qui récrit ces voyelles comme [− syll]. Du coup elles satisfont la description structurale de DEV, qui les récrit comme [− voix]. Voyez ci-dessous la dérivation de *défié*, à laquelle nous avons ajouté celles de *dévié* et *chiffré* pour permettre la comparaison:

	/defi+e/	/devi+e/	/šifr+e/
	⋮	⋮	⋮
SEM	y	y	⋮
	⋮		⋮
DEV	y̥		r̥
	[defy̥e]	[devye]	[šifr̥e]

En représentant la réalisation [y̥] du /i/ de /defi+e/ comme le produit de l'application successive des règles SEM et DEV prises dans cet ordre, nous affirmons que le caractère [− syll] de ce [y̥] et son caractère [− voix] sont liés de la manière suivante : ce /i/ se réalise comme [− syll] parce qu'il précède une voyelle et qu'il existe en français une règle SEM qui récrit comme [− syll] les voyelles hautes qui précèdent une voyelle. Ce /i/ se réalise d'autre part comme [− voix] parce qu'il suit un segment [− voix], et qu'étant [− syll] du fait de la règle SEM, il tombe sous le coup de la règle DEV. La règle DEV affecte toutes les sonantes non-syllabiques, sans distinguer entre celles qui, comme le *r* de *chiffré,* l'étaient déjà dans la représentation phonologique, et celles qui, comme le *y* de *défié,* le sont devenues par application de SEM.

Pour mieux comprendre ce qu'on gagne à appliquer les règles dans un certain ordre, examinons quelle grammaire il faudrait écrire si on s'imposait d'appliquer les règles simultanément. Outre SEM et DEV, que nous redonnons ici pour faciliter la comparaison, une telle grammaire devrait contenir la règle (14) :

$$(14) \qquad \begin{bmatrix} + \text{ son} \\ + \text{ haut} \end{bmatrix} \rightarrow [- \text{ voix}] \quad / \quad [- \text{ voix}] \text{——} [+ \text{ syll}]$$

$$\text{SEM} \quad \begin{bmatrix} + \text{ son} \\ + \text{ haut} \end{bmatrix} \rightarrow [- \text{ syll}] \quad / \quad \text{——} [+ \text{ syll}]$$

$$\text{DEV} \quad \begin{bmatrix} + \text{ son} \\ - \text{ syll} \end{bmatrix} \rightarrow [- \text{ voix}] \quad / \quad [- \text{ voix}] \text{——}$$

La règle (14) dévoise les sonantes hautes qui sont suivies d'une voyelle et précédées d'un segment non-voisé. Cette règle récrit le /i/ de /defi+e/ comme [− voix] en même temps que SEM le récrit comme [− syll], d'où la représentation phonétique [defye]. Comme il fallait s'y attendre, (14) présente de curieuses ressemblances avec SEM et DEV. La description structurale de SEM est contenue dans celle de (14), c'est-à-dire que tout segment qui est du ressort de (14) est aussi du ressort de SEM. La ressemblance entre (14) et DEV est encore plus frappante. L'une et l'autre règle dévoisent des sonantes précédées d'un segment non-voisé. Écrire deux règles distinctes DEV et (14), c'est affirmer contre toute évidence qu'on a affaire à deux processus distincts. A notre connaissance, tous les auteurs admettent implicitement que le dévoisement des liquides et des nasales et celui des semi-voyelles sont deux aspects d'un seul et même processus, cf. par exemple Martinet (1965 : 106) et Malmberg (1969 : 134).

Nous empruntons notre second exemple au Kongo de San Salvador (appelé simplement Kongo ci-après), un parler bantou du nord de l'Angola décrit dans Bentley (1887). Tous nos matériaux sont tirés de ce livre. Dans ce qui suit nous donnons les formes dans l'orthographe de Bentley (mais voyez la note 30), qui est pour l'essentiel une transcription phonétique. Nous y avons inséré des tirets pour faire apparaître le découpage des mots en morphèmes. Le Kongo a cinq phonèmes vocaliques /i, e, a, o, u/. La plupart des mots consistent en un radical éventuellement flanqué de préfixes et de suffixes.

Les mots Kongo sont sujets au phénomène d'harmonie vocalique suivant : lorsque dans le radical figure une voyelle [− haut, − bas], toute voyelle du même mot située à droite de cette voyelle est [− haut]. En d'autres termes, lorsque le radical contient une voyelle [e] ou [o], une voyelle située à droite de cette voyelle peut être [a], [e] ou [o], mais pas [i] ou [u]. Ainsi le suffixe qui sert à former le thème verbal du moyen se prononce *uk* lorsque le radical ne contient que des voyelles *a, i, u,* et *ok* lorsqu'il contient une voyelle *e* ou *o*. De même le suffixe des formes emphatiques se prononce *il* dans le premier cas, et *el* dans le second :

(15)   actif   moyen   emphatique

bak-a	bak-uk-a	bak-il-a	« déchirer »
dik-a	dik-uk-a	dik-il-a	« nourrir »
tung-a	tung-uk-a	tung-il-a	« raccommoder »
kes-a	kes-ok-a	kes-el-a	« abattre »
somp-a	somp-ok-a	somp-el-a	« emprunter »

Les voyelles des préfixes n'ont aucun effet sur les voyelles suivantes. Par exemple *kumbi* « moteur » fait au pluriel *e-kumbi* et non **e-kombe. e-kombe* est le pluriel de *kombe* « lieue ». Nous poserons donc la règle d'harmonie vocalique ci-dessous, où le crochet étiqueté [$_R$ symbolise l'extrêmité gauche du radical, et où *X, Y* et *Z* représentent des séquences quelconques (éventuellement vides) ne contenant aucune occurence de # :

$$\text{HARM} : \quad [+ \text{ syll}] \quad \rightarrow \quad [- \text{ haut}] \quad \Big/ \quad \underset{R}{\Big[} \; X \begin{bmatrix} + \text{ syll} \\ - \text{ haut} \\ - \text{ bas} \end{bmatrix} Y \underline{\quad\quad} Z \; \#$$

Cette règle récrit comme non-haute toute voyelle qui est précédée d'une voyelle non-haute et non-basse située à droite du début du radical du même mot[28]. Ainsi les représentations phonologiques de *kes-ok-a* et *kes-el-a* (table 15)

---

28 Selon cette formulation, la voyelle *e* ou *o* qui déclenche l'harmonie peut très bien appartenir à un suffixe, et non au radical. Et de fait c'est souvent le cas, comme par exemple dans *kang-akes-el-a,* de /kang-akes-il-a/, où *kang* est le radical et *akes* un suffixe. C'est pour simplifier que nous n'avons pas parlé de cette possibilité dès le début.

sont respectivement /kes+uk+a/ et /kes+il+a/. La règle HARM récrit le /u/ et le /i/ des suffixes comme *o* et *e* respectivement. Notons en passant qu'elle prend également effet dans les /a/ finaux de ces deux formes. En effet, ces /a/ sont du ressort de HARM, mais comme ils sont déjà [−haut] dans l'input, l'opération de la règle ne change rien. Il s'agit d'un type d'application triviale différent de ceux que nous avons déjà rencontrés, où les segments considérés étaient laissés inchangés parce que la règle ne prenait pas effet. Ici les segments considérés sont du ressort de la règle, et l'opération de celle-ci ne fait en quelque sorte que confirmer une spécification contenue dans l'input. Dans de tels cas, on dit que la règle prend effet « à vide ».

La règle HARM affecte des séquences de voyelles aussi longues que le permet la très riche morphologie du Kongo. Par exemple la forme causative indirecte de *veng-a* « repousser », est *veng-om-w-es-es-a,* qui est dérivée de /veng+um+w+is+a/. Comparer avec celle de *bang-a* « détruire », qui est *bang-um-w-iš-is-a* [29], de /bang+um+w+is+is+a/, où HARM ne prend pas effet, puisque cette forme ne contient ni *e* ni *o*.

Il existe par ailleurs une règle en vertu de laquelle le phonème /s/, qui se réalise partout ailleurs comme [s], se réalise comme [š] devant *i* [30]. Le Kongo ne possède pas de phonème /š/ s'opposant au phonème /s/. Toute occurrence des sons [s] et [š] est une réalisation du phonème /s/. Voyez par exemple les alternances *twas-a* ∼ *twaš-il-a* « infliger », *yas-a* ∼ *yaš-il-a* « ouvrir », *vas-a* « briser » ∼ *vaš-i* « fragment », etc. Nous écrirons donc la règle PAL (pour « palatalisation ») :

PAL   s → š   / —— i

Considérons maintenant *sumb-iš-is-a* et *vond-es-es-a,* qui sont les formes causatives indirectes de *sumb-a* « acheter » et *vond-a* « tuer ». Ces formes dérivent respectivement de /sumb+is+is+a/ et /vond+is+is+a/, et la manière dont elles en dérivent est intuitivement claire : dans /sumb+is+is+a/, HARM ne prend pas effet puisqu'il n'existe pas de voyelle *e* ou *o,* et le *s* du premier suffixe est récrit *š* puisqu'il précède un *i* ; dans /vond+is+is+a/ en revanche,

---

29 Sur le son [š] du troisième suffixe, cf. infra.

30 Dans l'orthographe de Bentley, [š] est noté *x.* En fait il n'y a pas que /s/ qui se palatalise devant *i.* Les phonèmes /t/, /l/ et /z/ se réalisent respectivement comme [č], [d] et [ž] devant *i,* et comme [t], [l] et [z] partout ailleurs (p. 529 et 619). Les considérations développées ci-dessous en ce qui concerne le rapport entre l'harmonie vocalique et la palatalisation de /s/ valent de même pour /t/, /l/, /z/.

le o du radical entraîne la réécriture des i des suffixes comme e, d'où vond-es-es-a, où le s du premier suffixe n'a aucune raison de se palataliser, puisqu'il précède un e et non un i. Bref pour décider si un /s/ qui précède un /i/ est sujet à la palatalisation, il faut d'abord savoir si le /i/ est sujet à l'harmonie vocalique. Ne se palatalisent que les /s/ qui précèdent des /i/ qui sont laissés intacts par l'harmonie vocalique. On obtient précisément ce résultat en appliquant la règle HARM avant la règle PAL :

	/sumb+is+is+a/	/vond+is+is+a/
HARM		e e
PAL	š	
	[sumbišisa]	[vondesesa]

Si on appliquait les règles dans l'ordre inverse, on obtiendrait les dérivations suivantes, dont la seconde **donne** naissance à un output mal formé :

	/sumb+is+is+a/	/vond+is+is+a/
PAL	š	š
HARM		e e
	[sumbišisa]	*[vondešesa]

Examinons de quelle façon il faudrait rendre compte des données si nous requérions des règles phonologiques de s'appliquer toujours simultanément. Nous pouvons conserver la règle HARM sous sa forme présente, mais la règle PAL doit être reformulée. Si nous appliquons les règles HARM et PAL simultanément à la représentation /vond+is+is+a/ nous obtenons *[vondešesa]. En effet, dans la perspective de l'application simultanée, PAL telle qu'elle est formulée pour l'instant palatalise tous les /s/ suivis d'un /i/. Il faut reformuler PAL de façon à lui permettre de ne prendre effet que devant ceux des /i/ qui sont épargnés par HARM. Une première approximation est PAL′, que nous n'essaierons pas d'écrire formellement :

PAL′ : /s/ se réalise comme [š] lorsqu'il est suivi d'un /i/ et que, le cas échéant, la condition K est remplie :

K : si /i/ appartient au radical ou à un suffixe, aucune des voyelles situées entre lui et l'extrémité gauche du radical n'est [− haut, − bas].

La règle PAL n'est d'ailleurs pas satisfaisante dès qu'on élargit le champ des données dont la grammaire doit rendre compte. Il existe un suffixe *-i* qui s'ajoute aux radicaux verbaux pour former les noms d'agent correspondants. Or ce suffixe est une exception à la règle HARM. Le verbe déjà cité *vond-a* « tuer » donne *vond-i* « meurtrier » et non *vond-e* comme le laisserait pourtant attendre HARM. *bong-a* « prendre » donne *bong-i* et non *bong-e,* etc. Or *mwes-a* « montrer » donne *mweš-i* « montreur ». Ce suffixe *-i* doit être marqué du trait d'exception [− règle HARM] qui l'empêche d'être modifié paf HARM[31]. Dans l'hypothèse où HARM s'applique avant PAL, la grammaire prédit correctement que /mwes+i/ doit se prononcer [mweši]. En effet la représentation phonologique est d'abord soumise à la règle HARM, qui s'applique trivialement puisque la marque [− règle HARM] du suffixe l'empêche d'y prendre effet, d'où l'output identique /mwes+i/ qui est ensuite soumis à PAL, qui le récrit /mweš+i/.

Examinons maintenant la dérivation de *mweš-i* dans l'hypothèse où on applique simultanément HARM et PAL'. La règle HARM s'applique trivialement pour les mêmes raisons que précédemment. Mais la règle PAL' ne peut pas prendre effet, car la représentation /mwes+i/ ne remplit pas la condition K : /i/ appartient à un suffixe, et le radical contient la voyelle /e/, qui est [− haut, − bas]. On obtient donc finalement *[mwesi]. Pour permettre à PAL' de prendre effet dans ce cas il faut ajouter à la condition K de la règle PAL' une deuxième condition K' :

K' : la règle prend quand même effet lorsque K n'est pas remplie mais que la voyelle /i/ est marquée [− règle HARM].

Pour sauvegarder le principe d'application simultanée, nous sommes obligés de compliquer la description structurale de la règle de palatalisation en y incluant les conditions K et K' qui n'ont rien à voir avec le phénomène de palatalisation.

Rappelons ce qui nous a amenés jusqu'ici. Il s'agissait de choisir entre deux modes d'application des règles phonologiques, c'est-à-dire entre deux hypothèses concurrentes quant à la théorie linguistique. Dans une hypothèse les règles phonologiques s'appliquent « en parallèle » à un input commun (la représentation phonologique), chacune ne prenant en considération que l'information qui est contenue dans cette représentation phonologique, et opérant

---

31 Sur les exceptions, cf. p. 138 et suivantes.

sans tenir compte de la façon dont les autres règles opèrent. Dans l'autre hypothèse elles opèrent « en série », chacune étant obligée de tenir compte des modifications apportées par celles qui se sont appliquées avant elle.

De même que les notions « matrice phonologique », « description structurale » ou « nasal », les principes qui gouvernent l'application des règles phonologiques doivent être définis une fois pour toutes et identiques dans toutes les grammaires, faute de quoi nos descriptions de langues particulières sont condamnées à n'avoir aucune portée empirique. Pour qu'une assertion concernant une langue en particulier ou toutes les langues ait une portée empirique, c'est-à-dire qu'il existe en principe des considérations de fait qui permettent de l'infirmer, il faut que le sens des termes employés soit fixe, donné indépendamment de leur apparition dans cette assertion particulière. Si par exemple nous ne fixions pas une fois pour toutes le sens à attribuer à « phonème » et à « nasal », rien n'empêcherait d'affirmer que toutes les langues ont trois phonèmes nasals. Le sens des termes pouvant varier d'une langue à l'autre à la convenance du descripteur, il suffirait de choisir dans chaque cas une définition ad hoc. Dans ces conditions, l'assertion « toutes les langues ont trois phonèmes nasals » (ou l'assertion « le français a trois phonèmes nasals ») n'a aucune portée empirique, *puisqu'elle est compatible avec n'importe quel état de fait*. N'excluant rien, elle ne dit rien. Il en va de même en ce qui concerne le mode d'application des règles phonologiques. Si nous n'établissons pas des principes universels qui gouvernent le mode d'application des règles phonologiques et que nous nous accordons la liberté de décider à notre guise pour chaque langue et − pourquoi pas ? − pour chaque forme à dériver, de la façon d'appliquer ces règles, nous nous laissons une latitude de manœuvre tellement large, que quels que soient les faits, il nous sera toujours possible d'en donner une description qui réponde à telle ou telle condition posée a priori.

Pour trancher entre les deux modes d'application proposés, nous avons procédé de la manière suivante. Considérant un ensemble de données tirées d'une langue particulière, nous avons construit deux grammaires − ou plutôt deux fragments de grammaire − concurrentes pour en rendre compte. Les règles de la première grammaire étaient conçues pour être appliquées séquentiellement, celles de la seconde pour être appliquées simultanément. Prenant par exemple les données relatives à l'harmonie vocalique et à la palatalisation en Kongo, nous avons comparé une grammaire contenant les règles HARM et PAL conçues pour être appliquées « en série », et une autre contenant les règles HARM et PAL′ conçues pour être appliquées « en parallèle ». L'une et l'autre grammaire engendrent exactement le même ensemble de représentations phonétiques ; il est essentiel de bien voir ce point. Ce que nous avons comparé, ce n'est pas l'aptitude des deux grammaires à rendre compte des données, qui est la même, c'est la façon dont elles en rendent compte[32]. Pour le français comme pour le Kongo, nous avons vu que la grammaire à application simultanée ne rend compte des données qu'au prix de complications qui obscurcissent la généralité des mécanismes en cause.

Dans l'un et l'autre cas on a affaire à deux processus phonologiques A et B qui prennent effet en un même point d'une séquence. A et B ne jouent pas des rôles symétriques. A ne dépend pas de B, mais B dépend de A. En français, la règle SEM s'applique sans tenir compte des effets de la règle DEV ; au contraire la règle DEV tient compte des effets de l'application de la règle SEM, car l'application de SEM crée des segments sonants non-syllabiques qui sont dévoisés par DEV au même titre que ceux qui figuraient déjà dans les représentations phonologiques. De même en Kongo : HARM s'applique sans tenir compte de PAL, mais PAL tient compte des effets de HARM, qui en transformant certains *i* en *e* détruit les conditions où PAL aurait pu prendre effet.

L'existence d'une telle relation asymétrique de dépendance entre les différents processus phonologiques est un trait de structure que possèdent toutes les langues. En décidant une fois pour toutes que les règles phonologiques s'appliquent successivement, nous incorporons ce trait à la notion « langue humaine possible » que la théorie linguistique doit caractériser. En appliquant une règle A avant une règle B, nous utilisons simplement un dispositif qui a exactement les propriétés formelles requises pour refléter le fait que la règle B doit prendre en considération des facteurs qui dépendent de l'action de la règle A, tandis que la règle A ne tient pas compte des effets de l'action de la règle B. En matière d'application des règles, les mots « avant », « précéder » indiquent des priorités d'ordre logique et non chronologique[33].

Lorsqu'on impose à toutes les règles de s'appliquer simultanément à la représentation phonologique on ne dispose d'aucun moyen d'indiquer de façon naturelle leurs dépendances les unes par rapport aux autres car on est obligé de

---

32 Cf. là-dessus Chomsky (1965 : 39-40).

33 L'application des règles dans un certain ordre reflète la structure synchronique d'un état de langue à un moment donné, et cet ordre est en droit indépendant de la succession des changements phonétiques qui ont abouti à l'état de langue en question. Sur la relation entre l'ordre (synchronique) des règles et la chronologie relative des changements phonétiques, cf. Halle (1962), Halle et Keyser (1967), Harris (1969), Keyser (1963), King (1969), Kiparsky (1967 ; 1968*a*, 1970 ; 1971), Matthews (1970), SPE, chap. 6.

définir les conditions où chacune prend effet (sa description structurale) en termes de la seule information contenue dans les représentations phonologiques. En Kongo par exemple, la palatalisation n'a lieu que devant les /i/ qui ne sont pas du ressort de HARM. Or dans les représentations phonologiques, rien dans la colonne de spécifications d'un /i/ considéré isolément n'indique s'il sera ou non affecté par HARM. Nous avons donc été obligés d'incorporer à la description structurale de la règle de palatalisation les conditions K et K′, qui définissent exactement au niveau phonologique les contextes où un /i/ n'est pas du ressort de HARM. Du coup la description structurale de la règle de palatalisation contient deux sortes de conditions qui n'ont rien à voir entre elles. Il y a d'une part la présence d'un /i/, qui caractérise en propre le processus de palatalisation, et d'autre part les conditions K et K′, qui reflètent de façon détournée le fait que PAL dépend de HARM.

La chose apparaîtrait plus clairement encore si nous passions en revue un grand nombre de langues qui possèdent une règle de palatalisation. Dans de très nombreux cas, nous verrions qu'une fois que cette règle de palatalisation a été correctement ordonnée par rapport aux autres règles, elle peut être formulée de façon à ne tenir compte que de la nature du segment qui suit immédiatement la consonne sujette à palatalisation, sans prendre en considération les propriétés des segments qui précèdent[34]. Ceci nous fournit un argument de poids en faveur de l'application successive. En adoptant une théorie linguistique qui permette aux règles phonologiques de s'appliquer dans un certain ordre, nous nous donnons le moyen de construire pour les langues les plus diverses des grammaires dans lesquelles les règles de palatalisation auront toutes un certain air de famille. Nous avons dit que les langues obéissent toutes à certains principes d'organisation universels, et que les linguistes se sont donné pour tâche de découvrir ces principes. Dans cette recherche, toute similitude entre grammaires de langues différentes est un indice précieux. Or *il n'y a aucune raison de postuler, entre les grammaires de langues différentes, plus de différences que le minimum nécessaire pour permettre à ces grammaires d'engendrer chacune l'ensemble des paires son-sens caractéristique de la langue qu'elle décrit.* Bref, entre plusieurs descriptions également compatibles avec les données, le linguiste n'a aucune raison de ne pas préférer systématiquement celle qui lui permet d'introduire le maximum d'unité sous la diversité des phénomènes.

34 Voyez la règle de palatalisation du Zuni (p. 98) et celle du Zoque (p. 118).

Tout ce que montre la discussion qui précède, c'est qu'il faut donner à la composante phonologique une organisation qui permette dans certains cas à une règle de s'appliquer à l'output d'une autre. Mais cette condition laisse encore ouvertes un grand nombre de possibilités. On peut concevoir un grand nombre de modèles généraux de composante phonologiques qui répondent tous également à cette condition tout en différant entre eux de façon substantielle. On peut par exemple concevoir des types de grammaires où une même règle peut s'appliquer plusieurs fois au cours d'une même dérivation, où une règle s'applique dans certaines dérivations et pas dans d'autres, où deux règles qui s'appliquent avec l'ordre A-B dans certaines dérivations s'appliquent avec l'ordre inverse B-A dans d'autres, et ainsi de suite ad libitum.

En fait l'organisation de la composante phonologique décrite à la page 77 repose sur l'hypothèse suivante : pour n'importe quelle grammaire dont la composante phonologique contient n règles, ces règles peuvent toujours être rangées en une certaine séquence de n termes R_1, R_2 ... R_n, où chaque règle apparaît une fois et une seule. Cette séquence définit un ordre d'application fixé une fois pour toutes, le même pour toutes les dérivations dans la grammaire en question. Chaque représentation phonologique est d'abord soumise à la règle R_1, la première règle de la séquence. La règle R_1 y repère tous les segments qui sont de son ressort et les modifie simultanément conformément aux indications de son changement structural, laissant les autres segments inchangés. La représentation obtenue est alors soumise à la règle R_2, qui opère de même, et ainsi de suite jusqu'à la règle R_n. Une fois appliquée la règle R_n et effacées toutes les frontières $\#$ et $+$, la dérivation s'arrête, et l'output obtenu est la représentation phonétique. Dans cette perspective, chaque règle s'applique une fois [35] par dérivation, et une fois seulement [36]. L'ordre d'application est le même pour toutes les dérivations. Pour définir complètement la composante phonologique d'une grammaire, il faut donner la liste des n règles qu'elle contient et l'ordre R_1 ... R_n dans lequel ces règles s'appliquent.

C'est sur l'hypothèse qui précède que sont fondés la plupart des travaux de phonologie générative des quinze dernières années, et elle a permis un renouvelle-

---

35 Il faut faire une exception pour les cas d'ordre disjonctif, dont il ne sera pas question ici, cf. SPE : 36 ; 357.

36 Nous laissons de côté le mode d'application cyclique, dont le rôle dans l'accentuation anglaise est examiné en détail dans les chapitres 2 et 3 de SPE. On en trouve aussi des présentations succintes, maintenant accessibles en traduction française, dans Chomsky et Miller (1963) et dans Chomsky (1967a).

ment complet de la discipline. Cette hypothèse a été remise en cause récemment [37], et sera probablement remplacée dans un futur assez proche ; c'est le sort normal de toutes les hypothèses générales dans une science encore balbutiante comme la nôtre. Nous y adhérerons néanmoins sans restriction dans ce qui suit, car les modifications qu'on a proposé d'y apporter n'ont qu'une importance secondaire lorsqu'on se place au point de vue qui est le nôtre dans cette introduction de niveau très élémentaire, et leurs implications sont d'ailleurs loin d'avoir été explorées en profondeur.

Nous emprunterons notre dernier exemple à une langue amérindienne, le Zuni [38]. Les formes que nous citerons sont toutes inventées pour les besoins de la cause. L'emploi d'exemples réels nous aurait forcés à entrer dans des complications qui ne sont pas pertinentes pour notre propos.

La langue Zuni a cinq voyelles *a, e, i, o, u*. La voyelle finale d'un mot ne se prononce pas lorsque ce mot est suivi d'un autre qui commence par une voyelle. Un mot qui se prononce [nisa] devant une pause ou lorsque le mot suivant est [tewa], se prononce [nis] lorsque le mot suivant est [elo]. Un autre mot se prononce de même [bolu] devant une pause ou devant [tewa], mais [bol] devant [elo], etc. Bref les deux prononciations alternantes de chaque mot sont dans un rapport régulier. Connaissant la prononciation devant consonne, on en déduit celle devant voyelle en retranchant la voyelle finale. Notez qu'à l'inverse on ne peut pas déduire la prononciation d'un mot devant consonne à partir de celle devant voyelle. Sachant seulement d'un mot qu'il se prononce [nis] devant voyelle, il est impossible de savoir si la voyelle finale qui apparaît devant consonne est [a] plutôt que [i] ou [o]. Lorsque deux mots ont des prononciations devant consonne qui ne se distinguent que par la voyelle finale, leurs prononciations devant voyelle

---

37 Depuis la parution de Chomsky et Halle (1968), l'ordre d'application des règles est un des problèmes qui ont le plus retenu l'attention des phonologues. Ce n'est pas la nécessité d'appliquer certaines règles à l'output d'autres règles qui est en cause. La question est plutôt de savoir si l'ordre dans lequel les règles s'appliquent est nécessairement le même pour toutes les dérivations, et s'il ne peut pas la plupart du temps se déduire des propriétés des règles et de celles des représentations auxquelles ces règles s'appliquent, cf. par exemple Chafe (1968), Anderson (1969, 1970), Kenstowicz et Kisseberth (1970), Kisseberth (1972*b*), Dell (1973*b*). Sur les implications du débat en ce qui concerne la phonologie historique, cf. Kiparsky (1968*a*, 1971).

38 Les faits exposés ici ont été discutés en détail au cours d'une polémique qui a suivi la publication de Newman (1965), cf. Walker (1966), Davis (1966), et les réponses de Newman (1967), Tedlock (1969), Michael (1971). Le désaccord ne portait pas sur les faits, mais sur leur interprétation. Nous suivons ici les conclusions de Michael (1971).

97

sont confondues. Par exemple, devant un mot à initiale consonantique comme [tewa] on distingue entre les mots [nisa] et [nisi], mais devant un mot à initiale vocalique comme [elo], ils se prononcent tous deux [nis]. Nous attribuerons à chaque mot une représentation phonologique où la voyelle finale soit mentionnée, par exemple la représentation phonologique sous-jacente à [nisa] ~ [nis] sera /nisa/, celle sous-jacente à [nise] ~ [nis] sera /nise/, etc., et nous poserons la règle phonologique d'élision suivante :

$$\text{ELIS}: \quad V \;\rightarrow\; \emptyset \quad / \; \underline{\hspace{2em}} \; \# \; V$$

ELIS indique qu'une voyelle doit être effacée lorsqu'elle est le premier terme d'une séquence $V \# V$, c'est-à-dire lorsqu'elle est à la fin d'un mot qui est suivi d'un autre qui commence par une voyelle. A partir des représentations /nisa#elo/ et /nisi#elo/ l'application de cette règle permet d'obtenir des représentations phonétiques identiques [niselo] et [niselo].

Les représentations phonétiques du Zuni contiennent d'autre part deux sons de type k, un k vélaire ([k]) et un k palatal ([ķ]). Si on laisse pour l'instant de côté les k qui précèdent une voyelle sujette à élision, la distribution de ces deux sons est extrêmement simple : [ķ] n'apparaît que devant [i], [e] et [a], et [k] apparaît partout ailleurs. On a par exemple les mots [suķa], [owiķe], [oķi], [naku] et [leko], et il ne peut pas exister de mots *[suka], *[owike], *[oki], *[naķu] et *[leķo], qui enfreignent tous la restriction combinatoire que nous venons d'énoncer. Bref, si on pose un seul phonème /k/, on peut toujours prédire s'il se réalisera comme [ķ] ou [k], selon qu'il est ou non du ressort de la règle de palatalisation suivante :

$$\text{PAL}: \quad k \;\rightarrow\; \underset{\smile}{k} \quad / \; \underline{\hspace{2em}} \; \begin{bmatrix} + \text{ syll} \\ - \text{ rond} \end{bmatrix}$$

PAL indique que k doit être récrit comme $ķ$ devant toute voyelle non-arrondie, c'est-à-dire devant i, e, et a.

Avec la théorie linguistique que nous avons adoptée, il ne suffit pas de formuler avec précision les règles ELIS et PAL, il faut encore découvrir dans quel ordre elles s'appliquent. Pour décider si c'est ELIS-PAL ou PAL-ELIS, il faut trouver des cas où un k précède une voyelle finale qui est sujette à l'élision. Le mot /suka/ se prononce par exemple [suķa] dans /suka#tewa/ ([suķatewa]) et [suķ] dans /suka#owi/ ([suķowi]). Cette dernière forme et d'autres semblables montrent sans équivoque que la prononciation du /k/ dépend toujours de la nature de la voyelle finale, même si celle-ci est élidée, c'est-à-dire que PAL doit s'appliquer avant que ELIS n'ait fait disparaître la voyelle finale de mot. Nous donnons ci-dessous la dérivation de [suk̦owi], avec en parallèle celle qu'on obtiendrait si on appliquait PAL après ELIS :

	/suka # owi/		/suka # owi/
PAL	suk̦a # owi	ELIS	suk # owi
ELIS	suk̦ # owi	PAL	
	[suk̦owi]		*[sukowi]

Ce dernier exemple fait voir une propriété de l'ordre des règles qui n'apparaissait pas clairement dans les deux exemples précédents. En appliquant une règle A avant une règle B, nous garantissons deux choses différentes :

    a.   A ne peut pas tenir compte des effets de l'application de B.

    b.   B est obligée de tenir compte des effets de l'application de A.

En fait, l'exemple français et l'exemple Kongo illustraient seulement le point (b), et nous verrons que l'exemple Zuni, lui, illustre le point (a).

L'exemple français montre que DEV doit tenir compte des résultats de SEM, et l'exemple Kongo, que PAL doit tenir compte des résultats de HARM (point b). En ordonnant SEM avant DEV et HARM avant PAL, nous garantissons d'autre part que SEM ne peut pas tenir compte des résultats de l'application de DEV, ni HARM de ceux de PAL (point a). Ce dernier point n'apparaît pas clairement car il se trouve que l'indépendance de SEM par rapport à DEV et de HARM par rapport à PAL est de toutes façons garantie par le contenu même des règles, indépendamment de l'ordre dans lequel elles sont appliquées. En français, la règle SEM s'appliquerait de toutes façons sans tenir compte des effets de DEV même si DEV précédait SEM, car DEV modifie certaines spécifications du trait [voix], et la description structurale de SEM ne mentionne pas le trait [voix], c'est-à-dire que la façon dont SEM s'applique en un point ne dépend pas de la spécification du trait [voix] en ce point. De même en Kongo : HARM s'appliquerait de toutes façons sans tenir compte des effets de PAL, même si PAL précédait HARM, car PAL modifie des consonnes, alors que seules les voyelles sont pertinentes du point de vue de HARM.

L'exemple Zuni illustre par contre le point (a). Si nous ordonnons PAL avant ELIS, c'est essentiellement pour empêcher que PAL ne tienne compte des effets d'ELIS, c'est-à-dire pour permettre au *k* qui précède le *a* final de se palataliser, en dépit du fait que ce *a* est effacé par ELIS.

Cet exemple est intéressant à un autre titre. Considérez les formes /suka#owi/, /suku#owi/, et leurs prononciations respectives [suk̹owi], [sukowi]. C'est la présence de la voyelle *a* dans la représentation phonologique de la première forme, et *u* dans celle de la seconde, qui conditionne l'alternance entre les réalisations [k̹] et [k] du phonème /k/. Sachant qu'une consonne est du type *k*, il est impossible de prédire à tous coups si c'est un [k̹] ou un [k] si l'on ne tient compte que des voyelles présentes dans les représentations phonétiques. Il est certaines généralisations qui ne sont pas expressibles en termes de la seule information contenue dans les représentations phonétiques. Le caractère systématique de l'alternance entre [k̹] et [k], qui est due à la règle PAL, est partiellement masqué en surface par l'opération de la règle ELIS.

LA REDONDANCE LEXICALE

Admettons pour fixer les idées que le français possède les vingt-huit phonèmes qui sont définis dans la figure 12. Tout allomorphe contenu dans le lexique est une séquence de segments puisés dans cette table. Comme le français n'a retenu comme phonèmes que vingt-huit combinaisons parmi les centaines que permet le stock universel des traits, les spécifications des différents traits à l'intérieur d'un même segment sont liées par des restrictions combinatoires très strictes que l'on peut énoncer sous la forme de règles. En voici quelques unes que le lecteur pourra vérifier en examinant la figure 12 :

R1 : tous les phonèmes sont [− glott].
R2 : tout phonème qui est [+ nas] est aussi [− syll].
R3 : tout phonème qui est [+ son] est aussi [+ voix].

La restriction R1 distingue le français de nombreuses langues du monde qui opposent phonèmes glottalisés et phonèmes non-glottalisés[39]. Il y a des restrictions analogues qui indiquent qu'aucun phonème du français n'est aspiré, pharyngalisé, etc. C'est l'existence de telles restrictions valables pour tous les phonèmes du français, qui nous a permis de ne faire figurer que treize traits dans la table 12, parmi les φ traits pertinents définis par la théorie linguistique. En droit, tout phonème du français est une colonne de φ spécifications correspondant à ces

---

39 Est glottalisé tout son dont la production requiert la fermeture momentanée de la glotte. Le seul son glottalisé du français est le coup de glotte (cf. p. 64).

	son	syll	cons	cont	nas	haut	bas	arr	rond	ant	cor	voix	rel. ret.
a	+	+	−	+	−	−	+	+	−	−	−	+	+
ɔ	+	+	−	+	−	−	+	+	+	−	−	+	+
œ	+	+	−	+	−	−	+	−	+	−	−	+	+
ɛ	+	+	−	+	−	−	+	−	−	−	−	+	+
o	+	+	−	+	−	−	−	+	+	−	−	+	+
ö	+	+	−	+	−	−	−	−	+	−	−	+	+
e	+	+	−	+	−	−	−	−	−	−	−	+	+
u	+	+	−	+	−	+	−	+	+	−	−	+	+
ü	+	+	−	+	−	+	−	−	+	−	−	+	+
i	+	+	−	+	−	+	−	−	−	−	−	+	+
y	+	−	−	+	−	+	−	−	−	−	−	+	+
l	+	−	+	+	−	−	−	−	−	+	+	+	+
r	+	−	+	+	−	−	−	+	−	−	−	+	+
ñ	+	−	+	+	+	+	−	−	−	−	−	+	−
n	+	−	+	+	+	−	−	−	−	+	+	+	−
m	+	−	+	+	+	−	−	−	−	+	−	+	−
ž	−	−	+	+	−	+	−	−	−	−	+	+	+
š	−	−	+	+	−	+	−	−	−	−	+	−	+
z	−	−	+	+	−	−	−	−	−	+	+	+	+
s	−	−	+	+	−	−	−	−	−	+	+	−	+
v	−	−	+	+	−	−	−	−	−	+	−	+	+
f	−	−	+	+	−	−	−	−	−	+	−	−	+
g	−	−	+	−	−	+	−	+	−	−	−	+	−
k	−	−	+	−	−	+	−	+	−	−	−	−	−
d	−	−	+	−	−	−	−	−	−	+	+	+	−
t	−	−	+	−	−	−	−	−	−	+	+	−	−
b	−	−	+	−	−	−	−	−	−	+	−	+	−
p	−	−	+	−	−	−	−	−	−	+	−	−	−

| | son | syll | cons | cont | nas | haut | bas | arr | rond | ant | cor | voix | rel. ret. |

FIGURE 12

φ traits, mais pour chacune des colonnes de la figure 12, les φ − 13 spécifications qui ne sont pas représentées découlent automatiquement des douze présentes en vertu de règles propres au français.

La règle R2 exclut les consonnes nasales syllabiques et les voyelles nasales de l'inventaire des phonèmes du français. La règle R3 en exclut les sonantes sourdes. Notez bien que ces règles valent seulement pour les phonèmes, c'est-à-dire les segments qui apparaissent dans les représentations phonologiques. Rien n'empêche qu'elles soient violées au niveau phonétique : le français connaît au niveau phonétique des voyelles nasales (cf. p. 189) et des sonantes sourdes (cf. p. 66).

Outre les restrictions combinatoires entre les valeurs des traits appartenant à un même segment, restrictions qui reflètent le fait que n'importe quelle combinaison de signes plus et de signes moins permise par la combinatoire phonétique universelle n'est pas un phonème du français, il existe aussi des restrictions séquentielles, c'est-à-dire des restrictions qui lient les spécifications de traits appartenant à des segments successifs d'une même matrice. Celles-ci reflètent le fait que n'importe quelle séquence de phonèmes du français n'est pas un allomorphe possible. Par exemple /bafu/, /bafi/ et /parfidre/ sont des séquences de phonèmes permises par la structure de la langue, mais pas */ngo/, */ifšu/ ou */tfakp/. Des trois séquences possibles que nous avons données, seule /bafu/ est effectivement attestée. C'est la représentation phonologique du radical du verbe *bafouer*. Il existe une infinité de séquences de phonèmes qui n'enfreignent aucune des restrictions combinatoires qu'impose la structure du français [40], mais comme le lexique ne contient jamais que quelques milliers d'allomorphes, la plupart de ces séquences possibles n'y figurent pas. /bafi/ et /parfidre/ sont dans ce cas. Le fait qu'il n'existe aucun morphème dont la représentation phonologique soit /bafi/ ou /parfidre/ n'est la conséquence d'aucune contrainte structurelle, il s'agit simplement d'une lacune accidentelle. En revanche des séquences comme */ngo/ ou */ifšu/ ne sont pas des allomorphes possibles en français. La première enfreint la restriction qui est exprimée par la règle R4, et la seconde celle qui est exprimée par R5 :

R4 : dans tout allomorphe où le premier segment est [+ son, + cons], le deuxième segment est [− cons].

R5 : dans toute séquence de deux segments [− son, + cont], le premier est /s/ et le second /f/.

---

[40] Il existe par contre des langues où l'ensemble des allomorphes possibles est fini. C'est par exemple le cas du chinois.

La règle R4 exclut de l'ensemble des allomorphes possibles en français toute séquence de phonèmes qui commence par une consonne nasale ou liquide suivie d'une consonne : */ngo/, */lpa/, */rse/, etc. La règle R5 interdit de même toute séquence de fricatives autre que /sf/ (cf. *sphère, phosphore*) : */ifšu/, */isža/, */ivza/, etc. On peut faire au sujet des restrictions séquentielles la même remarque qu'en ce qui concerne les restrictions à l'intérieur d'un seul segment : elles sont définies au niveau phonologique, et elles peuvent fort bien être enfreintes au niveau phonétique. Par exemple il existe des morphèmes dont la réalisation phonétique commence par une consonne sonante suivie d'une autre consonne, voyez *renard* qui se prononce [rnar] dans *un renard* [ɛ̃rnar]. Nous verrons plus tard que la représentation phonologique de *renard* est /rənard/, séquence qui n'enfreint pas la règle R4.

En construisant un système complet de règles semblables à R1-R5, nous arriverions à délimiter exactement l'ensemble des matrices phonologiques possibles en français. Nous appellerons ces règles des *règles de structure morphématique* (en anglais : *morpheme structure rules*). Est un allomorphe possible en français toute matrice phonologique qui n'enfreint aucune des règles de structure morphématique du français.

En liant entre elles certaines spécifications de traits dans les matrices phonologiques les règles de structure morphématique permettent de prédire certaines spécifications à partir des autres. Prenons par exemple la représentation phonologique du radical de *nourrir*, soit /nur/, qui est une certaine matrice de φ lignes et de trois colonnes. Pour la distinguer de toutes les autres matrices $\varphi \times 3$ possibles en français, il n'est pas besoin de donner la liste exhaustive des $\varphi \times 3$ spécifications qu'elle contient, ni même celle des $13 \times 3 = 39$ spécifications de la matrice phonologique 13a de la page suivante, il suffit de donner les sept spécifications contenues dans la matrice 13b, qui a été obtenue en effaçant de 13a toutes les spécifications qui peuvent être prédites à partir d'autres :

FIGURE 13

	a				b		
	n	u	r		n	u	r
son	+	+	+				
syll	−	+	−				
cons	+	−	+				+
cont	+	+	+				
nas	+	−	−		+		
haut	−	+	−			+	−
bas	−	−	−				
arr	−	+	+			+	+
rond	−	+	−				
ant	+	−	−				
cor	+	−	−		+		
voix	+	+	+				
rel. ret.	−	+	+				

En effet, /n/ est le seul phonème français qui soit [+ nas, + cor], autrement dit, sachant seulement qu'un phonème du français contient les spécifications [+ nas] et [+ cor] on peut en déduire qu'il contient nécessairement les spécifications [+ son, − syll, + cons, + cont, ...], c'est-à-dire l'ensemble de spécifications caractéristique de la colonne /n/. La règle R 4 garantit d'autre part que le deuxième segment est non-consonantique, puisqu'il suit une consonne sonante initiale de morphème. Or il n'y a qu'un seul phonème français qui soit [− cons, + haut, + arr], c'est /u/. Et ainsi de suite.

Il va de soi que la connaissance de ces règles de structure morphématique allège considérablement le fardeau mémoriel imposé aux sujets qui apprennent de nouveaux mots. Contrairement à ce que nous avions affirmé en premier lieu (cf. p. 68) les allomorphes ne sont pas couchés dans le lexique sous forme de représentations phonologiques, c'est-à-dire de matrices de φ lignes dont chaque case contient nécessairement un signe plus ou un signe moins. Ceci équivaudrait en effet à prétendre que les sujets mémorisent une à une toutes les spécifications contenues dans les représentations phonologiques, alors que pour l'immense majorité d'entre elles ces spécifications sont *redondantes,* c'est-à-dire qu'elles découlent automatiquement d'autres spécifications. Il faut donc distinguer entre la représentation phonologique d'un allomorphe et sa représentation lexicale. Schématiquement, la représentation lexicale d'un allomorphe, c'est ce qui reste de sa représentation phonologique une fois qu'on l'a débarrassée de toutes les spécifications redondantes. Autrement dit, aucune des spécifications qui figurent dans une représentation lexicale n'est prédictible à partir des autres. Nous dirons que ces spécifications sont *distinctives.* Les matrices phonologiques comme 13a sont dites complètement spécifiées. Chaque case y contient forcément un signe plus ou un signe moins. Au contraire les matrices lexicales comme 13b sont dites incomplètement spécifiées. N'y figurent que des spécifications distinctives. Les cases qui correspondent aux spécifications redondantes soit laissées blanches. Seule doit être apprise par les sujets l'information qui figure dans les matrices incomplètement spécifiées. Du point de vue de la phonologie, le lexique est un ensemble de matrices incomplètement spécifiées où ne figurent que les spécifications distinctives.

Pour passer d'une matrice lexicale à la matrice phonologique correspondante, il faut remplacer tous les blancs par des signes plus ou moins. Cette opération s'effectue en utilisant les règles de structure morphématique. Comme les règles phonologiques, ces règles peuvent être considérées non seulement comme des assertions qui caractérisent la langue, mais comme les consignes qui indiquent comment effectuer une certaine manipulation symbolique. Par exemple la règle R2 indique que dans toute colonne qui contient la spécification [+ nas], le blanc de la case qui correspond au trait [syll] doit être remplacé par un signe moins. De même la règle R4 indique que dans toute matrice dont la première colonne est [+ son] et [+ cons], la case blanche de la deuxième colonne qui correspond au trait [cons] doit être remplie d'un signe moins. Les règles de structure morphématique permettent ainsi de transformer chaque représentation lexicale (incomplètement spécifiée) en la représentation phonologique (complètement spécifiée) correspondante. Les règles de structure morphématique appartiennent à la composante de rajustement, puisqu'elles contribuent à définir les représentations phonologiques, qui sont l'input de la composante phonologique.

Il existe une différence fondamentale entre les règles phonologiques et les règles de structure morphématique. Tandis que les règles phonologiques changent des signes plus en signes moins et vice versa, intervertissent des colonnes, ajoutent ou retranchent des colonnes entières, les règles de structure morphématique ne peuvent que remplir des cases blanches. Dans le passage d'une matrice lexicale à la matrice phonologique correspondante, le nombre de colonnes reste le même et les spécifications qui figuraient initialement dans la matrice lexicale demeurent invariantes. Les règles de structure morphématique ne font qu'ajouter de nouvelles spécifications (redondantes) aux spécifications distinctives, elles ne peuvent en aucun cas modifier ces dernières.

Le passage de la matrice lexicale d'un morphème à sa prononciation effective dans une phrase donnée s'effectue en deux temps :
passage de la matrice lexicale à la matrice phonologique par remplissage des cases blanches (règles de structure morphématique), puis passage de la matrice phonologique à la matrice phonétique par modification de certaines spécifications, permutation de colonnes, addition ou soustraction de colonnes entières :

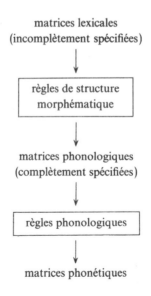

matrices lexicales
(incomplètement spécifiées)

règles de structure
morphématique

matrices phonologiques
(complètement spécifiées)

règles phonologiques

matrices phonétiques

Les règles de structure morphématique opèrent sur chaque allomorphe pris isolément dans le lexique. Elles expriment des dépendances qui n'existent qu'entre spécifications appartenant à un même morphème. Au contraire les règles phonologiques opèrent sur des séquences d'allomorphes et de frontières engendrées par la composante syntaxique et la composante de rajustement. Les spécifications qu'elles mettent en rapport peuvent appartenir à des morphèmes voisins dans la chaîne.

Une fois qu'ont été appliquées toutes les règles de structure morphématique, les matrices phonologiques qui en résultent ne contiennent aucune indication qui permette de distinguer les spécifications distinctives (qui figuraient déjà dans les représentations lexicales) et les spécifications redondantes (qui y ont été ajoutées). Au cours de la dérivation, les règles phonologiques modifient les spécifications distinctives au même titre que les spécifications redondantes. Autrement dit, la distinction entre distinctif et redondant n'a cours que lorsqu'on compare les représentations lexicales et les représentations phonologiques, mais spécifications distinctives et spécifications redondantes sont traitées sur un pied d'égalité absolue par les règles phonologiques. Ceci est fondamental. Si les traits dont la spécification est distinctive n'étaient pas susceptibles de changer de signe pendant le passage dans la composante phonologique, ils resteraient invariants jusqu'au niveau phonétique. Or ce n'est pas le cas.

L'existence des règles de structure morphématique n'est que la manifestation au niveau phonologique d'un phénomène plus général, celui de la redondance lexicale. Le lexique est une liste d'entrées lexicales, et chaque entrée lexicale est elle-même une liste de propriétés qui caractérisent un élément lexical en propre, c'est-à-dire de propriétés qui ne découlent pas des règles qui gouvernent la combinaison des éléments lexicaux entre eux. Le lexique d'une langue est une liste finie, mais indéfiniment extensible; on peut toujours y ajouter des éléments lexicaux nouveaux. C'est aussi une liste structurée. L'ensemble des règles syntaxiques, sémantiques et phonologiques n'épuise pas la totalité des régularités qui définissent la structure d'une langue, et les différentes propriétés qui constituent chaque entrée lexicale sont liées entre elles par certaines restrictions combinatoires qui sont tout sauf accidentelles.

Se borner simplement à dresser la liste exhaustive des éléments lexicaux effectivement attestés, ce serait affirmer implicitement que cette liste est extensible dans n'importe quelle direction, qu'il n'existe aucune contrainte qui limite le champ des éléments lexicaux nouveaux qui peuvent y être ajoutés. Expliquer, c'est entre autres exclure ce qui est impossible, et une simple liste n'exclut rien, elle enregistre simplement ce qui est. Les listes sont pourrait-on dire des structures de degré zéro.

Lorsque poussant au-delà des allomorphes effectivement attestés d'une langue, nous cherchons à définir l'ensemble des allomorphes possibles dans cette langue, nous visons, derrière les données observées, la structure qui a permis leur existence.

Avant de quitter le domaine de la redondance lexicale, il est bon d'insister sur la distinction essentielle qui doit être faite entre ceux des faits de redondance qui sont universels et relèvent de la théorie linguistique, et ceux qui appartiennent à une langue en propre et doivent figurer explicitement dans sa description. C'est par exemple un fait universel qu'il n'existe pas de sons du langage (et par voie de conséquence, pas de phonèmes) qui soient [−cont, + syll]. Il s'agit là d'une proposition qui caractérise la notion de langue en général, et qui n'a pas à être répétée chaque fois qu'on entreprend la description d'une langue nouvelle. Elle doit être intégrée une fois pour toutes à la théorie linguistique. En revanche le fait qu'aucune matrice phonologique du français ne contient de spécification [+ glott] est propre à cette langue et doit être mentionné explicitement dans sa grammaire.

Nous n'en dirons pas plus sur les règles de structure morphématique. La redondance phonologique pose un problème épineux qui n'a pas encore trouvé de solution satisfaisante. En ce domaine, le développement de la phonologie générative n'a pas encore permis d'ajouter grand'chose au peu qui avait déjà été fait dans le cadre des théories antérieures. Le seul apport important de la phonologie générative en la matière est une certaine clarification des problèmes : le morphème − ou plus exactement l'allomorphe − est la seule unité dans le cadre de laquelle il faille étudier les latitudes combinatoires des phonèmes. Une fois que ces latitudes ont été définies (règles de structure morphématique) et qu'ont également été définies les latitudes combinatoires entre allomorphes (règles syntaxiques et de rajustement), les séquences de phonèmes permises dans le cadre du mot ou de la phrase en découlent automatiquement, et une grammaire n'a pas à contenir de règles spéciales pour en rendre compte.

La conception des règles de structure morphématique développée dans les pages qui précèdent est empruntée à une problématique issue de Halle (1959), et qui a trouvé son aboutissement dans l'article important de Stanley (1967) et le chapitre 8 de SPE[41]. Plus récemment, Chomsky et Halle ont proposé une approche différente du problème, qui reprend et enrichit la notion de « marque » développée par les linguistes de l'école de Prague[42]. Il reste à voir si cette nouvelle approche justifiera à l'expérience les espoirs qu'on a mis en elle.

41 Sur le statut des règles de structure morphématique, voyez également les intéressantes remarques de Sampson (1970).

42 Cf. SPE, chap. 9 et Postal (1968, chap. 8).

III   Deux fragments
de composante phonologique

Maintenant que nous sommes en possession des notions essentielles, il est grand temps que nous examinions à partir d'exemples concrets la façon dont fonctionne une composante phonologique. Les deux discussions qui suivent sont conçues, moins pour présenter des faits particuliers, données ou règles, que pour faire saisir l'esprit d'une certaine démarche. Notre but est de faire sentir que rien ne va de soi dans une description linguistique, que tout doit y être justifié, et de donner une idée des considérations qui sont pertinentes lorsqu'il s'agit de trancher entre deux grammaires concurrentes.

Dans chacun des deux exemples traités ci-dessous, nous avons isolé du reste de la langue un petit nombre de faits que nous avons choisis parce qu'ils s'organisent en un ensemble cohérent que l'on peut examiner séparément sans faire injustice à la structure totale dont ils sont extraits. Nous avons dû nous résoudre à passer sous silence certains détails qui nous auraient obligé à des digressions dont la longueur aurait été sans commune mesure avec l'importance du point traité. Ceci dit, les simplifications qui en résultent, peu nombreuses au demeurant, ne portent que sur des points d'importance mineure. Elles concernent le détail de la formulation de telle ou telle règle prise isolément, mais ne dénaturent pas l'organisation du système.

QUELQUES RÈGLES PHONOLOGIQUES DU ZOQUE

Notre premier exemple est emprunté au Zoque, une langue du Sud du Mexique dont la morphologie a été décrite de façon assez complète dans les articles de Wonderly (1951, 1952). Tous nos matériaux proviennent de ces articles.

Considérons les formes suivantes :

[tihu]	« il est arrivé »	[ka?u]	« il est mort »
[tihpa]	« il arrive »	[ka?pa]	« il meurt »
[tihke?tu]	« il est arrivé lui aussi »	[ka?ke?tu]	« il est mort lui aussi »
[tihke?tpa]	« il arrive lui aussi »	[ka?ke?tpa]	« il meurt lui aussi »

Ces formes illustrent les racines verbales /tih/ « arriver », /ka?/ « mourir », et les suffixes /u/ « aspect achevé », /pa/ « aspect inachevé », /ke?t/ « aussi ». Considérons maintenant les formes analogues du verbe /poy/ « courir » :

[poyu]	« il a couru »	(/poy+u/)
[popya]	« il court »	(/poy+pa/)
[pokye?tu]	« il a couru lui aussi »	(/poy+ke?t+u/)
[pokye?tpa]	« il court lui aussi »	(/poy+ke?t+pa/)

Ces formes illustrent le fait que lorsqu'un morphème terminé par yod est suivi d'un autre qui commence par une consonne, il y a permutation — on dit métathèse — du yod et de la consonne suivante :

META : y C → C y

Ainsi la représentation sous-jacente à [popya] est /poy+pa/, qui devient /po+pya/ par application de META. Cette métathèse n'est pas une curiosité confinée à quelques formes isolées. C'est un processus parfaitement général qui affecte même les mots récemment empruntés à l'espagnol. En voici d'autres exemples. Il existe un suffixe /kuy/ qui permet de former des noms à partir de verbes. On a ainsi les paires suivantes : [yospa] « il travaille », [yoskuy] « travail » ; [petpa] « il balaie », [petkuy] « balai » ; [hapya] « il écrit » (de /hay+pa/), [hakyuy] « écriture » (de /hay+kuy/). Il existe d'autre part un suffixe /kəsi/ [1] que nous gloserons simplement par « à » : [mesa] « table » donne [mesakəsi] « à la table », [kuy] « arbre » donne [kukyəsi] « à l'arbre ». De même les mots [yoskuy], [petkuy] et [hakyuy] cités plus haut donnent respectivement [yoskukyəsi], [petkukyəsi] et [hakyukyəsi]. Dans ce dernier mot, la règle de métathèse prend simultanément effet en deux points différents de la représentation /hay+kuy+kəsi/.

---

1 Le symbole ə note ici une voyelle non-haute, non-basse, non-arrondie et d'arrière.

Il existe d'autre part une règle qui stipule que toutes les non-continues sont voisées lorsqu'elles suivent une consonne nasale :

VOI : $[-\text{cont}]$ → $[+\text{voix}]$ / $[+\text{nas}]$ ——

C'est cette règle qui explique que parallèlement à la série [tihu] ~ [tihpa] ~ [tihkeʔtu] citée plus haut on ait la série [kunu] ~ [kunba] ~ [kungeʔtu], formée sur le verbe /kun/ « tomber ».

Considérons maintenant les formes conjuguées de la table (1) ci-dessous. Voici les sens respectifs des formes de la ligne a, de droite à gauche : « il est monté », « il monte », « il est monté lui aussi », « ils sont montés ». Les formes des lignes suivantes sont construites sur le même modèle. Dans cette table et dans celles qui suivent, nous omettrons les crochets carrés qui indiquent que les formes représentées sont des représentations phonétiques[2].

TABLE (1)

	A	B	C	D
a.	kiʔmu	kiʔmba	kiʔmgeʔtu	kiʔmyahu
b.	kihpu	kihpa[3]	kipkeʔtu	kipyahu
c.	maŋu	maŋba	maŋgeʔtu	maŋyahu
d.	hahku	hakpa	hahkeʔtu[3]	hakyahu
e.	kunu	kunba	kungeʔtu	kuñahu
f.	ʔehcu	ʔecpa	ʔeckeʔtu	ʔehčahu
g.	wihtu	witpa	witkeʔtu	wihkạhu
h.	sohsu	sospa	soskeʔtu	sohšahu

Du point de vue morphologique les formes de la colonne **D** ne se distinguent de celles de la colonne A que par la présence du suffixe /yah/ « troisième personne du

2 Les verbes conjugués signifient respectivement : (a) « monter », (b) « se battre », (c) « venir », (d) « traverser », (e) « tomber », (f) « danser », (g) « marcher », (h) « cuire ».

3 On aurait pu s'attendre à ce que /kihp+pa/ donne *[kippa], et que /hahk+keʔt+u/ donne *[hakkeʔtu]. Les formes [kihpa] et [hahkeʔtu] montrent qu'il existe une règle qui efface une consonne dans certains groupes de consonnes identiques et que cette règle doit être ordonnée avant H-EF (sur cette dernière règle, cf. ci-dessous).

pluriel ». Elles montrent que lorsqu'une consonne coronale est suivie d'un yod, les deux articulations se fondent en une seule : $n + y$ donne $\tilde{n}$ (ligne e), $c + y$ donne $\check{c}$ (ligne f), $t + y$ donne k (ligne g), et $s + y$ donne $\check{s}$ (ligne h). Appelons PAL (pour « palatalisation ») la règle qui rend compte de ce processus. Nous écrirons cette règle formellement un peu plus bas (p. 118).

Notons d'autre part que tout morphème terminé devant voyelle par une consonne finale précédée d'un h, perd ce h devant consonne. Ainsi (ligne g) le verbe « marcher » se prononce [wiht] dans [wihtu], mais [wit] dans [witpa] et [witkeʔtu]. De même pour les formes des lignes b, d, f, h. Nous supposerons que les verbes des lignes b, d, f, etc. ont respectivement les représentations phonologiques /kihp/, /hahk/, /ʔehc/, etc., et nous poserons la règle H-EF, qui indique que h est effacé lorsqu'il est suivi de deux consonnes (c'est-à-dire deux non-syllabiques) :

H-EF : $h \rightarrow \emptyset \ / \ \_\_ \ CC$

Reste à ordonner ces règles entre elles. Considérez par exemple les formes (2)-(5), où apparaissent le préfixe /nay/ « action réciproque », le suffixe /yatəh/ « troisième personne du pluriel », et les racines /nehp/, /ken/. /caŋ/ et /sun/, qu'on retrouve dans [nehpu] « il a donné un coup de pied », [kenu] « il a regardé », [caŋu] « il a frappé » et [sunu] « il a été amoureux » :

(2) /nay+nehp+yatəh+pa/ [nañepyatəhpa] « ils se donnent des coups
                                            de pieds »
(3) /nay+ken+yatəh+pa/ [nakyeñatəhpa] « ils se voient »
(4) /nay+caŋ+yatəh+pa/ [načaŋyatəhpa] « ils se frappent »
(5) /nay+sun+yatəh+pa/ [našuñatəhpa] « ils s'aiment »

Les formes (2), (4) et (5) montrent que la règle PAL doit s'appliquer après la règle META. Nous donnons ci-dessous la dérivation de la forme (5) selon que PAL est ordonnée après ou avant META :

	/nay+sun+yatəh+pa/		/nay+sun+yatəh+pa/
META	na+syun+yatəh+pa	PAL	nay+suñ+atəh+pa
PAL	na+šuñ+atəh+pa[4]	META	na+syuñ+atəh+pa
	[našuñatəhpa]		*[nasyuñatəhpa]

4 La séquence $un + ya$ est récrite $u\tilde{n} + a$ et non $u + \tilde{n}a$. Plus généralement, si nous notons C une certaine consonne coronale, C' la consonne qui résulte de sa fusion avec y, et si W et Z représentent deux séquences quelconques, la règle PAL telle qu'elle est formulée à la p. 118 et la convention (18) de la p. 135 garantissent que toute séquence $WC + yZ$ est récrite comme $WC' + Z$ et non comme $W + C'Z$. L'importance de ce détail apparaîtra lorsque nous parlerons de la règle H-INS (p. 134 n. 24).

L'ordre d'application META-PAL reflète le fait que la règle de palatalisation ne fait pas de différence entre les séquences [+ cor]*y* qui proviennent de la permutation d'une séquence *y*[+ cor], et celles qui étaient déjà présentes dans les représentations phonologiques, c'est-à-dire qui proviennent de la juxtaposition d'un morphème terminé par une coronale et d'un morphème commençant par un yod. Toutes les séquences [+ cor]*y* sont sujettes à la palatalisation, quelle que soit leur origine. Si la palatalisation n'affectait que des séquences [+ cor]*y* du second type, il faudrait ordonner PAL avant META (voyez la dérivation de droite).

On voit par ailleurs que la règle H-EF doit intervenir après la règle de PAL, qui a pour résultat de fondre deux segments [− syll] en un seul. Le *h* sous-jacent de /kihp+yah+u/ n'apparaît pas dans la représentation phonétique [kipyahu] (ligne b, p. 111) parce qu'il est suivi de *p+y*, qui est une séquence *CC* et qu'il tombe donc sous le coup de H-EF. En revanche le *h* de /wiht+yah+u/ est conservé dans la prononciation [wihk̲ahu] (ligne g, p. 111) car la règle PAL récrit la séquence de deux consonnes *t+y* comme la consonne unique *k̲*, ce qui détruit les conditions nécessaires pour que H-EF prenne effet. Nous donnons ci-dessous la dérivation de /wiht+yah+u/ selon qu'on ordonne PAL avant ou après H-EF :

	/wiht+yah+u/		/wiht+yah+u/
PAL	wihk̲+ah+u	H-EF	wit+yah+u
H-EF		PAL	wik̲+ah+u
	[wihk̲ahu]		*[wik̲ahu]

Si nous voulions à toute force que H-EF s'applique avant PAL, il faudrait donner de H-EF une formulation moins générale qui stipule que *h* tombe devant toutes les séquences *CC* sauf celles qui consistent en une coronale suivie d'un yod. La séquence [+ cor]*y* serait mentionnée en deux points de la grammaire : dans la règle PAL et dans la règle H-EF, et ceci apparaîtrait comme un accident. La grammaire n'établirait aucun rapport entre le fait que les seules séquences *CC* devant lesquelles *h* se maintient consistent en une coronale suivie d'un yod, et le fait qu'il existe par ailleurs une règle PAL qui contracte en une consonne unique toute séquence [+ cor]*y*.

Nous avons pour l'instant établi l'ordre suivant : META—PAL—H-EF. Quant à la règle VOI, nous n'avons pour l'instant aucune raison de l'ordonner d'une façon plutôt que d'une autre par rapport aux trois autres règles.

Toutes les formes verbales[5] citées jusqu'ici sont des formes de la troisième personne, et le verbe n'y est précédé d'aucun auxiliaire. Le radical du verbe n'y est

---

5 Si nous citons des formes verbales, c'est uniquement pour la commodité de l'exposition. Les règles phonologiques présentées ici valent aussi bien pour le reste de la langue.

113

précédé d'aucun préfixe indiquant la personne. Il existe par ailleurs en Zoque des formes analogues à celles de nos « temps composés », où le verbe est précédé d'un auxiliaire, auquel cas un préfixe de personne est nécessairement accolé au radical verbal. Prenons par exemple le verbe /puht/ « sortir », qui donne [putpa] « il sort », [puhtu] « il est sorti », [nəmbuhtu] « je suis en train de sortir », [nəmbyuhtu] « tu es en train de sortir », [nəpyuhtu] « il est en train de sortir ». [nəmbuhtu] dérive de /nə#n+puht+u/, où /nə/ est l'auxiliaire qui marque l'aspect progressif « être en train de », /n/ le préfixe de la première personne, et où le suffixe final /u/ a une fonction analogue à celle de notre infinitif. Tout verbe précédé de l'auxiliaire /nə/ prend forcément le suffixe /u/[6]. De même [nəmbyuhtu] et [nəpyuhtu] dérivent respectivement de /nə#ny+puht+u/ et /nə#y+puht+u/, où /ny/ est le préfixe de la deuxième personne et /y/ celui de la troisième personne. Nous donnons ci-dessous les formes analogues pour d'autres verbes, en omettant l'auxiliaire *nə*. Les formes de la dernière colonne sont analogues à celles de la colonne A de la table (1) de la p. 111 et permettent de dégager la représentation phonologique qui figure en tête de chaque ligne[7] :

TABLE (6)

		I	II	III	IV
		progressif 1° pers. /n-/	progressif 2° pers. /ny-/	progressif 3° pers. /y-/	achevé 3° pers. /Ø/
a.	/puht/	mbuhtu	mbyuhtu	pyuhtu	puhtu
b.	/ken/	ŋgenu	ŋgyenu	kyenu	kenu
c.	/tuh/	nduhu	ñǧuhu	ḳuhu	tuhu
d.	/ciŋ/	nʒiŋu	ñžiŋu	čiŋu	ciŋu

Les formes de la colonne III s'expliquent sans difficulté si on suppose que la troisième personne est marquée par le préfixe /y/, qui est renvoyé derrière la consonne initiale du radical par métathèse. Ainsi [ḳuhu] (forme IIIc) dérive de /y+tuh+u/, qui donne /tyuh+u/ par application de META et /ḳuh+u/ par

---

6 On ne confondra pas ce suffixe /u/ avec celui qui marque l'aspect achevé dans [puhtu] « il est sorti ».

7 Le sens des verbes est le suivant : (a) « sortir », (b) « regarder, voir », (c) « tirer à l'arc ou au fusil », (d) « se baigner ».

application de PAL. Dans les colonnes I et II la consonne initiale du radical est précédée d'une nasale, ce qui explique qu'elle soit voisée (règle VOI p. 111). Le point d'articulation de cette consonne nasale est complètement déterminé par celui de la consonne suivante : elle se manifeste comme une bilabiale devant une bilabiale (cf. Ia, [mbuhtu]), comme une dentale devant une dentale (cf. Ic, [nduhu] et Id, [nz̵iŋu]), comme une palato-alvéolaire devant une palato-alvéolaire (cf. IId, [ñžiŋu]), comme une palatale devant une palatale (cf. IIc, [ñ̆guhu])[8], et comme une vélaire devant une vélaire (cf. Ib, [ŋgenu]). Nous devons donc poser les règles suivantes :

R1 : [+ nas] → bilabiale / —— bilabiale

R2 : [+ nas] → dentale . / —— dentale

R3 : [+ nas] → palato-alvéolaire / —— palato-alvéolaire

R4 : [+ nas] → palatale / —— palatale

R5 : [+ nas] → vélaire / —— vélaire

En traits pertinents cela donne :

$$R1 : [+ nas] \rightarrow \begin{bmatrix} + \text{ant} \\ - \text{cor} \\ - \text{haut} \\ - \text{arr} \end{bmatrix} \Big/ \underline{\quad} \begin{bmatrix} + \text{ant} \\ - \text{cor} \\ - \text{haut} \\ - \text{arr} \\ - \text{syll} \end{bmatrix}$$

$$R2 : [+ nas] \rightarrow \begin{bmatrix} + \text{ant} \\ + \text{cor} \\ - \text{haut} \\ - \text{arr} \end{bmatrix} \Big/ \underline{\quad} \begin{bmatrix} + \text{ant} \\ + \text{cor} \\ - \text{haut} \\ - \text{arr} \\ - \text{syll} \end{bmatrix}$$

$$R3 : [+ nas] \rightarrow \begin{bmatrix} - \text{ant} \\ + \text{cor} \\ + \text{haut} \\ - \text{arr} \end{bmatrix} \Big/ \underline{\quad} \begin{bmatrix} - \text{ant} \\ + \text{cor} \\ + \text{haut} \\ - \text{arr} \\ - \text{syll} \end{bmatrix}$$

8 A l'instar des alphabets phonétiques d'usage courant, nous ne distinguons pas dans notre transcription entre la nasale palato-alvéolaire et la nasale palatale, notées toutes les deux ñ.

$$
\text{R4}: \quad [+\,\text{nas}] \;\rightarrow\;
\begin{bmatrix} -\,\text{ant} \\ -\,\text{cor} \\ +\,\text{haut} \\ -\,\text{arr} \end{bmatrix}
\Big/ \underline{\hspace{1.5cm}}
\begin{bmatrix} -\,\text{ant} \\ -\,\text{cor} \\ +\,\text{haut} \\ -\,\text{arr} \\ -\,\text{syll} \end{bmatrix}
$$

$$
\text{R5}: \quad [+\,\text{nas}] \;\rightarrow\;
\begin{bmatrix} -\,\text{ant} \\ -\,\text{cor} \\ +\,\text{haut} \\ +\,\text{arr} \end{bmatrix}
\Big/ \underline{\hspace{1.5cm}}
\begin{bmatrix} -\,\text{ant} \\ -\,\text{cor} \\ +\,\text{haut} \\ +\,\text{arr} \\ -\,\text{syll} \end{bmatrix}
$$

Le point d'articulation d'une consonne étant défini par les spécifications des quatre traits [ant], [cor], [haut], [bas], les règles R1 à R5 ont pour effet global de recopier sur toute nasale située dans le contexte ——— C les spécifications qui définissent le point d'articulation de C. La nasale est spécifiée [+ ant] si elle précède une consonne [+ ant] (règles R1, R2), et [− ant] si elle précède une consonne [− ant] (règles R3, R4, R5); elle est spécifiée [+ cor] si elle précède une consonne [+ cor] (règles R2, R3), et [− cor] si elle précède une consonne [− cor] (règles R1, R4, R5), et ainsi de suite. Bref les cinq règles R1-R5 ne sont pas cinq entités indépendantes les unes des autres mais différents aspects d'un même processus qui accorde entre elles certaines spécifications de deux segments adjacents. Notons en particulier qu'on n'a aucune raison d'imposer tel ordre plutôt que tel autre à l'application de R1-R5; elles prennent toutes effet dans des contextes qui s'excluent mutuellement. De telles batteries de règles sont monnaie courante. Les lettres grecques α, β, γ, δ représentent des variables qui peuvent prendre les valeurs plus (+) et moins (−), on peut mettre en facteur commun tout ce qui fait la similitude des règles R1-R5 et les fusionner en le schéma de règles N-ASS (pour « assimilation des nasales ») :

$$
\text{N-ASS}: \quad [+\,\text{nas}] \;\rightarrow\;
\begin{bmatrix} \alpha\,\text{ant} \\ \beta\,\text{cor} \\ \gamma\,\text{haut} \\ \delta\,\text{arr} \end{bmatrix}
\Big/ \underline{\hspace{1.5cm}}
\begin{bmatrix} \alpha\,\text{ant} \\ \beta\,\text{cor} \\ \gamma\,\text{haut} \\ \delta\,\text{arr} \\ -\,\text{syll} \end{bmatrix}
$$

On développe le schéma N-ASS, c'est-à-dire qu'on explicite les différentes règles qu'il note sous forme condensée, en y remplaçant tout à tour les variables α, β, γ, δ par les différentes valeurs qu'elles peuvent prendre. Chaque combinaison de valeurs particulières de α, β, γ, δ donne naissance à une règle qui est un cas particulier de N-ASS. Par exemple, lorsque dans N-ASS on remplace respectivement α, β, γ, δ par les signes +, −, −, −, on obtient la règle R1; lorsqu'on les remplace respectivement par +, +, −, −, on obtient la règle R2, et ainsi de suite. Le schéma N-ASS contient deux spécifications des traits [ant], [cor], [haut] et [arr] situées de part et d'autre de la barre oblique. Comme ces deux spécifications sont munies de la même lettre grecque, nous sommes assurés que quelle que soit la combinaison de signes plus et moins par laquelle on remplace α, β, γ et δ, ce remplacement donne naissance à une règle où les deux spécifications de chacun des traits sus-mentionnés sont de même signe. Pour plus de détails sur cette notation nous renvoyons à SPE : 350-357. Dans le cadre de cette introduction élémentaire à la phonologie générative, nous traiterons sur un pied d'égalité les règles simples et les schémas qui abrègent un ensemble de règles en mettant à profit leurs similitudes formelles[9]. Nous utiliserons le terme de « règle » pour parler des seconds aussi bien que des premières[10]. Voici quelques dérivations qui mettent en jeu la règle N-ASS :

	/ny+puht+u/	/ny+tuh+u/	/ny+ciŋ+u/
META	n+pyuht+u	n+tyuh+u	n+cyiŋ+u
PAL		n+ḳuh+u	n+čiŋ+u
N-ASS	m+pyuht+u	ñ+ḳuh+u	ñ+čiŋ+u
VOI	m+byuht+u	ñ+g̑uh+u	ñ+žiŋ+u
	[mbyuhtu]	[ñg̑uhu]	[ñžiŋu]

La dérivation de [mbyuhtu] montre que N-ASS doit être ordonnée après META. En effet, tant que META n'a pas pris effet, la nasale du préfixe de /ny+puht+u/ est séparée du *p* auquel elle doit s'assimiler par un yod dont la présence n'est pas

9 Pour d'autres types de schémas de règles, cf. p. 124, 145 et 218.

10 Les différentes règles contenues dans un schéma entretiennent toujours exactement les mêmes relations d'ordre avec les autres règles de la grammaire qui n'appartiennent pas à ce schéma. Autrement dit, si deux règles A et B appartiennent à un certain schéma, il ne peut pas exister dans la grammaire de règle C qui soit ordonnée de façon à s'appliquer après A et avant B, et qui n'appartienne pas au schéma en question. C'est cette propriété des schémas qui explique que lorsque nous donnons la liste ordonnée des règles d'une grammaire (par exemple à la p. 133), nous pouvons y faire figurer les schémas comme des touts, sans faire le détail des règles qu'ils contiennent.

prévue dans la description structurale de N-ASS. N-ASS ne permet l'assimilation d'une nasale que lorsque celle-ci précède immédiatement la consonne dont elle adopte le point d'articulation. N-ASS doit d'autre part être ordonnée après PAL, sans quoi /ny+tuh+u/ par exemple donnerait *[nǧuhu], avec une nasale non assimilée à la palatale suivante. Enfin des raisons identiques à celles qui nous ont fait ordonner N-ASS après META nous commandent d'ordonner VOI après META : dans une forme comme /ny+puht+u/ en effet, tant que META n'a pas pris effet, la non-continue à voiser est séparée par y de la consonne nasale sous l'influence de laquelle le voisement a lieu, ce qui interdit à VOI de prendre effet. Si on appliquait VOI avant META, /n+puht+u/ donnerait bien [mbuhtu], mais /ny + puht + u/ donnerait *[mpyuhtu].

Nous venons de voir comment les formes qui contiennent le préfixe /ny/ nous obligent à ordonner VOI après META. Il n'existe en revanche aucune forme qui nous oblige à fixer l'ordre d'application de VOI relativement à PAL. Voici le schéma PAL, qui est une abréviation pour les règles PAL_1 et PAL_2 :

$$\text{PAL} : \begin{bmatrix} + \text{ cor} \\ \alpha \text{ rel ret} \end{bmatrix} \quad y \quad \rightarrow \quad \begin{bmatrix} \alpha \text{ cor} \\ + \text{ haut} \\ - \text{ ant} \end{bmatrix} \quad \emptyset$$
$$\qquad\qquad 1 \qquad\quad 2 \qquad\qquad\qquad 1 \qquad\quad 2$$

$$PAL_1 : \begin{bmatrix} + \text{ cor} \\ - \text{ rel ret} \end{bmatrix} \quad y \quad \rightarrow \quad \begin{bmatrix} - \text{ cor} \\ + \text{ haut} \\ - \text{ ant} \end{bmatrix} \quad \emptyset$$
$$\qquad\qquad 1 \qquad\quad 2 \qquad\qquad\qquad 1 \qquad\quad 2$$

$$PAL_2 : \begin{bmatrix} + \text{ cor} \\ + \text{ rel ret} \end{bmatrix} \quad y \quad \rightarrow \quad \begin{bmatrix} + \text{ cor} \\ + \text{ haut} \\ - \text{ ant} \end{bmatrix} \quad \emptyset$$
$$\qquad\qquad 1 \qquad\quad 2 \qquad\qquad\qquad 1 \qquad\quad 2$$

PAL_1 récrit ty, dy, ny comme ķ, ǧ, ñ, et PAL_2 récrit cy, zy, sy comme č, ž, š. Notons que la description structurale de PAL ne mentionne pas le trait [voix] de la consonne qui précède yod, c'est-à-dire que PAL est indifférente aux effets de VOI, et que d'autre part VOI est indifférente aux effets de PAL puisqu'aucun des traits [cor], [haut] et [ant], dont la spécification est affectée par PAL, ne figure dans la description structurale de VOI. Peu importe que VOI s'applique avant ou après PAL, comme le montrent par exemple les dérivations ci-dessous :

	/ny+tuh+u/		/ny+tuh+u/
META	n+tyuh+u	META	n+tyuh+u
VOI	n+dyuh+u	PAL	n+ḳuh+u
PAL	n+ǧuh+u	VOI	n+ǧuh+u
N-ASS	ñ+ǧuh+u	N-ASS	ñ+ǧuh+u
	[ñǧuhu]		[ñǧuhu]

Nous n'avons pas plus trouvé de raisons de fixer l'ordre relatif d'application de VOI et N-ASS, VOI et H-EF, N-ASS et H-EF.

Nous pouvons pour l'instant établir la liste partiellement ordonnée de règles qui suit :

7.

META
PAL
N-ASS
VOI
H-EF

Deux règles de cette liste sont reliées par un trait pour indiquer qu'il existe des formes qui montrent la nécessité de les appliquer dans l'ordre où elles sont données, c'est-à-dire des formes dont la dérivation aboutirait à un output incorrect si les deux règles en question étaient appliquées dans l'ordre inverse. On dit parfois de telles règles qu'elles sont crucialement ordonnées. Ainsi META et PAL sont crucialement ordonnées, comme le montre la dérivation de [našuñatəhpa] (p. 112). Lorsque deux règles ne sont pas crucialement ordonnées, deux sortes de situation peuvent se présenter.

Dans certains cas l'ordre d'application de ces règles est malgré tout fixé, car il découle de leurs rapports avec de tierces règles. Ainsi META s'applique forcément avant H-EF, quoiqu'il n'existe pas de forme Zoque qui interdise l'ordre inverse. C'est que META précède PAL (cf. p. 112) et que PAL précède H-EF (cf. p. 113). Comme nous avons fait l'hypothèse que l'ordre d'application des règles est le même pour toutes les dérivations (cf. p. 96), si META précède PAL dans toutes les dérivations et que PAL précède H-EF dans toutes les dérivations, il suit nécessairement que META précède H-EF dans toutes les dérivations.

Dans d'autres cas l'ordre entre deux règles qui ne sont pas crucialement ordonnées est indifférent, comme par exemple dans le cas de VOI et PAL (cf. p. 118). Notre grammaire engendrerait exactement le même ensemble de représentations phonétiques si au lieu d'appliquer les règles dans l'ordre de la liste (7), où PAL précède VOI, nous les appliquions dans un ordre où VOI précède PAL, mais où les relations d'ordre indiquées par des traits continus sont conservées, par exemple META — VOI — PAL — N-ASS — H-EF. Rien dans les données examinées jusqu'ici ne nous permet de trancher entre les deux ordres d'application.

Revenons au schéma N-ASS. Sa formulation présente est trop lâche puisqu'il prédit par exemple que /kun+pa/ et /kun+ke?t+u/ doivent se prononcer *[kumba] et *[kuŋge?tu], alors que les formes (Be) et (Ce) de la table (1) de la page 111 sont [kunba] et [kunge?tu], sans assimilation de la nasale à la consonne suivante (voyez aussi les formes analogues des lignes (a) et (c)). Nous reformulerons donc N-ASS comme suit :

$$\text{N-ASS} : \quad [+\text{nas}] \rightarrow \begin{bmatrix} \alpha \text{ ant} \\ \beta \text{ cor} \\ \gamma \text{ haut} \\ \delta \text{ arr} \end{bmatrix} \Big/ \# \underline{\quad} \begin{bmatrix} \alpha \text{ ant} \\ \beta \text{ cor} \\ \gamma \text{ haut} \\ \delta \text{ arr} \\ -\text{ syll} \end{bmatrix}$$

Sous cette forme, N-ASS indique que l'assimilation d'une consonne nasale n'a lieu qu'à l'initiale de mot [11].

N-ASS pose un autre problème. Telle qu'elle est formulée pour l'instant elle indique que l'assimilation de point d'articulation se produit devant n'importe quel segment non-syllabique. Elle prédit par exemple qu'en début de mot *ns* donne *ns*, *nš* donne *ñš*, *nw* donne *ŋw*, etc. Mais qu'en est-il en réalité ? Notons que les formes de la table (6) de la page 114 n'illustrent que le cas où la non-syllabique qui suit la nasale initiale est une obstruante non-continue. Voici des formes analogues qui illustrent les autres cas [12] :

---

11 Cette formulation est en fait trop restrictive. Une forme comme [haŋgyena] « je ne l'ai pas vu », de /hay+n+ken+a/, montre que les préfixes personnels assimilent leur point d'articulation même lorsqu'ils ne se trouvent pas à l'initiale de mot. Notons aussi que dans cette forme le yod final du préfixe négatif /hay/ ne permute pas simplement avec le *n* du préfixe personnel, comme le prédit notre règle META, mais va s'insérer derrière le *k* initial du radical. L'examen des remaniements qu'il est nécessaire d'apporter à N-ASS et META pour rendre compte de ces faits nous entraînerait trop loin. De toutes façons ces remaniements ne concernent que N-ASS et META et n'entraînent aucun changement dans le reste de la grammaire.

12 Le sens des verbes est le suivant : (a) « traverser », (b) « crier », (c) « travailler », (d) « cuire », (e) « aller », (f) « planter », (g) « danser ».

TABLE (8)

		I /n-/	II /ny-/	III /y-/	IV Ø
a.	/hahk/	h̃ahku	h̃yahku	hyahku	hahku
b.	/weh/	w̃ehu	w̃yehu	wyehu	wehu
c.	/yohs/	ỹohsu	ỹohsu	yohsu	yohsu
d.	/sohs/	sohsu	šohsu	šohsu	sohsu
e.	/maŋ/	maŋu	myaŋu	myaŋu	maŋu
f.	/nihp/	nihpu	ñihpu	ñihpu	nihpu
g.	/ʔehc/	ʔehcu	ʔyehcu	ʔyehcu	ʔehcu

Avant de nous pencher sur le sort des nasales, arrêtons-nous un instant sur celui du yod des préfixes de la deuxième et de la troisième colonne. En comparant les colonnes II et III de la table ci-dessus à celles de la table (6) on voit que le yod en question se manifeste sous la forme et à la place attendues. Prenons la colonne III : /y+hahk+u/, /y+weh+u/, /y+sohs+u/, etc. donnent comme il fallait s'y attendre [hyahku], [wyehu], [šohsu], etc. /y+yohs+u/ donne [yohsu] (ligne c.). Nous ne discuterons pas ici le point de savoir si la fusion des deux yods successifs en un seul est à considérer comme un cas particulier de PAL (qui devrait être reformulée en conséquence), ou à mettre sur le compte de la règle qui réduit certains groupes de consonnes identiques, et dont il est fait mention à la note 3 de la page 111. Qu'il suffise de savoir que la réécriture de *yy* comme *y* est un phénomène parfaitement général. Ainsi, parallèlement aux formes de la colonne D de la table (1) page 111, /poy+yah+u/ « ils ont couru » donne [poyahu] et non *[poyyahu], /həy+yah+u/ « ils ont pleuré » donne [həyahu] et non *[həyyahu], etc.

Passons maintenant aux colonnes I et II, c'est-à-dire celles qui sont caractérisées par la préfixation d'une nasale consonantique dans la table (6). Ici il y a simplement nasalisation de la consonne initiale si celle-ci est *h, w* ou *y*. Les symboles *h̃, w̃* et *ỹ* qui apparaissent dans la moitié supérieure de la table (8) notent des glides nasals. Ces sons se prononcent comme *h, w* et *y*, mais avec le voile du palais abaissé. Quoique Wonderly (1951 ; 1952) ne dise rien sur ce point, il y a gros à parier que l'abaissement du voile du palais ne cesse pas dès la fin du glide nasal, mais se maintient durant l'émission de la voyelle suivante (et celle du yod intermédiaire, dans les formes de la colonne II). Mais il s'agit là d'un ajustement phonétique qui ne doit pas figurer dans les représentations phonétiques, car il est universel. Ladefoged (1971 : 33) note en effet qu'il n'existe aucune langue où la position du voile du palais soit réglée indépendamment pour une voyelle et pour un glide qui appartient à la même syllabe que cette voyelle.

Lorsque la consonne initiale du radical n'est ni une obstruante ni *h, w* ou *y*, toute trace de la nasale du préfixe disparaît. Dans la moitié inférieure de la table (8) les formes de la colonne I sont identiques à celles de la colonne IV, et celles de la colonne II à celles de la colonne III. Dans la colonne II, seule atteste encore la présence du préfixe /ny-/ la trace laissée par son yod.

Pour rendre compte de la nasalisation de *h, w* et *y* nous poserons la règle NAS (pour « nasalisation ») :

$$\text{NAS} : \begin{bmatrix} - \text{ syll} \\ - \text{ cons} \\ + \text{ cont} \end{bmatrix} \rightarrow [+ \text{ nas}] \quad / \quad \# \ [+ \text{ nas}] \ + \ \underline{\qquad}$$

Cette règle récrit comme nasal tout segment non-syllabique, non-consonantique et continu initial de morphème qui se trouve précédé d'une nasale initiale de mot. L'expression $[-$ syll, $-$ cons, $+$ cont] qui figure à gauche de la flèche n'est applicable en Zoque qu'aux segments *h, w* et *y*, puisque dans cette langue il y a quatre segments non-syllabiques et non-consonantiques, à savoir *h, w, y* et ?, et que parmi eux ? est non-continu. La règle NAS rend compte des formes de la moitié supérieure de la table (8). Elle récrit par exemple /#n+weh+u#/ comme #n+w̃eh+u#, d'où finalement [w̃ehu] après effacement de la nasale initiale par la règle N-EF dont il va être question plus bas. Les raisons qui nous obligent à ordonner NAS après META sont du même ordre que celles qui nous ont obligé à ordonner N-ASS et VOI après META (cf. p. 118) : si META n'a pas encore pris effet au moment où NAS est applicable, la règle NAS se verra soumettre des inputs comme #ny+weh+u# (forme II b table 8), où la nasale initiale de mot et le glide initial de morphème à nasaliser sont séparés par yod, qui n'a pas encore été déplacé par META. Or sous la forme que nous lui avons donnée plus haut, NAS ne nasalise que des glides initiaux de morphème qui sont au contact direct de la nasale initiale de mot. Il faudra donc lui donner une formulation plus compliquée qui prévoie la possibilité d'un yod intermédiaire, remaniement qui est inutile si on applique d'abord META.

Reste enfin à formuler une règle N-EF qui efface une consonne nasale initiale de mot devant toute consonne qui n'est pas une obstruante non-continue. Nous obtiendrons ainsi les dérivations suivantes :

	/#ny+puht+u#/	/#ny+weh+u#/	/#ny+maŋ+u#/
META	#n+pyuht+u#	#n+wyeh+u#	#n+myaŋ+u#
NAS		#n+w̃yeh+u#	
N-EF		#w̃yeh+u#	#myaŋ+u#
N-ASS	#m+pyuht+u#		
VOI	#m+byuht+u#		
	[mbyuhtu]	[w̃yehu]	[myaŋu]

La formulation de N-EF pose un petit problème. On peut répartir l'ensemble des consonnes susceptibles d'apparaître à l'initiale de morphème au moment où N-EF est applicable entre deux classes A et B qui s'excluent mutuellement. A est l'ensemble { p, t, č, ḳ, k }, et B est l'ensemble { f, s, š, m, n, ñ, r, l, w, y, h, ʔ }.

Une nasale initiale de mot est sujette à N-ASS lorsqu'elle est suivie d'une consonne de A, et elle tombe lorsqu'elle est suivie d'une consonne de B. Nous voulons écrire une règle qui efface une nasale dans le contexte $\#\text{---}K$, où K est une certaines expression en traits pertinents qui soit satisfaite par toute consonne de B, et par aucune de A. Or A est la classe des consonnes [− son, − cont], c'est-à-dire la classe des consonnes qui sont *à la fois* [− son] et [− cont]. Et B est la classe des consonnes Zoque qui ne sont pas [− son, − cont], c'est-à-dire la classe des consonnes qui sont [+ son] *ou* [+ cont] (ou les deux à la fois), comme le montre le tableau (9) :

TABLEAU (9)

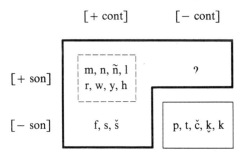

Dans ce tableau le trait continu mince entoure la classe [− son, − cont] (la classe A), le trait pointillé entoure la classe [+ son, + cont], et le trait continu gras entoure la classe des segments qui sont [+ son] ou [+ cont].

Le formalisme développé jusqu'ici ne nous permet pas de caractériser directement la classe B, puisque [T] et [U] étant deux traits quelconques, l'expression [+ T, + U] définit la classe des segments qui sont à la fois [+ T] et [+ U], et non celle des sons qui sont [+ T] ou [+ U][13]. Il faut donc écrire deux règles d'effacement de la nasale initiale de mot, l'une qui opère devant les segments [+ son], et l'autre qui opère devant les segments [+ cont] :

$$\text{N-EF}_1 : \quad [+ \text{nas}] \quad \rightarrow \quad \emptyset \quad / \quad \# \text{---} + [+ \text{son}]$$

$$\text{N-EF}_2 : \quad [+ \text{nas}] \quad \rightarrow \quad \emptyset \quad / \quad \# \text{---} + [+ \text{cont}]$$

Si nous adoptons la convention générale que $A \left\{ \begin{matrix} B \\ C \end{matrix} \right\} D$ est une notation abrégée pour les deux séquences ABD, ACD prises dans cet ordre[14], on peut fusionner les règles N-EF$_1$ et N-EF$_2$ en le schéma équivalent N-EF :

$$\text{N-EF} : \quad [+ \text{nas}] \quad \rightarrow \quad \emptyset \quad / \quad \# \text{---} + \left\{ \begin{matrix} [+ \text{son}] \\ [+ \text{cont}] \end{matrix} \right\}$$

On se convaincra que N-EF doit s'appliquer après NAS en examinant la dérivation de /#ny+weh+u#/ donnée à la p. 123. Avec l'ordre inverse on obtiendrait l'output incorrect *[wyehu]. Puisque N-EF s'applique après NAS et que NAS s'applique après META (cf. p. 122), N-EF doit s'appliquer après META. Comment N-EF est-elle ordonnée relativement à PAL ? Comparez les formes [ỹohsu] (de /#n+yohs+u#/) et [ñihpu] (de /#y+nihp+u#/) qui sont en Ic et IIIf dans la table (8) page 121. Ces formes illustrent le fait que les mots qui commencent phonologiquement par /#n+yV/ commencent phonétiquement par [ỹV], tandis que les mots qui commencent phonologiquement par /#y+nV/ commencent phonétiquement par [ñV]. On obtient précisément ce résultat en ordonnant N-EF avant PAL, comme le font voir les dérivations ci-dessous :

---

13 Autrement dit [+ T, + U] note l'intersection des ensembles [+ T] et [+ U], et non leur union.

14 Pour plus de détails sur la notation par accolades, cf. SPE : 61-64, 333-334.

	/#n+yohs+u#/	/#y+nihp+u#/
META		#nyihp+u#
NAS	#n+ỹohs+u#	
N-EF	#ỹohs+u#	
PAL		#ñihp+u#
	[ỹohsu]	[ñihpu]

Ces dérivations montrent seulement que N-EF peut être appliquée avant PAL. Pour montrer que N-EF doit être appliquée avant PAL, il faut en plus montrer qu'avec l'ordre d'application inverse la grammaire engendrerait des formes incorrectes. Avant de voir ce qu'il en est, notons en passant que les dérivations ci-dessus font comprendre la raison d'être de la frontière de morphème qui figure immédiatement à droite de la nasale initiale de mot dans la description structurale des règles NAS (p. 122) et N-EF (p. 124). Les règles en question ne concernent que les mots dont la nasale initiale est immédiatement suivie d'une frontière de morphème (appartient à un préfixe), et ne peuvent prendre effet dans des dérivations comme celle de [ñihpu], où le *n* initial appartient à la racine du verbe et n'est suivi d'aucune frontière de morphème [15].

Supposons donc qu'on ordonne N-EF après PAL. Les deux permiers pas de la dérivation se déroulent comme précédemment, c'est-à-dire qu'après application de META et NAS on obtient les représentations #n+ỹohs+u# et #nyihp+u#. Si on applique ensuite la règle PAL, celle-ci palatalise le *n* initial de #n+ỹohs+u# [16] aussi bien que celui de #nyihp+u#, d'où #ñ+ohs+u# et #ñihp+u# (qui donne finalement [ñihpu]). Ensuite N-EF prend effet et récrit #ñ+ohs+u# comme #ohs+u#, d'où finalement *[ohsu]. Pour éviter que PAL n'efface indûment le ỹ de #n+ỹohs+u# et de toutes les formes similaires, il suffit qu'au point de la dérivation où PAL est applicable, la nasale qui précède ait déjà disparu sous l'effet de N-EF, c'est-à-dire que N-EF s'applique avant PAL.

Comme N-EF doit précéder PAL et que PAL doit précéder N-ASS (p. 118), N-EF doit précéder N-ASS. Nous avons fait remarquer plus haut (p. 120) que N-ASS n'opère que devant les segments non-continus et non-sonants, mais que rien dans

15 Sur les frontières de morphème dans l'application des règles phonologiques, cf. page 134 et suivantes.

16 Sur le traitement des frontières de morphème dans l'application de la règle PAL, cf. p. 112 n. 4 et p. 134 n. 24.

la formulation donnée à la p. 120 n'indiquait cette limitation. Nous voyons maintenant que cette limitation n'a pas besoin d'être inclue explicitement dans la description structurale de N-ASS, car elle découle automatiquement de la présence de N-EF dans la grammaire. En effet, une fois que N-EF a pris effet, les seules nasales initiales suivies d'une consonne qui subsistent, et qui sont donc susceptibles d'être ultérieurement affectées par N-ASS, sont celles qui n'ont pas été effacées, c'est-à-dire celles qui sont suivies d'une obstruante non-continue.

Nous pouvons maintenant compléter la liste (7) de la page 119 comme suit :

(10)

META
NAS
N-EF
PAL
N-ASS
VOI
H-EF

Considérons les formes de la table (11), qui sont analogues à celles des tables (6) page 114 et (8) page 121[17].

TABLE (11)

		I	II	III	IV
		/n-/	/ny-/	/y-/	Ø
a.	/kihp/	ŋgihpu	ŋgihpu	kihpu	kihpu
b.	/min/	minu	minu	minu	minu
c.	/ʔiht/	ʔihtu	ʔihtu	ʔihtu	ʔihtu

Ces formes montrent que dans les radicaux verbaux dont la première voyelle est un *i* on ne trouve pas trace du yod des préfixes. Les formes de la colonne III sont identiques à celles de la colonne IV, et celles de la colonne II à celles de la colonne I[18]. Cette disparition d'un yod lorsque la voyelle de la syllabe suivante

17 (a) « se battre », (b) « venir », (c) « vivre ».
18 Aux lignes (b) et (c) la disparition de la nasale des préfixes est due à l'action de N-EF.

est un *i* est un phénomène parfaitement général en Zoque. Considérez de même les formes de la table (12), où chaque ligne donne trois formes du même nom, selon qu'il n'est suivi d'aucun suffixe, du suffixe locatif /kəsi/, ou du suffixe instrumental /pit/ :

TABLE (12)

		I	II	III
a.	« pierre »	caʔ	caʔkəsi	caʔpit
b.	« arbre »	kuy	kukyəsi	kupit
c.	« feuille »	ʔay	ʔakyəsi	ʔapit
d.	« village »	kumguy	kumgukyəsi	kumgupit

A partir de représentations phonologiques comme /y+kihp+u/ (table 11, forme IIIa) et /kuy+pit/ (table 12, forme IIIb), la suite de règles de (10) dérive *[kyihpu] et *[kupyit], alors que les outputs corrects sont [kihpu] et [kupit]. Pour engendrer ces outputs il faut éliminer le yod superflu. La formulation de la règle d'effacement du yod dépend de son ordre d'application par rapport à META. Si pour effacer le yod on attend que META l'ait fait passer derrière la consonne et au contact direct de *i*, cette règle doit être écrite comme Y-EF, qui efface tout yod suivi d'un *i* et précédé d'une consonne[19] :

$$\text{Y-EF} : \quad y \rightarrow \emptyset \quad / \quad C \underline{\quad\quad} i$$

Si au contraire on veut appliquer la règle d'effacement à un point de la dérivation où META n'a pas encore déplacé de *y*, il faut la formuler comme Y-EF′, qui efface tout yod suivi d'une consonne elle-même suivie d'un *i* :

$$\text{Y-EF}' : \quad y \rightarrow \emptyset \quad / \quad \underline{\quad\quad} C\,i$$

Nous avons donc une fois encore le choix entre deux grammaires concurrentes également aptes à engendrer toutes les représentations phonétiques examinées jusqu'ici : l'une qui contient les règles META et Y-EF applicables dans cet ordre,

---

19 Le contexte de gauche de Y-EF doit contenir une consonne, car un yod suivi d'un *i* ne disparaît pas lorsqu'il est précédé d'une voyelle, témoin la dernière syllabe d'une forme comme [haʔnhyuyi] « il ne l'achète pas », qui dérive de /#haʔn#y+huy+i#/.

et l'autre qui contient les règles Y-EF' et META applicables dans cet ordre. Voici la dérivation de /kuy+pit/ dans l'une et l'autre grammaire :

	/kuy+pit/		/kuy+pit/
META	ku+pyit	Y-EF'	ku+pit
Y-EF	ku+pit	META	
	[kupit]		[kupit]

Il faut examiner d'autres données pour pouvoir trancher entre les deux solutions en concurrence. Les formes de la table (11) ne sont représentatives que des cas où la consonne du radical est une non-coronale. Voici des formes qui illustrent le cas des initiales coronales [20] :

TABLE (13)

		I	II	III	IV
		/n-/	/ny-/	/y-/	Ø
a.	/tih/	ndihu	ñǧihu	ḳihu	tihu
b.	/siŋ/	siŋu	šiŋu	šiŋu	siŋu

Le yod sous-jacent manifeste tout à fait normalement sa présence dans les colonnes II et III, sous la forme d'une palatalisation de la consonne coronale. Comparez par exemple les formes de *tih* avec celles de *tuh* données à la ligne c de la table 6 page 114, et les formes de *siŋ* avec celles de *sohs* données à la ligne d de la table (8) page 121. Ainsi, lorsque le radical commence par une coronale suivie d'un *i*, META et PAL prennent normalement effet, sans que la règle d'effacement du yod interfère avec elles de quelque façon que ce soit. La façon la plus directe de rendre compte de cet état de fait est d'ordonner la règle d'effacement de yod après META et PAL. Y-EF fait parfaitement l'affaire telle que nous l'avons formulée plus haut. On obtient alors des dérivations comme celles ci-dessous, où Y-EF efface les yods de toutes les séquences *Cyi* qui subsistent encore après que PAL a pris effet.

---

20 (a) « arriver », (b) « enfler ». On peut ajouter aux formes de la table (13) celles de la ligne (d) de la table (6) p. 114 et celles de la ligne (f) de la table (8) p. 121.

	/y+tih+u/	/y+kihp+u/
META	tyih+u	kyihp+u
PAL	ḳih+u	
Y-EF		kihp+u
	[ḳihu]	[kihpu]

Au contraire, si on opte pour la grammaire qui contient Y-EF′ et META applicables dans cet ordre, il est impossible d'ordonner Y-EF′ après PAL, puisque par hypothèse Y-EF′ précède META, et que nous avons montré (p. 112) que META doit précéder PAL. Cette grammaire donnerait les dérivations suivantes :

	/y+tih+u/	/y+kihp+u/
Y-EF′	tih+u	kihp+u
META		
PAL		
	*[tihu]	[kihpu]

Pour éviter des dérivations comme celle de gauche, il faut remplacer Y-EF′ par la règle moins générale Y-EF″, qui efface tout yod suivi d'une consonne elle-même suivie d'un *i*, à moins que cette consonne ne soit coronale :

$$\text{Y-EF}'' : \quad y \rightarrow \emptyset \quad \Big/ \quad \underline{\quad} \begin{bmatrix} C \\ -\,\text{cor} \end{bmatrix} i$$

On obtient alors le résultat désiré :

	/y+tih+u/	/y+kihp+u/
Y-EF″		kihp+u
META	tyih+u	
PAL	ḳih+u	
	[ḳihu]	[kihpu]

La règle Y-EF reflète de façon très naturelle une tendance qu'on constate chez les langues les plus diverses à éviter après une consonne les séquences qui consistent en une semi-voyelle suivie de la voyelle haute correspondante : *Cyi*, *Cwu*, *Cẅü*. L'effacement a lieu quelle que soit la consonne qui précède. Ce fait n'est pas mis en lumière dans une grammaire où la règle d'effacement est formulée

129

NOTIONS FONDAMENTALES

de façon à pouvoir opérer avant que META ne s'applique, c'est-à-dire à un point de la dérivation où le *y* à effacer et le *i* sous l'influence duquel il est effacé n'appartiennent pas à la même syllabe. Une grammaire qui contient Y-EF′ traite comme une coïncidence le fait que les *y* effacés par cette règle sont précisément ceux que l'application de META amènerait sans cela à former des séquences *Cyi*. Une fois qu'on a reformulé Y-EF′ comme la règle moins générale Y-EF″, la coïncidence est encore plus suspecte : il existe un seul cas où Y-EF″ n'efface pas un yod suivi d'une séquence *Ci* et permet ainsi à la règle META de créer ensuite une séquence *Cyi*, c'est lorsque *C* est coronale, c'est-à-dire dans le seul cas où il existe une règle (la règle PAL) qui garantit de toute façon l'élimination des séquences *Cyi* ainsi créées. Nous opterons donc pour la grammaire qui contient la règle Y-EF ordonnée après PAL. L'ordre d'application de Y-EF par rapport à N-ASS, VOI et H-EF est indifférent.

L'analyse qui précède nous permet d'attribuer à chaque morphème une représentation phonologique à partir de laquelle on peut dériver ses diverses manifestations phonétiques. Considérons par exemple les formes suivantes du verbe *cihc* « déchirer » :

(14) a. [cihcu]   /cihc+u/   « il s'est déchiré »
     b. [cicpa]   /cihc+pa/   « il se déchire »
     c. [cihčahu]   /cihc+yah+u/   « ils se sont déchirés »
     d. [cihčahpa]   /cihc+yah+pa/   « ils se déchirent »

/cihc/ est la seule représentation phonologique qui nous permette de dériver ces formes sans postuler un phénomène de supplétion ou ajouter de nouvelles règles à notre grammaire. Si nous avions pris /cic/ il nous aurait été impossible de rendre compte de la présence d'un [h] devant la consonne finale du radical dans a, c et d, puisque notre grammaire ne comporte aucune règle qui insère un *h*. Si nous avions pris /cihč/ nous n'aurions pas pu dériver de [c] final du radical dans a et b, car si notre grammaire contient bien une règle qui permet de dériver *č* à partir de *c* dans certains contextes (la règle PAL), elle n'en contient par contre aucune qui permette de dériver *c* de *č*.

En assignant ainsi à chaque morphème un ou plusieurs allomorphes compatibles avec l'ensemble des données phonétiques, nous pouvons confectionner un répertoire de matrices phonologiques qui représente l'ensemble des allomorphes contenus dans le lexique. Notre tâche n'est pas terminée pour autant. Il reste en effet à examiner cet ensemble d'allomorphes pour dégager les restrictions combinatoires qui ne peuvent pas manquer d'y apparaître, et en tirer les conséquences en donnant un système de règles de structure morphématique qui définisse la notion d'allomorphe possible en Zoque. Nous n'entreprendrons pas cette tâche en détail ici. Nous traiterons simplement un exemple qui donne une idée du rôle que jouent les considérations de redondance lexicale dans l'évaluation d'une grammaire.

Si on attribue à chaque morphème une représentation phonologique compatible avec les règles phonologiques données plus haut et qu'on examine la liste d'allomorphes ainsi obtenue, on découvre qu'il existe certaines restrictions sur les groupes de consonnes qui peuvent apparaître en fin de morphème derrière une voyelle[21]. Les groupes attestés dans les abondants matériaux contenus dans Wonderly (1951; 1952) sont les suivants[22] :

(15)

a.				m	n	ŋ	y	h	ʔ	l	r
b.	ʔp	ʔt	ʔk	ʔc	ʔs	ʔm	ʔn	ʔŋ	ʔy
c.	hp	ht	hk	hc	hs				

La ligne a montre que lorsqu'un morphème est terminé par une seule consonne cette consonne est forcément une sonante. Les lignes b et c montrent que lorsqu'un morphème est terminé par deux consonnes la première consonne du groupe ne peut être que /ʔ/ ou /h/. Si c'est /ʔ/ la consonne qui suit peut être obstruante ou sonante, mais si c'est /h/, la consonne qui suit est forcément une obstruante. Les restrictions combinatoires des lignes a et c sont exactement complémentaires. /ken/ est un allomorphe possible en Zoque, mais pas */ket/; par contre */kehn/ n'est pas possible, tandis que /keht/ l'est. Enfin /keʔn/ et /keʔt/ sont également possibles.

Ces restrictions vont nécessairement entraîner une certaine complexité dans la formulation des règles de structure morphématique. Nous les simplifierions grandement si nous supposions que le *h* des groupes *hp*, *ht*, etc. n'est pas

---

21 A l'exception de quelques rares morphèmes grammaticaux comme les préfixes personnels *n-*, *ny-*, *y-* tous les morphèmes Zoque contiennent au moins une voyelle : *maŋ, kiʔn, cihc*, etc.

22 Par groupe de consonne nous entendons toute séquence d'un segment segment non-syllabique ou plus. Nous avons omis dans la table (15) les barres obliques qui indiquent que les entités représentées sont des séquences de phonèmes. Pour être exhaustif, il faut ajouter à la table (15) les groupes /yh/, /ps/, /ks/ et /ʔks/, qui sont également admis en fin de morphème. Leur existence ne remet pas en cause la validité des considérations développées ci-dessous.

présent dans les représentations phonologiques, mais qu'il est introduit par la règle phonologique H-INS, qui insère un *h* devant une obstruante finale de morphème précédée d'une voyelle :

$$\text{H-INS :} \quad \emptyset \rightarrow h \quad / \quad V \underline{\quad\quad} [-\text{ son}] +$$

Nous pouvons alors réarranger les données de la table (15) sous la forme suivante, où la ligne c a disparu et est venue combler les cases vides de la ligne a :

(16)

    a. p t k c s   m n ŋ y h ʔ l r

    b. ʔp ʔt ʔk ʔc ʔs   ʔm ʔn ʔŋ ʔy

Dans cette nouvelle perspective, nous devons remanier tous les allomorphes de notre lexique qui sont terminés par des obstruantes. Là où nous avions précédemment postulé des représentations phonologiques comme /kihp/, /wiht/, /puht/, /hahk/, /yohs/, /ʔehc/, etc., nous devons maintenant poser les représentations /kip/, /wit/, /put/, /hak/, /yos/, /ʔec/, etc. Les règles de structure morphématique sont grandement simplifiées : n'importe lequel des phonèmes non-syllabiques du Zoque, sonant ou non, peut figurer comme consonne unique en fin de morphène, ou comme deuxième terme d'un groupe de consonnes dont la première est nécessairement /ʔ/[23].

Nous avons donc pu simplifier grandement notre définition de la notion « morphème possible en Zoque », mais cette simplification n'a pu être acquise qu'en ajoutant à la complexité de la composante phonologique proprement dite, puisque nous avons dû y faire entrer une règle supplémentaire (H-INS). Il semble donc que nous n'ayons fait que déplacer la difficulté. Mais considérez les dérivations suivantes, qui sont celles de [cihcu] et [cicpa] dans l'hypothèse où on accepte les remaniements que nous venons de proposer :

	/cic+u/	/cic+pa/
H-INS	cihc+u	cihc+pa
H-EF		cic+pa
	[cihcu]	[cicpa]

---

23 Il reste simplement à ajouter une clause qui interdise les groupes */ʔh/, */ʔʔ/, */ʔl/ et */ʔr/, mais cette clause est de toute façon nécessaire même si on opte pour l'analyse impliquée par la table (15).

Plutôt que d'insérer un *h* devant toute obstruante finale de morphème précédée d'une voyelle, quitte à devoir l'effacer chaque fois que le morphème suivant commence par une consonne (voyez la dérivation de droite), nous pouvons aussi bien formuler directement la règle H-INS de façon à ce qu'elle ne prenne effet que lorsque le morphème suivant commence par une voyelle, ce qui nous permettra de faire l'économie de la règle H-EF. Nous proposons donc de reformuler H-INS comme suit :

$$\text{H-INS :} \quad \emptyset \;\rightarrow\; h \;\;/\;\; V \;\text{------}\; [-\text{son}] + V$$

/cic+u/ tombe encore sous le coup de cette version remaniée et donne finalement [cihcu], tandis que /cic+pa/ n'est plus de son ressort, et donne finalement [cicpa]. Le V qui précède le tiret horizontal du contexte dans la règle H-INS indique que l'insertion de *h* n'a lieu que derrière une voyelle. Si nous avions simplement spécifié le contexte comme ——[−son]+V, la règle affecterait des représentations comme /kuʔt+u/ « il a mangé », d'où l'output *[kuʔhtu] au lieu de [kuʔtu].

En résumé : nous avions considéré au début que des paires comme [wihtu] ~ [witpa], [cihcu] ~ [cicpa], etc. s'expliquaient par une règle d'effacement de *h*. Mais en examinant les restrictions combinatoires à l'intérieur des matrices phonologiques qui découlent de cette hypothèse, nous avons découvert qu'on peut aussi bien expliquer les alternances entre *h* et zéro par une règle phonologique qui insère des *h,* ce qui nous permet de donner une formulation beaucoup plus simple des règles de structure morphématique.

L'argument que nous avions donné (p. 113) pour justifier notre décision d'ordonner H-EF après PAL vaut aussi bien pour H-INS. L'ordre de H-INS par rapport aux autres règles est indifférent, comme l'était celui de H-EF.

En remplaçant H-EF par H-INS dans la séquence de règles de (10) page 126, et en y ajoutant la règle Y-EF, nous obtenons finalement le fragment de grammaire suivant, où derrière le nom de chaque règle, nous donnons entre parenthèse les numéros des pages où elle est discutée, avec en caractères gras le numéro de la page où figure sa formulation définitive :

(17) META (**110**)
      NAS (**122**)
      N-EF (122-**124**)
      PAL (112, **118**)
      Y-EF (**127**-130)
      N-ASS (115-117, **120**, 125-126)
      VOI (**111**)
      H-INS (112, 130-**133**)

Voici les numéros des pages où les relations d'ordre entre règles sont justifiées :

META − NAS, 122 ; META − PAL, 112 ; META − N-ASS, 117 ; META − VOI, 118

NAS − N-EF, 124

N-EF − PAL, 125

PAL − Y-EF, 130 ; PAL − N-ASS, 118 ; PAL − H-INS, 133

Pour conclure notre discussion du Zoque, nous examinerons quelques points de détail qui soulèvent des problèmes d'ordre général. Notons d'abord que H-INS n'insère de h que devant les obstruantes qui sont en fin de morphème, ce qui est indiqué par la frontière + du contexte $V \longrightarrow O+V$. La règle affecte les séquences $VO+V$, mais pas les séquences VOV ou $V+OV$[24], où l'obstruante et la voyelle qui suit appartiennent au même morphème[25]. Cas d'une séquence VOV : le morphème /yatəh/ mentionné à la p. 112 se prononce [yatəh] et non *[yahtəh]. Cas d'une séquence $V+OV$: /kama+kəsi/ («champ de maïs» plus suffixe locatif) se prononce [kamakəsi] et non *[kamahkəsi]. Ceci nous amène à faire une remarque sur le statut particulier des frontières + en ce qui concerne l'application des règles phonologiques.

Ce qui précède présuppose que lorsque la description structurale d'une règle mentionne une frontière de morphème, seules sont affectées par la règle les représentations qui contiennent une frontière de morphème à l'endroit requis par cette description structurale. H-INS insère un h devant le deuxième c de $cic+u$ parce que cette représentation contient la séquence $ic+u$, qui est bien de la forme $VO+V$ requise par la description structurale, mais pas devant le t de $yatəh$, parce que $atə$ a la forme VOV, et non $VO+V$. Ceci découle directement de la façon dont nous avons défini les règles phonologiques et leur mode d'application au deuxième chapitre. Nous pouvons ainsi rendre compte des processus phonologiques qui ne sont opérants que lorsque les segments concernés appartiennent à des morphèmes distincts, processus qui sont monnaie courante dans les langues du monde. Considérons maintenant la règle VOI, que nous redonnons ici (cf. p. 111) :

$$\text{VOI} : \quad [-\text{cont}] \quad \rightarrow \quad [+\text{voix}] \quad / \quad [+\text{nas}] \quad \underline{\quad\quad}$$

24 C'est le fait que H-INS n'affecte pas les séquences $V+OV$ qui explique l'importance de la remarque faite à la note 4 page 112. Voici la dérivation de [wihkahu] (cf. p. 113) une fois qu'on a remplacé H-EF par H-INS : PAL récrit /wit+yah+u/ comme /wik̦+ah+u/, qui est récrit comme /wihk̦+ah+u/ par H-INS. Si l'output de PAL était /wi+k̦ah+u/, H-INS ne pourrait pas prendre effet, car la séquence /i+k̦a/ n'est pas de la forme $VO+V$.

25 Les matériaux de Wonderly ne fournissent aucun exemple de séquence $V+O+V$.

Si nous nous en tenons strictement à ce qui a été dit au deuxième chapitre sur la façon dont les règles s'appliquent, VOI ne voise une occlusive qui est précédée d'une nasale que lorsque ces deux segments appartiennent au même morphème. Elle rend compte du voisement de l'occlusive dans [ʔaŋge] « de nouveau », car la représentation phonologique correspondante /ʔaŋke/ contient la séquence ŋk, qui est bien de la forme [+ nas][− cont] requise par la description structurale de la règle. Par contre elle ne devrait pas pouvoir rendre compte du voisement de la bilabiale dans [kunba] « il court », puisque dans la représentation /kun+pa/ la séquence n+p est de la forme [+ nas]+[− cont], et non [+ nas][− cont] comme le requiert apparemment la règle.

Si nous avons pu formuler la règle VOI comme ci-dessus sans que cela lui interdise d'affecter des séquences nasales plus occlusives à cheval sur deux morphèmes c'est que nous avons admis implicitement à la suite de Chomsky et Halle (1968 : 364) que l'application des règles phonologiques était régie par une certaine convention qu'il importe maintenant de rendre explicite :

(18)   Si la description structurale d'une règle requiert que soit présente dans l'input une séquence XYZ, la règle en question affecte aussi les inputs qui contiennent une séquence $X+Y+Z$, $X+YZ$ ou $XY+Z$ (où X, Y et Z sont des séquences quelconques, vides le cas échéant).

On a adopté la convention (18) parce qu'on a constaté qu'en général, lorsqu'une règle phonologique peut prendre effet dans une séquence XY (dont les deux termes appartiennent au même morphème), elle peut aussi prendre effet dans la séquence $X+Y$ correspondante (dont les deux termes sont situés de part et d'autre d'une frontière de morphème). Il est par contre fréquent de rencontrer des règles qui doivent affecter des séquences $X+Y$, mais non les séquences XY correspondantes, ce que nous indiquons en faisant explicitement figurer une frontière + dans leur description structurale[26]. En vertu de la convention (18), lorsqu'une expression XY figure dans la description structurale d'une règle phonologique, cette expression doit être interprétée comme représentant l'ensemble des séquences qui sont de la forme XY ou $X+Y$.

Supposons que non contents d'adopter la convention (18), nous nous interdisions en outre de faire figurer dans la description structurale des règles phonologiques toute notation qui permette de caractériser l'ensemble des séquences XY à l'exclusion des séquences $X+Y$ correspondantes. Nous nous ôterions ainsi tout moyen de formuler des règles phonologiques qui affectent exclusivement les

---

26 C'est par exemple le cas de la règle H-INS.

séquences qui ne contiennent pas de frontières de morphème. Ceci nous amène à noter en passant un point de méthode extrêmement général, à savoir qu'en adoptant un certain formalisme nous nous engageons par là-même à tenir pour vraies certaines propositions générales qui restreignent la notion de langue possible. Si nous nous donnons un système de notations trop pauvre pour nous permettre de formuler une règle phonologique qui s'appliquerait exclusivement à l'intérieur des morphèmes, et si dans le même temps nous soutenons que notre théorie linguistique (dont ces notations sont partie intégrante) permet de fournir une description adéquate de n'importe quelle langue, nous sommes tenus d'admettre que dans aucune langue il ne saurait exister de règle phonologique qui opère exclusivement à l'intérieur des morphèmes, ou de façon équivalente, nous sommes tenus de considérer comme vraie pour toute langue — c'est-à-dire comme un universal — la proposition (19) :

(19)   Toute règle phonologique qui peut prendre effet à l'intérieur d'un morphème peut aussi forcément prendre effet aux jointures entre morphèmes.

(19) est une assertion de fait qu'un seul contre-exemple suffirait à infirmer. Mais, dira-t-on, à supposer même qu'on ne lui connaisse actuellement aucun contre-exemple, qu'est-ce qui pourrait nous donner le droit d'affirmer que (19) est vraie de toute langue, alors que les linguistes ne connaissent qu'un échantillon ridiculement petit de toutes les langues qui ont existé autrefois ou existent actuellement, sans parler de celles encore à venir ? Se rendre à cette objection, ce serait se méprendre sur le statut des assertions de fait à caractère universel comme (19). Pour avoir le droit de tenir (19) pour vraie, il n'est pas nécessaire d'avoir examiné toutes les langues, et montré que (19) est vraie de chacune. Il s'agit là d'une tâche impossible, puisque la plupart des langues qui se sont parlées n'ont laissé aucune trace, et que nous ne pouvons rien savoir de celles qui se parleront dans mille ans. Et en imaginant même que des pouvoirs surnaturels nous permettent de connaître toutes les langues passées et à venir, nous ne serions pas beaucoup plus avancés, puisqu'il ne s'agirait que d'un nombre fini parmi l'infinité des langues humaines possibles. Pour avoir le droit d'affirmer que (19) est une proposition vraie, il suffit qu'elle soit compatible avec toutes les données connues à ce jour[27], c'est-à-dire

---

27 ... et qu'elle n'entre pas en contradiction avec d'autres propositions générales que nous tenons pour vraies.
Nous rencontrerons à la page 202 un contre-exemple à (19). Ce contre-exemple met en cause la vérité de la proposition (19), pas la validité des considérations qui précèdent, considérations qui concernent le statut des universaux en général, ainsi que la relation entre les universaux et le formalisme utilisé dans la description des langues.

qu'on ne connaisse pas de fait qui donne à penser qu'elle est fausse. Il en va de même pour toutes les assertions de fait à caractère général, en linguistique ou ailleurs.

Il n'existe pas de convention analogue à (18) en ce qui concerne les frontières #. Une règle dont la description structurale requiert que l'input contienne une séquence *XYZ* ne peut pas prendre effet dans des séquences *X # Y # Z, X # YZ* ou *XY # Z*. C'est qu'on rencontre fréquemment des processus phonologiques qui ne prennent effet qu'à l'intérieur des mots. C'est par exemple le cas de la règle de formation des semi-voyelles en français (règle SEM p. 88). Cette règle récrit comme yod le *i* de *dévier* [devye] (/devi+e/), mais pas celui de *joli ami* [žɔliami] (/žɔli # ami/), qui est séparé de la voyelle suivante par une frontière de mot.

Une dernière remarque. C'est une constatation en quelque sorte négative qui a amené Chomsky et Halle à proposer la convention (18) : dans aucune langue connue d'eux il n'existait de règle phonologique qui affecte exclusivement des séquences ne contenant pas de frontière de morphème. Pour aboutir à une caractérisation correcte de la notion de « langue possible », il faut considérer non seulement ce qui est attesté dans toutes les langues, *mais aussi ce qui ne l'est dans aucune*. Il y a là un parallélisme de démarche entre la théorie des langues — la théorie linguistique — et la théorie des phrases d'une langue particulière — la grammaire de cette langue : pour formuler correctement la règle de liaison du français, il est également important de savoir que *des amis* se prononce [dezami], et que *des tamis* ne peut pas se prononcer *[deztami].

Toujours à propos de la règle H-INS, nous allons examiner rapidement certains faits que nous avions passés sous silence jusqu'ici, et qui nous amènent à soulever le problème des exceptions. Considérez par exemple les paires suivantes : [puhtu] « il est sorti », [putə] « sors ! »; [sohsu] « il a cuit », [sosa] « cuis-le ! »; [kihpu] « il s'est battu », [kipə] « bats-toi ! ». La deuxième forme de chaque paire est un impératif construit en ajoutant au radical un suffixe qui consiste en une voyelle unique dont le timbre est tantôt [ə] tantôt [a] selon le timbre de la voyelle du radical. Pour identifier le phonème vocalique qui est sous-jacent à cette voyelle de timbre variable, il nous faudrait examiner diverses règles de la phonologie du Zoque qui ne sont pas pertinentes pour notre propos. Qu'il nous suffise de représenter ce phonème par /X/ et de savoir que /X/ est [+ syll]. [putə], [sosa] et [kipə] ont donc les représentations phonologiques /put+X/, /sos+X/ et /kip+X/, mais contrairement à ce que laisse attendre la règle H-INS l'obstruante finale de morphème n'est pas précédée d'un *h*.

H-INS prédit en effet qu'on devrait prononcer *[puhtə], *[sohsa] et *[kihpə], parallèlement à [puhtu], [sohsu] et [kihpu].

Dans le même cas que -*X* se trouve le suffixe -*i* qui permet de dériver des noms à partir de certains verbes; comparez [huhku] « il a fumé », et [huki] « cigarette », [kihtu] « il s'est cassé », et [kiti] « morceau », [nihpu] « il a planté », et [nipi] « plantation », etc. Face aux suffixes comme -*u* « aspect achevé », qui laissent H-INS prendre effet normalement, et qui sont la grande majorité, on ne trouve qu'une dizaine de suffixes comme -*X* et -*i*. L'examen de la liste de ces suffixes ne fait ressortir aucune propriété phonologique, syntaxique ou sémantique qui leur soit commune et qui les oppose aux autres. Si par exemple ils avaient tous une voyelle d'avant et que les autres aient tous une voyelle d'arrière, on pourrait conclure que H-INS telle qu'elle est formulée à la page 133 est trop générale, et que son contexte doit être reformulé comme $V \underline{\quad} O + \begin{bmatrix} V \\ + \text{arr} \end{bmatrix}$. Mais on ne constate rien de tel. La seule propriété que čes suffixes aient en commun, c'est précisément leur comportement exceptionnel par rapport à H-INS. On pourrait bien sûr supposer que quoique commençant par une voyelle au niveau phonétique, ces suffixes commencent en fait par une consonne dans les représentations phonologiques, consonne dont la présence empêche H-INS de prendre effet et qui est effacée par une règle ordonnée après H-INS. Mais quelle consonne choisir? Mis à part leur comportement exceptionnel relativement à H-INS, ces suffixes se comportent en tout point comme les autres suffixes à initiale vocalique, et la règle qui effacerait leur consonne initiale présumée n'aurait aucune portée générale.

Force est de se rendre à l'évidence que ce comportement exceptionnel n'est le reflet d'aucune régularité sous-jacente. Tout ce qu'une grammaire peut faire dans de tels cas, c'est donner acte des faits : les morphèmes à initiale vocalique du Zoque se répartissent en deux catégories, d'une part ceux, largement majoritaires, qui requièrent l'insertion d'un *h* devant la consonne finale du morphème précédent lorsque celui-ci est terminé par une séquence *VO,* et de l'autre ceux devant lesquels il ne se passe rien de tel. Ce serait aller trop vite en besogne que de se défaire de la règle H-INS en arguant du fait qu'elle a des exceptions. La possibilité d'avoir des exceptions est une des choses qui distinguent les *règles* des *lois de la nature* (cf. Miller, 1964 : 98). Les premières peuvent être enfreintes, mais pas les secondes. L'existence d'exceptions affaiblit la généralité d'une règle, mais ne lui ôte pas automatiquement son statut de règle. Mieux vaut une règle dont la portée est réduite par certaines exceptions, que pas de règle du tout. Il ne viendrait à personne l'idée d'abandonner la généralisation selon laquelle les verbes prennent la terminaison *-ez* à la deuxième personne du pluriel, sous prétexte que cette généralisation est contredite par *êtes, faites, dites*[28].

Nous conserverons donc la règle H-INS, et nous supposerons qu'elle prend effet chaque fois que sont remplies les conditions requises par sa description structurale, à moins qu'un des segments soumis à la règle ne contienne la spécification [−H-INS]. Dans le lexique, les suffixes *-X* et *-i* sont munis de la spécification [−H-INS], mais pas le suffixe *-u*, en conséquence de quoi H-INS prend normalement effet devant *-u* mais pas devant *-X* ou *-i*. Plus généralement, à chaque règle R de la grammaire nous associons un trait [R], et nous indiquons qu'un certain morphème est une exception à la règle R en faisant figurer dans son entrée lexicale la spécification [−R][29]. Seuls doivent être mémorisés par les sujets parlants les cas où un morphème est une exception à une règle, et l'occurrence d'une spécification [−R] dans une entrée lexicale accroît le fardeau mémoriel que représente la mémorisation de cette entrée lexicale. Toutes choses égales d'ailleurs, l'entrée lexicale du morphème *-i* est plus complexe que celle du morphème *-u*, puisqu'elle contient une spécification idiosyncratique de plus, la spécification [−H-INS].

On prendra mieux conscience de ce qui est en jeu dans cette discussion en examinant la manière dont la grammaire devrait être formulée si on s'interdisait de marquer certains morphèmes comme des exceptions dans le lexique. On devrait reformuler la règle H-INS en y incluant la liste exhaustive des morphèmes devant lesquels il y a régulièrement insertion d'un *h* dans le morphème précédent lorsque celui-ci est terminé par une séquence *VO* :

$$\text{H-INS}': \quad \emptyset \rightarrow h \quad \Big/ \quad V \underline{\quad\quad} O + \left\{\begin{array}{c} -u \\ \vdots \\ \vdots \\ \vdots \end{array}\right\}$$

Cette règle laisse inexprimé le fait que tous les suffixes qui figurent dans la liste entre accolades commencent forcément par une voyelle. D'autre part, la règle est d'autant plus complexe que la liste entre accolades est longue. Or cette liste est d'autant plus longue que la règle admet moins d'exceptions, puisque seuls

---

28 Sur les exceptions, cf. Chomsky (1962 : 244-245; 1965 : 103 n. 28; 1967 *b* : 118-119, n. 17) et SPE : ix, 146, 172-176, 374-376, Postal (1968 : chap. 6).

29 Pour une formulation plus précise, cf. SPE : 374-376.

n'y figurent pas les morphèmes comme -*X*, -*i,* devant lesquels la règle ne prend pas effet. Bref, en nous interdisant d'incorporer à la théorie linguistique des dispositifs qui formalisent la notion d'exception, nous nous condamnerions à admettre que l'existence de nombreuses exceptions réduise la complexité de nos grammaires au lieu de l'accroître.

Considérez la forme [məcihkis] « jouet, génitif », qui dérive de /məc+ik+is/, où /məc/ est le radical du verbe « jouer », /ik/ un suffixe qui sert à former des noms à partir de verbes, et /is/ le suffixe du génitif. Pour engendrer cette forme il faut que H-INS prenne normalement effet devant le *k* final du suffixe -*ik*, mais pas devant le *c* final du radical. Le fait que H-INS prend normalement effet dans [məhcəyu] « il a joué » (de /məc+əy+u/) montre que l'incapacité où est H-INS de prendre effet dans le premier morphème de /məc+ik+is/ n'est pas à mettre sur le compte de *məc*, mais sur celui de *ik* : comme -*X* et -*i*, -*ik* est de ces morphèmes dont la présence empêche H-INS de prendre effet dans le morphème précédent. Mais ceci ne l'empêche pas d'être lui-même normalement sujet à la règle, puisqu'un *h* apparaît devant son *k* final.

Mais considérons maintenant la forme [krusis] « croix, génitif », qui dérive de /krus+is/. Ici le fait que H-INS n'ait pas opéré devant le *s* n'est pas à mettre sur le compte du suffixe -*is* (voyez plus haut [məcihkis]), mais sur le compte du morphème *krus* lui-même, qui ne se réalise jamais comme *[kruhs], quel que soit le suffixe qui suit[30]. Ces exemples montrent qu'il y a deux façons pour un morphème d'être une exception par rapport à une règle; dans les cas comme celui de *krus,* ce sont les segments contenus dans le morphème considéré lui-même qui ne peuvent pas être affectés par la règle; dans les cas comme celui du morphème -*ik,* les segments contenus dans le morphème considéré ne peuvent pas servir de contexte à l'opération de la règle dans un morphème adjacent. Kisseberth (1970*a*) a distingué ces deux types d'exceptions et il a proposé de les indiquer dans les entrées lexicales à l'aide de traits idiosyncratiques différents : les morphèmes qui sont des exceptions du type *krus* sont marqués [− règle R], et ceux du type -*X*, -*i*, -*ik* sont marqués [− contexte R]. Avec ces notations, l'entrée lexicale de *krus* contiendra la spécification [− règle H-INS], et celles de -*X*, -*i* et -*ik* contiendront la spécification [− contexte H-INS].

La prononciation du Zoque présente des complexes phoniques que nous avons représentés d'entrée de jeu par [c], [z], [č], [ž]. Or si l'on s'en tient strictement au plan des faits phonétiques, les indications que Wonderly (1951)

---

30 Ce mot vient évidemment de l'espagnol *cruz* « croix ». Il est fréquent que les emprunts aient un comportement particulier relativement à diverses règles phonologiques.

nous donne au sujet de la prononciation de ces complexes phoniques sont trop succinctes pour nous permettre de savoir s'il s'agit bien d'affriquées simples, plutôt que de séquences d'une occlusive suivie d'une fricative, respectivement [t] + [s], [d] + [z], [t] + [š] et [d] + [ž]. Notons d'abord que la question ne se poserait même pas si nous nous étions donné un système de traits pertinents qui ne laisse pas de place aux affriquées, c'est-à-dire qui exclue la possibilité de combiner en un seul segment une obstruction buccale complète et un fort étranglement générateur de bruit de friction. Dans le cadre d'un tel système, chaque fois que nous rencontrerions une occlusion complète du type *t* immédiatement suivie d'une friction du type *s*, nous serions obligés d'interpréter l'occlusion et la friction comme appartenant à deux segments successifs, autrement dit de noter [ts]. Mais un tel système serait trop pauvre, car nous connaissons un certain nombre de langues qui font systématiquement des distinctions phoniques dont on rend très naturellement compte en opposant affriquées et séquences occlusive plus spirante[31].

Ceci dit, pourquoi avons-nous tranché en faveur des affriquées dans le cas du Zoque, et comment faudrait-il que nous remaniions notre grammaire, si une enquête phonétique plus poussée venait à révéler ultérieurement que les formes que nous avons notées [cihcu], [cihčahu], etc. se prononcent en fait [tsihtsu], [tsihtšahu], etc. Après tout, si nous avions pris ces représentations phonétiques comme point de départ, nous aurions pu être tentés de poser des représentations phonologiques /tsits+u/, /tsits+yah+u/ (au lieu de /cic+u/, /cic+yah+u/), ce qui nous aurait permis de faire l'économie du phonème /c/. Mais en remplaçant /c/ par /ts/ dans la table (16) de la p. 132, nous en dérangeons la symétrie; /ts/ est une séquence de consonnes dont la première est autre que /ʔ/, et le groupe /ʔts/ (qui remplace /ʔc/) contient trois phonèmes. Du coup les groupes /ts/ et /ʔts/ sont à ranger avec les groupes /ks/ et /ʔks/ mentionnés à la n. 22 de la p. 131. Ils vont grossir la minorité de groupes finaux de morphème qui ne sont pas de la forme (ʔ)C, et cette défection affaiblit d'autant la portée de la formule (ʔ)C comme caractérisation générale des groupes de consonnes possibles en fin de morphème. On peut montrer qu'on tomberait dans des difficultés exactement parallèles en ce qui concerne les restrictions sur les groupes de consonnes situés à l'initiale de morphème ou entre deux voyelles appartenant à un même morphème. Bref, la réinterprétation de /c/ comme /ts/ oblige à adopter une définition plus complexe de la notion « allomorphe possible en Zoque ».

---

31 Voyez par exemple la description que donne Bright (1957 : 7) de l'opposition qui existe en Karok entre [č] et [tš].

Elle oblige aussi à compliquer la formulation de diverses règles phonologiques. Nous n'en donnerons qu'un exemple, celui de H-INS : pour dériver [tsihtsu] de /tsits+u/ et [tsitšahu] de /tsihts+yah+u/ (qui donnerait /tsitš+ah+u/ après application de PAL), il faudrait que H-INS soit remaniée de façon à pouvoir insérer un h non seulement dans le contexte V——$O+V$, mais aussi dans les contextes V——$ts+V$ et V——$tš+V$, seuls cas où l'insertion d'un h doit être permise devant deux consonnes. Notez en particulier qu'on ne peut pas simplement reformuler le contexte de H-INS comme V——O $(O)+V$[32], car alors il y aurait insertion de h dans /poks+u/ « il s'est assis » et dans /kips+u/ « il a réfléchi », d'où *[pohksu] et *[kihpsu] au lieu des formes correctes [poksu] et [kipsu]. Il faudrait donc que la règle stipule explicitement que l'insertion de h n'a lieu devant un groupe de deux obstruantes que si la première est coronale.

Les considérations qui précèdent montrent que tant du point de vue de la structure morphématique que de celui des règles phonologiques les affriquées du Zoque doivent être traitées comme des consonnes simples[33] plutôt que comme des groupes de deux consonnes, et ce jusqu'à un stade très tardif des dérivations, puisque la règle H-INS est une des dernières règles de la composante phonologique[34]. Même si une description plus précise du Zoque, fondée sur une théorie phonétique plus élaborée, nous apprend demain qu'il faut en fait interpréter phonétiquement comme des groupes occlusive plus fricative ce que nous avions pris pour de simples affriquées, ceci n'aura de conséquences qu'au niveau des représentations phonétiques, c'est-à-dire au stade ultime des dérivations, et n'ôtera rien de sa force à l'argumentation développée plus haut en ce qui

---

32 C'est-à-dire reformuler H-INS comme $\emptyset \rightarrow h/V$ —— $O(O)+V$. Par convention, l'expression $A(B)C$ est une notation abrégée pour les deux séquences ABC et AC prises dans cet ordre. La reformulation ci-dessus est donc une notation abrégée pour les deux règles suivantes :
$\emptyset \rightarrow h/V$ —— $OO+V$
$\emptyset \rightarrow h/V$ —— $O+V$
Voyez plus bas page 218.

33 Nous ne parlons pas bien entendu des véritables groupes ts qui pourraient résulter de la juxtaposition d'un morphème terminé par /t/ devant un autre commençant par /s/, dans des séquences comme /pat+sep/, et sur lesquels Wonderly ne nous donne malheureusement aucun renseignement.

34 Le problème « un ou deux phonèmes ? » a fait l'objet de nombreuses discussions dans la littérature structuraliste. Voyez entre autres Troubetzkoy (1939 : 57-68), Martinet (1949 ; 1965a chap. IV), Harris (1951, chap. 7-9), Ebeling (1960, chap. II) et les références contenues dans ces ouvrages.

concerne les stades antérieurs des dérivations. Bref il s'agira là de faits phonétiques superficiels sans grande signification structurale, dont on rendra compte en ajoutant simplement à la fin de la composante phonologique une règle indiquant que les affriquées doivent être récrites comme les séquences occlusive plus fricative qui leur correspondent : $c \rightarrow ts, \check{z} \rightarrow dz, \check{c} \rightarrow t\check{s}$ et $\check{z} \rightarrow d\check{z}$.

La discussion qui précède permet de mettre en lumière le rôle que jouent dans certains cas les considérations d'ordre phonologique dans le choix d'un système de traits pertinents. Même en l'absence d'une description phonétique très détaillée des articulations consonantiques du Zoque, les faits que nous avons exposés montrent que le système de traits pertinents doit faire une place aux affriquées. En effet, nous avons montré qu'à un complexe consonantique comme celui noté par le deuxième c de [cihcu] doit correspondre dans la représentation phonologique un segment sous-jacent unique. Or les segments dont se composent les représentations phonologiques ne sont pas des entités sans contenu phonétique. Ce sont des colonnes de spécifications de traits pertinents permises par la théorie linguistique. En définissant l'ensemble des colonnes de spécifications possibles, la théorie linguistique contribue du même coup à la définition du stock universel où chaque langue puise pour constituer l'inventaire de phonèmes qui lui est propre.

En nous donnant une théorie linguistique qui prévoit la possibilité de combiner en un seul segment une obstruction buccale complète et un fort étranglement générateur de friction, nous sommes à même d'écrire des grammaires bien plus simples pour le Zoque et un grand nombre d'autres langues parlées aux quatre coins du monde. Il est intéressant de noter qu'aucun phonéticien à notre connaissance n'a jamais proposé d'interpréter comme un seul son un complexe phonique comme [ft], et que parallèlement il n'existe pas non plus à notre connaissance de langue dont les règles phonologiques traitent les groupes de consonnes différemment des consonnes simples, et où ce qui se réalise phonétiquement comme [ft] se comporte de bout en bout des dérivations comme une consonne simple.

LES VOYELLES DU YAWELMANI

Nous emprunterons notre deuxième exemple au dialecte Yawelmani du Yokuts, une langue amérindienne de Californie. La grammaire de Newman (1944) a servi de base aux discussions de la phonologie de cette langue dans la perspective générative par Kuroda (1967) et Kisseberth (1969a, b; 1970b, c). Dans ce qui suit, nous ne faisons que reprendre une argumentation extrêmement serrée due à Kisseberth (1969*a*, *b*) en l'allégeant d'un certain nombre de points trop techniques pour le présent livre. Espérons que ces mutations ne lui ont pas trop fait perdre de sa belle rigueur originelle.

Tant au niveau phonologique qu'au niveau phonétique, le Yawelmani distingue entre voyelles longues et voyelles brèves. Dans notre transcription les voyelles suivies de deux points sont longues ([+ long]), et les autres sont brèves ([− long]). Abstraction faite des différences de longueur, les représentations phonétiques de Yawelmani ne contiennent que cinq voyelles : les voyelles hautes *i* et *u*, et les voyelles basses ε, *a*, ɔ. Il n'existe pas de voyelles non-hautes et non-basses comme *e, o*. Les voyelles basses étant non-hautes par définition, l'ensemble des voyelles non-hautes et celui des voyelles basses ont en Yawelmani exactement la même extension. Dans les transcriptions les lettres suivies d'une apostrophe désignent des consonnes glottalisées, et celles munies d'un point souscrit, des dentales alvéolaires. *x* est la fricative vélaire sourde qu'on trouve dans le mot allemand *Nacht* [naxt]. Nous nous limiterons dans ce qui suit aux formes verbales, mais qu'il soit bien entendu que les règles que nous présentons valent aussi bien pour le reste de la langue. Les formes que nous citons ne représentent pas des cas isolés, mais entrent dans des séries nombreuses qui présentent des alternances exactement parallèles.

Les verbes du Yawelmani sont composés d'un radical suivi d'un ou plusieurs suffixes. Ces suffixes présentent des variations de timbre qui dépendent de la nature de la dernière voyelle du radical, comme le montrent les exemples de la table (1)[35] :

TABLE (1)

	I	II	III	IV
	futur passif	aoriste passif	précatif gérondif	dubitatif
a.	xilnit	xilit	xilʔas	xilal
b.	hudnut	hudut	hudʔas	hudal
c.	gɔpnit	gɔpit	gɔpʔɔs	gɔpɔl
d.	maxnit	maxit	maxʔas	maxal

35 (a) « emmêler » ; (b) « reconnaître » ; (c) « prendre soin (d'un enfant) » ; (d) « se procurer ».

Les radicaux restant invariants à travers toute la table (1), et nous poserons les représentations phonologiques /xil/, /hud/, /gɔp/ et /max/. Les suffixes *-nit* et *-it* ont partout la voyelle [i], sauf lorsque la voyelle du radical est *u* (ligne b), auquel cas leur voyelle est [u]; les suffixes *-ʔas* et *-al* ont partout la voyelle [a], sauf lorsque la voyelle du radical est ɔ, auquel cas leur voyelle est [ɔ] (ligne c.). Les variations de timbre auxquelles les suffixes sont sujets concernent les traits [arr] et [rond], mais pas les traits [haut] et [bas]. Si nous leur attribuons respectivement les représentations phonologiques /nit/, /it/, /ʔas/ et /al/, c'est-à-dire si nous supposons que les suffixes à voyelle haute ont une voyelle sous-jacente /i/ et ceux à voyelle basse une voyelle sous-jacente /a/, nous pouvons rendre compte des faits résumés dans la table (1) en posant les deux règles suivantes :

(2) $i \rightarrow u \quad / \quad u \, C_o$ ——

(3) $a \rightarrow ɔ \quad / \quad ɔ \, C_o$ ——

i est récrit comme *u* lorsque la voyelle de la syllabe précédente est *u*, et *a* est récrit comme ɔ lorsque la voyelle de la syllabe précédente est ɔ. C_0 veut dire : toute séquence de zéro consonne ou plus. Plus généralement, nous adoptons la convention suivante[36] : pour tout *X*, l'expression X_n représente l'ensemble des séquences formées en répétant *X* au moins *n* fois. Par exemple X_3 est l'ensemble { *XXX, XXXX, XXXXX...* }. Ainsi (2) est une abréviation pour l'ensemble infini de règles représenté en (4) :

(4) $i \rightarrow u \quad / \quad u$ ——
$\quad\;\; i \rightarrow u \quad / \quad u \, C$ ——
$\quad\;\; i \rightarrow u \quad / \quad u \, CC$ ——
$\quad\;\; i \rightarrow u \quad / \quad u \, CCC$ ——
$$\vdots$$

L'utilité d'une telle notation est facile à saisir. Supposons qu'au lieu de poser la règle (2) nous ayons posé la règle (2′) :

(2′) $i \rightarrow u \quad / \quad u \, C$ ——

---

36 Cf. SPE : 343-344.

La règle (2′) prend effet dans /hud+it/ (forme IIb), où *u* et *i* sont séparés par une seule consonne, mais pas dans /hud+nit/ (forme Ib), où *u* et *i* sont séparés par deux consonnes. Une grammaire qui ne contiendrait que la règle (2′) indiquerait que l'harmonisation du timbre de la voyelle d'un suffixe a lieu seulement au cas où cette voyelle et la voyelle précédente sont séparées par une seule consonne. Or en Yawelmani cette harmonisation a lieu quel que soit le nombre de consonnes intermédiaires. Il est extrêmement fréquent qu'on ait à écrire des règles qui doivent affecter un segment *X* lorsqu'il est au voisinage d'un certain segment *Y*, mais où *X* et *Y* ne se touchent pas nécessairement et peuvent être séparés par un nombre indéfini de segments du type *Z* (des consonnes le plus fréquemment)[37].

Revenons aux règles (2) et (3), qui sont en fait des abréviations commodes pour (5) et (6) :

$$(5) \quad \begin{bmatrix} + \text{ syll} \\ + \text{ haut} \end{bmatrix} \rightarrow \begin{bmatrix} + \text{ rond} \\ + \text{ arr} \end{bmatrix} \Bigg/ \begin{bmatrix} + \text{ syll} \\ + \text{ rond} \\ + \text{ haut} \end{bmatrix} C_o \text{ ——}$$

$$(6) \quad \begin{bmatrix} + \text{ syll} \\ - \text{ haut} \end{bmatrix} \rightarrow \begin{bmatrix} + \text{ rond} \\ + \text{ arr} \end{bmatrix} \Bigg/ \begin{bmatrix} + \text{ syll} \\ + \text{ rond} \\ - \text{ haut} \end{bmatrix} C_o \text{ ——}$$

Grâce à la notation par variables introduite à la p. 116, nous pouvons fusionner les règles (5) et (6) en un schéma unique :

$$\text{HARM} : \begin{bmatrix} + \text{ syll} \\ \alpha \text{ haut} \end{bmatrix} \rightarrow \begin{bmatrix} + \text{ rond} \\ + \text{ arr} \end{bmatrix} \Bigg/ \begin{bmatrix} + \text{ syll} \\ + \text{ rond} \\ \alpha \text{ haut} \end{bmatrix} C_o \text{ ——}$$

HARM indique qu'une voyelle est récrite arrondie et d'arrière lorsque la voyelle de la syllabe précédente est elle-même arrondie et de même hauteur ([α haut]). La notation par variables nous permet d'exprimer de façon naturelle le fait que l'harmonie vocalique n'a lieu qu'entre voyelles qui ont même spécification pour le trait [haut].

Passons aux radicaux verbaux à voyelle longue. Les faits sont résumés dans la table (7), qui présente des formes analogues à celles de la table (1)[38] :

---

37 La règle d'harmonie vocalique du Kongo (p. 89) peut être formulée en faisant usage de cette notation.

38 (a) « avaler » ; (b) « déballer » ; (c) « relater » ; (d) « aller ».

TABLE (7)

	I	II	III	IV
a.	mɛk'nit	mɛ:k'it	mɛk'ʔas	mɛ:k'al
b.	ṣognut	ṣɔ:gut	ṣogʔas	ṣɔ:gal
c.	dɔsnit	dɔ:sit	dɔsʔɔs	dɔ:sɔl
d.	tannit	ta:nit	tanʔas	ta:nal

Le radical du verbe présente une voyelle longue lorsque le suffixe commence par une voyelle (colonnes II et IV), et brève lorsque le suffixe commence par une consonne (colonnes I et III). De fait en Yawelmani une voyelle est toujours brève lorsqu'elle est suivie de deux consonnes (ou d'une consonne finale de mot, cf. p. 157). On ne trouve au niveau phonétique d'opposition entre voyelles longues et voyelles brèves que lorsque ce qui suit est une séquence *CV*. Nous poserons la règle suivante, qui abrège toute voyelle suivie de deux consonnes :

$$\text{BREV :} \quad V \rightarrow [-\text{long}] \quad / \quad \underline{\hspace{2em}} CC$$

Le radical du verbe de la ligne d a la représentation phonologique /ta:n/, où les deux points qui suivent le *a* indiquent que dans la matrice phonologique correspondante cette voyelle est spécifiée [+ long]. La règle BREV prend effet dans /ta:n+nit/ (Id), d'où l'output [tannit], mais pas dans /ta:n+it/ (IId), d'où l'output [ta:nit] où la longueur sous-jacente est conservée.

On peut se demander pourquoi nous avons choisi d'interpréter les alternances de longueur de la table (7) comme reflétant l'existence de la règle BREV, qui abrège toute voyelle suivie de deux consonnes, plutôt que celle d'une règle en quelque sorte inverse, qui allonge toute voyelle suivie d'une séquence *CV* :

$$(8) \quad V \rightarrow [+\text{long}] \quad / \quad \underline{\hspace{2em}} CV$$

Dans ce cas le verbe de la ligne d aurait la représentation phonologique /tan/, avec une voyelle sous-jacente brève. La règle (8) prendrait effet dans /tan+it/ d'où [ta:nit], mais pas dans /tan+nit/, d'où [tannit]. Mais en ce cas il faudrait considérer tous les verbes de la table (1) comme des exceptions à la règle (8). Considérons par exemple la ligne d de la table (1). Les formes (IId) et (IVd) se prononcent [maxit] et [maxal], et non *[ma:xit] et *[ma:xal] comme le laisse attendre la règle (8). Comme les morphèmes dont la voyelle est toujours brève (table 1) sont

147

au moins aussi nombreux que ceux dont la voyelle est tantôt brève et tantôt longue (table 7), les formes marquées comme des exceptions à la règle (8) seraient en nombre au moins égal aux formes régulières, ce qui réduirait beaucoup la portée générale de (8). Ce problème ne se pose pas si nous optons pour la règle BREV.

Nous posons donc pour l'instant les représentations phonologiques suivantes : table (1), (a) /xil/, (b) /hud/, (c) /gɔp/, (d) /max/; table (7), (a) /mɛ:k'/, (b) /ṣɔ:g/, (c) /dɔ:s/, (d) /ta:n/. Les tables (1) et (7) résument la totalité des données pertinentes en ce qui concerne les verbes dont le radical a une structure *CVC*, c'est-à-dire qu'en assignant à tous les verbes Yawelmani de structure *CVC* une représentation phonologique comme ci-dessus et en examinant systématiquement la liste d'allomorphes ainsi obtenue, on constaterait que les seules voyelles brèves susceptibles d'apparaître dans cette liste seraient /i/, /u/, /ɔ/, /a/, et les seules voyelles longues seraient /ɛ:/, /ɔ:/, /a:/. Il n'est jamais nécessaire de postuler des voyelles brèves /ɛ/, car toutes les voyelles brèves [ɛ] qui apparaissent au niveau phonétique alternent avec la longue correspondante dans les conditions définies par la règle BREV, et doivent donc être considérées comme issues de /ɛ:/. Il n'existe d'autre part aucune forme à laquelle il faille assigner une voyelle sous-jacente /i:/ ou /u:/. Les voyelles [i:] et [u:] apparaissent bien au niveau phonétique en Yawelmani, mais seulement de façon très marginale et par l'application de règles qui n'ont rien à voir avec notre propos (cf. Kuroda, 1967 : 12 n. 3). Nous serions donc amenés à postuler le système vocalique sous-jacent représenté dans le tableau (9) :

TABLEAU (9)

		− rond		+ rond
		− arr	+ arr	
+ haut	− long	i		u
− haut			a	ɔ
	+ long	ɛ:	a:	ɔ:

148

La disposition de ce tableau (9) suggère que le système des voyelles longues s'obtient à partir de celui des voyelles brèves par une opération qui consiste en quelque sorte à aplatir ce dernier en y abolissant les distinctions de hauteur. Les voyelles longues sont les équivalents [+ bas] des voyelles brèves : à /i/ correspond /ɛ:/, à /ă/ correspond /a:/, et aux deux voyelles /u/ et /ɔ/, qui ne s'opposent que par les spécifications des traits [haut] et [bas], correspond la même voyelle basse /ɔ:/. Comparé aux systèmes vocaliques d'autres langues le système représenté en (9) a un aspect un peu insolite, car en général les systèmes vocaliques qui distinguent entre longues et brèves tendent à présenter une certaine symétrie, la série longue et la série brève s'opposant terme à terme dans la plupart des cas. Mais voyons d'abord les faits d'harmonie vocalique dans la table (7).

Les formes des lignes a, c et d confirment notre formulation de HARM. Dans les lignes a et d la voyelle du suffixe n'est jamais arrondie, puisque la voyelle du radical (ɛ: et *a:*) est non-arrondie; dans la ligne c il y a arrondissement lorsque la voyelle du suffixe est *a*, qui est non-haut comme le *ɔ:* du radical, mais pas lorsque la voyelle du suffixe est *i*, qui est haut (comparez avec la ligne c de la table 1). En revanche la ligne b pose problème : si la voyelle sous-jacente du radical était /ɔ:/ comme nous l'avons supposé, on s'attendrait à des formes en tout point parallèles à celles de la ligne c. Aux formes sous-jacentes /ṣɔ:g+nit/, /ṣɔ:g+it/, /ṣɔ:g+ʔas/ et /ṣɔ:g+al/ devraient correspondre les prononciations *[ṣɔgnit], *[ṣɔ:git], *[ṣɔgʔɔs] et *[ṣɔ:gɔl]. Or on obtient exactement l'inverse de ce que prédit HARM : les voyelles basses des suffixes -ʔas et -al restent non-arrondies alors qu'elles sont du ressort de la règle, et les voyelles hautes des suffixes -nit et -it se prononcent arrondies, alors que la règle ne devrait pas pouvoir les affecter.

Si on veut maintenir l'hypothèse que la voyelle sous-jacente des verbes de la ligne b est /ɔ:/, comme celle des verbes de la ligne c, il faut que la grammaire fasse place à deux classes de verbes dont la voyelle du radical est /ɔ:/ : des verbes réguliers d'une part (ligne c), des irréguliers de l'autre (ligne b). Or le fait qu'une forme soit irrégulière ne nous dispense pas d'en rendre compte exactement, au même titre que des formes régulières. Une grammaire doit engendrer toutes les représentations phonétiques bien formées, qu'elles soient régulières ou non. Comment allons-nous rendre compte des verbes irréguliers de la ligne b?

Leur entrée lexicale doit indiquer que quoiqu'étant non-haute et arrondie comme le requiert la partie (6) de la règle HARM (cf. p. 146), la voyelle de ces verbes ne déclenche pas l'arrondissement d'une voyelle non-haute suivante, c'est-à-dire qu'il faut inclure dans l'entrée lexicale de chacun de ces verbes une spécification [− contexte (6)]. Ceci rend compte des formes (IIIb) et (IVb), cas où la règle HARM (sa partie (6)) ne prend pas effet alors que les conditions requises par sa description structurale sont remplies. Reste à rendre compte de (Ib) et (IIb), qui suggèrent que la partie (5) de la règle HARM a été formulée de façon trop restrictive. Cette règle (5) ne prédit l'arrondissement d'une voyelle haute qu'au cas où la voyelle de la syllabe précédente est elle-même haute (et arrondie). Or les formes (Ib) et (IIb) montrent que l'arrondissement peut aussi avoir lieu dans certains cas où la voyelle de la syllabe précédente est non-haute. Il en est ainsi chaque fois que cette voyelle appartient à un verbe en ɔ: irrégulier (marqué [− contexte (6)]). Il faut donc reformuler la règle (5) de façon à lui faire dire la chose suivante : une voyelle haute est récrite arrondie et d'arrière lorsque la syllabe précédente contient une voyelle arrondie qui est soit haute soit [− contexte (6)]. Nous n'écrirons pas cette règle formellement, mais il est évident que cette reformulation de (5) détruit le parallélisme qui existait entre (5) et (6), parallélisme qui résidait entre autres dans le fait que l'harmonie n'avait lieu qu'entre voyelles de même hauteur. Notons en passant que seuls les verbes à voyelle longue sont susceptibles d'être munis de la spécification [− contexte (6)]. Il n'existe pas dans la table (1) de verbe en /ɔ/ dont le comportement soit analogue à celui des verbes en /ɔ:/ irréguliers. Ce fait est considéré par la présente analyse comme purement accidentel.

En Yawelmani la forme du radical ne dépend pas seulement des propriétés phonologiques des suffixes. Chaque suffixe est caractérisé non seulement par sa représentation phonologique, mais par le fait qu'il appelle un certain « degré » du radical. Chaque radical est susceptible de prendre un certain nombre de formes distinctes ou « degrés » dont l'apparition dépend de la catégorie à laquelle appartient le suffixe qui suit. Par exemple les suffixes -it, -nit, -ʔas et -al des tables (1) et (7) appellent tous le même degré du radical, ce que Newman (1944) appelle son « degré réduit ». D'autres suffixes appellent une forme différente, dite « degré zéro ». Dans la table ci-dessous, nous donnons la représentation phonétique du degré réduit et du degré zéro de chacun des verbes des tables (1) et (7). Dans la colonne A′ les deux points entre parenthèses rappellent que les voyelles en question apparaissent tantôt longues tantôt brèves selon le nombre de consonnes dont elles sont suivies (règle BREV) :

TABLE (10)

A	B	A′	B′
degré réduit	degré zéro	degré réduit	degré zéro
a. xil-	xil-	mɛ(:)k'-	mik'-
b. hud-	hud-	sɔ(:)g-	sug-
c. gɔp- •	gɔp-	dɔ(:)s-	dɔs-
d. max-	max-	ta(:)n-	tan-

Les formes de degré zéro contiennent toujours une voyelle brève. Pour les verbes de la partie gauche de la table (10), c'est-à-dire ceux de la table (1), la forme du degré zéro et celle du degré réduit sont identiques. Pour ceux de la partie droite (verbes de la table 7), la voyelle du degré réduit et celle du degré zéro ont mêmes spécifications pour les traits [rond] et [arrière]. Il existe une relation systématique entre les formes de degré réduit et celles de degré zéro, et il nous faut postuler une règle qui permette de prédire l'une à partir de l'autre.

Si nous essayons de déduire le degré réduit du degré zéro, les formes des lignes c et d posent problème. Les formes du degré zéro de la ligne d par exemple possèdent toutes les deux un *a* bref, et rien ne nous permet de décider dans quel cas la voyelle du degré réduit correspondant doit être une brève ([max-] ~ [max-]), et dans quel cas ce doit être une longue ([tan-] ~ [ta:n-]). Voyez par contre ce qui se passe lorsqu'on essaie de déduire le degré zéro du degré réduit. La règle qui permet de passer de l'un à l'autre semble pour l'essentiel être une règle d'abrègement : on obtient la forme de degré zéro en remplaçant la voyelle du degré réduit par la voyelle brève correspondante (qui est identique en ce qui concerne la partie gauche de la table 10). Nous écrirons donc la règle suivante, où Z est un symbole arbitrairement choisi pour indiquer que le suffixe qui suit appartient à la classe des suffixes qui réclament un radical de degré zéro :

$$\text{ZERO}: \quad V \;\rightarrow\; [-\,\text{long}] \quad / \quad \underline{\hspace{1cm}} \; C_o + Z$$

Dans le cas de certaines voyelles longues le passage au degré zéro s'accompagne en outre d'un ajustement du trait [haut]. A *ɛ:* correspond la voyelle haute *i*, et à certains *ɔ:* (ligne b) correspond la voyelle haute *u*. Le problème est cette fois de distinguer entre les *ɔ:* de la ligne (b), qui sont sujets à cet ajustement, et ceux de la

151

ligne (c), qui restent [+ bas] au degré zéro. Les ɔː qui sont sujets à l'ajustement de hauteur sont précisément ceux que nous avons dû marquer comme [− contexte (6)].

Toutes les difficultés que nous avons rencontrées jusqu'ici ont la même origine : notre hypothèse que les ɔː des verbes de la ligne b et ceux des verbes de la ligne c de la table (7) dérivent d'un même phonème /ɔː/. Ces difficultés disparaissent si nous faisons avec Kuroda et Kisseberth l'hypothèse suivante : le système vocalique du Yawelnani est /i, u, a,ɔ, iː, uː, aː, ɔː/, où la série longue et la série brève se correspondent terme à terme, et il existe une règle phonologique qui stipule que toute voyelle longue est nécessairement récrite comme basse, règle qui a pour résultat d'associer aux phonèmes /iː/ et /uː/ les réalisations [ɛː] et [ɔː].

$$\text{BAS}:\begin{bmatrix} + \text{ syll} \\ + \text{ long} \end{bmatrix} \rightarrow \begin{bmatrix} + \text{ bas} \\ - \text{ haut} \end{bmatrix}$$

Les verbes de la table (1) et ceux des lignes c et d de la table (7) ont comme précédemment (cf. p. 148) les représentations phonologiques /xil/, /hud/, /gɔp/, /max/, /dɔːs/ et /taːn/. Par contre ceux des lignes (a) et (b) de (7) ont respectivement les représentations phonologiques /miːk'/ et /ṣuːg/. Les formes (IIIa), (IIIB) et (IIId) de la table (7) ont par exemple les dérivations suivantes :

	/miːk'+ʔas/	/ṣuːg+ʔas/	/taːn+ʔas/
BAS	mɛːk'+ʔas	ṣɔːg+ʔas	
BREV	mɛk'+ʔas	ṣɔg+ʔas	tan+ʔas
	[mɛk'ʔas]	[ṣɔgʔas]	[tanʔas]

La règle BAS doit s'appliquer avant la règle BREV. En effet BAS n'affecte que les voyelles longues. Or une fois que BREV s'est appliquée, il n'existe plus devant deux consonnes que des voyelles brèves, et BAS ne peut plus prendre effet. Si on appliquait BAS après BREV on obtiendrait *[mikʔas] et *[ṣugʔas].

La dérivation des formes de degré zéro ne pose plus de problème. Il suffit d'ordonner la règle ZERO avant la règle BAS :

	/miːk'+Z/	/ṣuːg+Z/	/dɔːs+Z/	/taːn+Z/
ZERO	mik'+Z	ṣug+Z	dɔs+Z	tan+Z
BAS				
	[mik'-]	[ṣug-]	[dɔs-]	[tan-]

Dans l'analyse que nous proposons, les voyelles qui apparaissent en surface comme ɔ(:) peuvent dériver de deux sources : certaines proviennent du phonème /u:/ et d'autres du phonème /ɔ:/. En ordonnant adéquatement HARM et BAS nous pouvons rendre compte très simplement de la différence de comportement des verbes des lignes b et c de la table (7) (p. 147) au regard de l'harmonie vocalique, différence qui est parallèle à celle entre les verbes correspondants de la table (1) (p. 144) :

	7-IIb	7-IIc	7-IVb	7-IVc
	/ṣu:g+it/	/dɔ:s+it/	/ṣu:g+al/	/dɔ:s+al/
HARM	ṣu:g+ut			dɔ:s+ɔl
BAS	ṣɔ:g+ut		ṣɔ:g+al	
	[ṣɔ:gut]	[dɔ:sit]	[ṣɔ:gal]	[dɔ:sɔl]

	1-IIb	1-IIc	1-IVb	1-IVc
	/hud+it/	/gɔp+it/	/hud+al/	/gɔp+al/
HARM	hud+ut			gɔp+ɔl
	[hudut]	[gɔpit]	[hudal]	[gɔpɔl]

La différence entre les timbres des suffixes de [ṣɔ:gut] et [dɔ:sit] est la même qu'entre ceux de [hudut] et [gɔpit], et celle entre les timbres des suffixes de [ṣɔ:gal] et [dɔ:sɔl] est la même qu'entre ceux de [hudal] et [gɔpɔl]. C'est que dans chaque paire la voyelle sous-jacente du radical est de timbre *u* ([+ haut]) dans la première forme, alors qu'elle est de timbre *ɔ* ([− haut]) dans la seconde. Mais la règle BAS, qui s'applique après HARM, oblitère la différence entre *u:* et *ɔ:*, de sorte que /ṣu:g/ et /dɔ:s/ ont phonétiquement même voyelle [ɔ:]. Les formes de la ligne b n'ont plus besoin d'être marquées lexicalement comme des exceptions à la partie (6) de la règle HARM, et il n'est plus nécessaire d'introduire dans la formulation de HARM des complications qui obligent à considérer l'harmonisation des suffixes à voyelle haute et celle des suffixes à voyelle basse comme deux processus distincts (cf. p. 150). Considérez d'autre part le fait (constaté p. 150) que seuls les radicaux à *ɔ* long conditionnaient l'harmonie des suffixes de deux façons différentes (selon qu'ils appartenaient à la ligne b ou à la ligne c de la table 7), alors qu'on ne trouvait pas de division similaire parmi les radicaux à *ɔ* bref. Ce fait apparaissait comme accidentel dans notre analyse précédente, en ce sens qu'il aurait fallu inclure dans la grammaire une règle dont le seul rôle aurait été d'en donner acte, une règle de redondance lexicale stipulant que seuls peuvent être marqués [− contexte (6)] les radicaux dont la voyelle est ɔ:. Au contraire ce fait est *expliqué* par l'analyse ici proposée : il découle automatiquement du fait que les voyelles ɔ(:) dérivent dans certaines formes d'une voyelle haute et dans d'autres d'une voyelle basse, d'où la différence de comportement des suffixes qui suivent, alors que les voyelles radicales qui se réalisent toujours comme [ɔ] quel que soit le nombre des consonnes qui suivent ne peuvent dériver que de [ɔ], d'où le comportement uniforme des suffixes derrière ces voyelles.

En résumé, l'analyse proposée présente les avantages suivants : (1) elle permet de postuler un système vocalique qui présente la symétrie qu'on s'attend généralement à trouver dans les systèmes qui distinguent entre voyelles longues et voyelles brèves. (2) elle permet de caractériser l'harmonie des suffixes à voyelles hautes et celles des suffixes à voyelles basses comme reflétant l'existence d'un processus unique, et évite de marquer certains radicaux comme des exceptions[39]. (3) la règle qui fait passer des formes de degré réduit aux formes de degré zéro est très simple (règle ZERO), les ajustements de timbre que l'on constate à cette occasion étant à mettre sur le compte de BAS. Pour obtenir ces simplifications, nous avons dû payer un certain prix : il a fallu ajouter à la grammaire la règle BAS. Mais remarquons que ce prix, nous aurions dû le payer de toutes façons sous une forme ou sous une autre. Car si nous avions opté pour l'analyse qu'implique le système vocalique du tableau (9) p. 148 ; il aurait fallu des règles de structure morphématique qui rendent compte de la structure particulière de ce système, et une de ces règles aurait stipulé qu'en Yawelmani tout phonème vocalique [+ long] est nécessairement aussi [− haut, + bas], bref, notre grammaire aurait également contenu la règle BAS. Simplement, BAS aurait été une règle de structure morphématique au lieu d'être une règle phonologique ordonnée après HARM.

Nous n'avons pas encore mentionné tous les faits qui doivent être pris en considération pour trancher entre les deux analyses. Considérons les radicaux dissyllabiques[40] :

---

39 Les traits d'exception ne doivent être employés qu'en dernier recours, puisque marquer un élément lexical comme une exception revient à affirmer que certaines particularités de son comportement ne peuvent être mises sur le compte d'aucune règle, et ne trouvent leur explication qu'en elles-mêmes, autrement dit, n'ont pas d'explication. Les traits d'exception qui figurent dans une entrée lexicale sont des propriétés idiosyncratiques qui doivent être apprises en plus et alourdissent d'autant le fardeau mémoriel imposé aux sujets qui apprennent la langue.

40 (a) « marcher » ; (b) « ôter » ; (c) « se lever » ; (d) « suivre ».

TABLE (11)

	I	II	III	IV
a.	hiwɛtnit	hiwɛ:tit	hiwɛt?as	hiwɛ:tal
b.	ṣudɔk'nut	ṣudɔ:k'ut	ṣudɔk'?as	ṣudɔ:k'al
c.	?ɔpɔtnit	?ɔpɔ:tit	?ɔpɔt?ɔs	?ɔpɔ:tɔl
d.	yawalnit	yawa:lit	yawal?as	yawa:lal

Les radicaux considérés sont tous de la forme *CVCVC*. La première voyelle est toujours brève, et nous pouvons la faire dériver de la voyelle sous-jacente brève de timbre correspondant. La seconde voyelle dérive d'une voyelle sous-jacente longue, comme le montrent les alternances de longueur entre les colonnes I et II, III et IV. Ces alternances sont gouvernées par la règle BREV, comparez avec la table (7) page 147. Dans le cadre de l'analyse que nous avons proposée, $\varepsilon(:)$ représente le phonème /i:/, et $a(:)$ le phonème /a:/. Quant à $ɔ(:)$, le comportement des suffixes donne à penser qu'il représente /u:/ dans la ligne b et /ɔ:/ dans la ligne c (comparez avec les lignes b et c de la table 7). Les représentations phonologiques des radicaux des verbes de la table (11) sont donc respectivement : (a) /hiwi:t/, (b) /ṣudu:k'/, (c) /?ɔpɔ:t/, (d) /yawa:l/.

Ces formes illustrent le fait que dans tout radical verbal de structure /CVCV:C/ les deux voyelles sous-jacentes sont de même timbre. Cette généralisation est une conséquence particulière d'une règle de structure morphématique très générale qui stipule que dans tout morphème qui commence par une séquence /CVCV:/ les deux voyelles doivent être identiques (à la longueur près). Cette règle rend compte de façon éclairante des restrictions combinatoires auxquelles sont assujetties les voyelles des radicaux verbaux de la table (11). Phonétiquement il existe quatre voyelles brèves ($i, u, ɔ, a$) et trois voyelles longues ($\varepsilon:, ɔ:, a:$). Si elles pouvaient se combiner librement dans les séquences *CVCV:* on s'attendrait à trouver douze (4 × 3) types de radicaux distincts; or en fait ne sont possibles que les quatre qui figurent dans la table (11). Si la première voyelle est i, la seconde est forcément $\varepsilon:$, si c'est u ou $ɔ$, la seconde est forcément $ɔ:$, enfin si c'est a, la seconde est forcément $a:$. Cette correspondance est en tout point identique à celle que nous avons trouvée entre la voyelle longue du degré réduit et la voyelle brève du degré zéro (table (10) p. 151, colonnes A' et B').

Arrêtons-nous un instant sur le cas de $ɔ(:)$, qui correspond dans certains cas à u et dans d'autres à $ɔ$. Nous avons vu que notre analyse rendait compte de façon très naturelle de la corrélation que nous avions constatée entre les faits d'harmonie vocalique et le passage au degré zéro : seuls entraînent l'arrondissement des suffixes à voyelle haute les $\mathit{ɔ(:)}$ auxquels correspond un u dans la forme de degré zéro (ligne b des tables 7 et 10), et seuls entraînent l'arrondissement des suffixes à voyelle basse les $\mathit{ɔ(:)}$ auxquels correspond un $ɔ$ dans la forme de degré zéro (ligne c des tables 7 et 10). La table (11) présente exactement la même corrélation : dans les formes de la ligne b la première voyelle du radical est u, et ce sont les suffixes à voyelle haute qui sont arrondis; dans celles de la ligne c la première voyelle du radical est $ɔ$, et ce sont les suffixes à voyelle basse qui sont arrondis. Voici les dérivations des formes (IIb), (IIc), (IVb) et (IVc) de la table (11), que l'on rapprochera des dérivations analogues données à la page 153 :

	/ṣudu:k'+it/	/ʔɔpɔ:t+it/	/ṣudu:k'+al/	/ʔɔpɔ:t+al/
HARM	ṣudu:k'+ut			ʔɔpɔ:t+ɔl
BAS	ṣudɔ:k'+ut		ṣudɔ:k'+al	
	[ṣudɔ:k'ut]	[ʔɔpɔ:tit]	[ṣudɔ:k'al]	[ʔɔpɔ:tɔl]

Avant d'examiner pour terminer le comportement des suffixes à voyelle sous-jacente longue, il est nécessaire de compléter ce que nous avons dit touchant la règle BREV. Considérons les formes suivantes[41], qui sont analogues aux formes correspondantes des tables (1), (7) et (11) :

TABLE (12)

	I	II	III	IV
a.	ʔilɛ:nit	ʔilɛt	ʔilɛ:ʔas	ʔilɛl
b.	c'uyɔ:nut	c'uyɔt	c'uyɔ:ʔas	c'uyɔl
c.	hɔyɔ:nit	hɔyɔt	hɔyɔ:ʔɔs	hɔyɔl
d.	pana:nit	panat	pana:ʔas	panal

Les radicaux sont de la forme /CVCV:/, respectivement /ʔili:/, /c'uyu:/, /hɔyɔ:/ et /pana:/. Les suffixes des colonnes II et IV, respectivement -it et -al, perdent leur voyelle initiale sous l'action d'une règle de troncation qui ne nous intéresse pas ici, et phonétiquement ils ne se manifestent plus que comme une consonne finale. La voyelle brève qui précède cette consonne finale dérive de la voyelle

---

41 (a) « éventer », (b) « uriner », (c) « nommer », (d) « arriver ».

finale du radical, qui est longue au niveau phonologique. Ces formes illustrent le fait qu'en Yawelmani toute voyelle qui précède une consonne finale de mot est nécessairement brève. Mettant à profit la notation par accolades introduite page 124, nous pouvons récrire la règle BREV comme suit :

$$\text{BREV}: \quad V \quad \rightarrow \quad [-\text{long}] \quad / \quad \underline{} C \left\{ \begin{array}{c} \# \\ C \end{array} \right\}$$

Récapitulons les règles phonologiques auxquelles nous sommes arrivés. Derrière le nom de chaque règle nous donnons entre parenthèses les numéros des pages où elle est discutée, avec en caractères gras le numéro de la page où figure sa formulation définitive. Les ordres d'applications sont justifiés aux pages suivantes : page 152 pour ZERO et BAS, page 153 pour HARM et BAS, page 152 pour BAS et BREV.

(13)

$$\left\{ \begin{array}{ll} \text{ZERO} & (150\text{-}\textbf{151}) \\ \text{HARM} & (145\text{-}\textbf{146}) \\ \text{BAS} & (\textbf{152}) \\ \text{BREV} & (147\text{-}\textbf{148}; \textbf{157}) \end{array} \right.$$

Les colonnes A, B et C de la table ci-dessous donnent respectivement les formes du futur moyen-passif des verbes des tables (1), (7) et (11) :

TABLE (14)

	A	B	C
a.	xilnɛn	mɛk'nɛn	hiwɛtnɛn
b.	hudnɔn	sɔgnɔn	sudɔk'nɔn
c.	gɔpnɛn	dɔsnɛn	ʔɔpɔtnɛn
d.	maxnɛn	tannɛn	yawalnɛn

Ces formes sont composées du radical suivi du suffixe du moyen-passif /n/[42] et du suffixe du futur /Vn/, où /V/ est un certain phonème vocalique dont l'identité

---

[42] La représentation phonologique de ce suffixe est en fait /in/ (cf. Kisseberth, 1969*a* : 40), mais ceci ne change rien au point débattu ici.

exacte reste à déterminer. Ce phonème se manifeste phonétiquement comme [ε] aux lignes a, c et d, et comme [ɔ] à la ligne b. [ε] ne peut provenir que de /iː/, par application de BAS et BREV, et effectivement, la voyelle en question remplit les conditions nécessaires pour que BREV puisse prendre effet, puisqu'elle précède une consonne (*n*) qui se trouve en fin de mot. Supposons donc que la représentation phonologique du suffixe du futur est /iːn/. Les règles données jusqu'ici et l'ordre d'application que nous leur avons assigné laissent attendre précisément les représentations phonétiques de la table (14). Voici par exemple les dérivations des formes des colonnes A et B :

	(a) /xil+n+iːn/	(b) /hud+n+iːn/	(c) /gɔp+n+iːn/	(d) /max+n+iːn/
HARM		uː		
BAS	εː	ɔː	εː	εː
BREV	ε	ɔ	ε	ε
	[xilnεn]	[hudnɔn]	[gɔpnεn]	[maxnεn]

	/miːk'+n+iːn/	/ṣuːg+n+iːn/	/dɔːs+n+iːn/	/taːn+n+iːn/
HARM		uː		
BAS	εː εː	ɔː ɔː	εː	εː
BREV	ε ε	ɔ ɔ	ɔ ε	a ε
	[mεk'nεn]	[ṣɔgnɔn]	[dɔsnεn]	[tannεn]

Prenons par exemple les dérivations des formes de la colonne A. Au point de la dérivation où HARM est applicable, BAS n'a pas encore pris effet, de sorte que la voyelle du suffixe est toujours [+ haut] comme dans la représentation phonologique. Elle s'harmonise donc en (b), où la voyelle du radical est elle-même [+ haut], mais pas en (c), où cette voyelle est [− haut]. Ensuite BAS prend effet, qui récrit la voyelle du suffixe comme [+ bas]. A s'en tenir à ce qu'on voit dans les représentations phonétiques, il aurait pu sembler que le suffixe du futur se comporte de façon aberrante relativement à HARM, ou que HARM est mal formulée, puisque la voyelle de ce suffixe est [− haut] et que pourtant elle se conduit comme une voyelle [+ haut] : elle se réalise comme arrondie au voisinage des voyelles arrondies hautes (cf. [hudnɔn]) et comme non-arrondie au voisinage des voyelles basses (cf. [gɔpnεn]).

Après les formes de la table (14), qui illustrent le comportement des suffixes à voyelle sous-jacente longue haute, voyons pour finir celles de (15), qui illustrent le comportement des suffixes à voyelle sous-jacente longue basse :

(15)

    a.   bilɛsʔa:nit   « finir »

    b.   ʔukɔc'ʔa:nit   « dépendre de »

    c.   k'ɔʔɔ:ʔɔ:nit   « jeter »

    d.   p'axat'ʔa:nit   « pleurer (un mort) »

Il s'agit de formes du futur duratif passif (cf. Newman, 1944 : 102) qui se composent des radicaux /bili:s/, /ʔuku:c'/, /k'ɔʔɔ:/ et /p'axa:t'/ suivis des suffixes /ʔa:/ et /nit/. Elles ont les dérivations suivantes :

	/bili:s+ʔa:+nit/	/ʔuku:c'+ʔa:+nit/
HARM		
BAS	ɛ:	ɔ:
BREV	ɛ	ɔ
	[bilɛsʔa:nit]	[ʔukɔc'ʔa:nit]

	/k'ɔʔɔ:+ʔa:+nit/	/p'axa:t'+ʔa:+nit/
HARM	ɔ:	
BAS		
BREV		a
	[k'ɔʔɔ:ʔɔ:nit]	[p'axat'ʔa:nit]

Le fragment de grammaire de (13) page 157 a été formulé en ne tenant compte que du comportement des suffixes à voyelle sous-jacente brève (cf. tables (1) p. 144, (7) p. 147, (11) p. 155, (12) p. 156), et pourtant nous n'avons eu qu'à le reprendre tel quel, sans y changer un iota, lorsqu'il s'est agi de rendre compte du comportement des suffixes à voyelle sous-jacente longue (cf. tables (14) p. 157 et (15) p. 159). Autrement dit les alternances phonétiques des suffixes à voyelle brève et celles des suffixes à voyelle longue sont régies par exactement les mêmes principes. En particulier, notre analyse donne la même explication de deux faits à première vue sans rapport entre eux : le fait que *certains ɔ(:)* ont, en tant que *contextes* de la règle HARM, le même comportement que *u* (comparez la ligne b des tables (7) et (11) avec celle de la table (1)), et le fait que *tous les ɛ(:)*

ont, en tant qu'*inputs* de HARM, le même comportement que *i* (comparez les colonnes A, B et C de la table (14) avec les colonnes (I) des tables (1), (7) et (11)). Ces deux faits découlent de l'existence d'une règle BAS ordonnée après HARM. Nous laissons au lecteur le soin d'examiner les complications supplémentaires qu'il faut introduire dans l'analyse qu'implique le système vocalique sous-jacent du tableau (9) p. 148 lorsqu'on veut rendre compte des faits des tables (14) et (15).

Nous clorons cette discussion par des remarques d'ordre général. D'abord en ce qui concerne le caractère abstrait des représentations phonologiques et les exigences de généralité et de simplicité. Dans les discussions qui ont précédé celles du Yawelmani, les représentations phonologiques que nous avons données étaient abstraites en ce sens qu'y apparaissaient fréquemment des spécifications auxquelles correspondaient des spécifications de signe contraire au niveau phonétique. Par exemple, à la spécification [+ syll] qui caractérise le /i/ de /defi+e/ *défié* correspond une spécification [− syll] pour le [y̥] de [defye]. Ceci dit, les règles phonologiques ne prennent en général effet que dans certains contextes, et dans les contextes où elles ne prennent pas effet, les spécifications sous-jacentes se transmettent inchangées au niveau phonétique. Ainsi la spécification [+ syll] du dernier segment de /defi/ *défi* se conserve intacte dans la représentation phonétique [defi]. Le caractère [+ syll] du dernier segment de la représentation sous-jacente /defi/ se manifeste donc directement au niveau phonétique pour certaines des occurrences de ce morphème. Il n'en va plus de même lorsque certaines spécifications sont affectées par des règles phonologiques qui prennent effet dans tous les contextes, comme la règle BAS en Yawelmani. Cette règle nous permet de postuler des voyelles sous-jacentes longues et hautes (*i:*, *u:*) qui ne se réalisent jamais comme telles phonétiquement. Au niveau phonétique le suffixe du futur apparaît tantôt comme [ɛn] et tantôt comme [ɔn], c'est-à-dire avec une voyelle qui est toujours basse, et pourtant, ceci ne nous empêche pas de lui attribuer une représentation phonologique /i:n/, avec une voyelle haute. Bref, le fait qu'au niveau phonétique toutes les occurrences d'un morphème contiennent une certaine spécification ne garantit absolument pas que cette spécification apparaît également dans la représentation phonologique du morphème en question.

Il peut sembler qu'en autorisant des discordances aussi importantes entre représentations phonologiques et représentations phonétiques nous laissons la porte ouverte aux manipulations les plus arbitraires[43]. Mais souvenons-nous que

---

43 Cette question très importante a fait l'objet d'un débat qui est loin d'être clos, cf. Kiparsky (1968*b*, 1971), Kisseberth (1969*b*), Hyman (1970), Brame (1972).

l'écart entre les deux niveaux de représentation doit être comblé de façon parfaitement explicite par l'opération des règles phonologiques, et que plus cet écart est grand, plus il requiert une composante phonologique complexe. Ceci limite considérablement notre latitude de manœuvre. Car *l'introduction de chaque règle phonologique nouvelle doit être justifiée en montrant que la complexité additionnelle qui en résulte pour la grammaire prise comme un tout est largement compensée par les simplifications que l'existence de cette règle entraîne en d'autres points de la grammaire.* Quelle raison avons-nous d'affirmer que la voyelle sous-jacente finale de *défi, joli, pari,* etc. est [− arr], sinon de vouloir une grammaire aussi simple que possible? Supposons qu'on attribue à ces morphèmes les représentations phonologiques /defɯ/, /ʒɔlɯ/, /parɯ/, etc., où /ɯ/ est une voyelle [+ haut, − rond, − nas...] comme /i/, mais [+ arr] alors que /i/ est [− arr]. Pour passer de ces représentations phonologiques aux représentations phonétiques [defi], [ʒɔli], [pari], etc., dont la voyelle finale est [− arr], il faut que la grammaire contienne une règle qui récrit tous les segments [+ haut, − rond] comme [− arr]. Or cette règle n'a aucune raison d'être. Elle ne permet aucune simplification des entrées lexicales ni des autres règles. C'est la voyelle sous-jacente /i/ qui nous permet d'établir la relation la plus directe entre les représentations phonologiques de ces morphèmes et leurs représentations phonétiques, et nous n'avons aucune raison de ne pas la préférer (c'est-à-dire que nous avons toutes les raisons de la préférer).

Pour la même raison, notre premier mouvement a été d'assigner à des phonèmes /ɛ:/ et /ɔ:/ toutes les occurrences des voyelles [ɛ:] et [ɔ:] qu'on rencontre en Yawelmani. Mais il nous a fallu rapidement constater que les ɛ: et certains ɔ: se comportaient comme des voyelles hautes, et que leur réalisation phonétique comme des voyelles basses était en fait la seule raison que nous ayons de les faire dériver de voyelles sous-jacentes basses. Si on les fait dériver de voyelles sous-jacentes hautes et qu'on inclut dans la grammaire la règle BAS qui les récrit comme des voyelles basses, on rend compte de façon éclairante du hiatus constaté entre leur timbre phonétique et leur comportement au regard de diverses règles. Non qu'il soit impossible de construire une grammaire qui rende compte des mêmes données tout en faisant dériver ces voyelles de phonèmes /ɛ:/ et /ɔ:/. Nous avons fait les premiers pas dans cette direction aux pages 148-150. Mais une telle grammaire présentera forcément, par rapport à celle que nous avons adoptée un certain nombre de complications que rien ne justifie, sinon précisément la volonté de maintenir l'hypothèse que tous les ɛ: dérivent de /ɛ:/ et tous les ɔ:[44] de /ɔ:/. Or

44 ... abstraction faite de celui qui apparaît dans la terminaison -ʔɔ:*nit* de la forme c de la table (15) page 159.

cette hypothèse demande à être justifiée comme les autres. Et la seule façon de la justifier, c'est de montrer qu'elle permet de rendre compte des données avec le maximum de généralité, ce qui n'est pas le cas.

Il est grand temps que nous nous arrêtions sur le statut des considérations de généralité et de simplicité auxquelles nous n'avons cessé de faire appel dans ce qui précède. Rappelons d'abord que le linguiste travaille sur deux plans différents : le plan de la théorie linguistique et celui des grammaires particulières (cf. p. 45 et suivantes).

Au plan de la théorie linguistique — la théorie des langues en général — il s'agit de définir la notion « langue possible ». La théorie linguistique pose un certain nombre de conditions que doit nécessairement remplir toute grammaire. Par exemple toute grammaire doit comporter une composante phonologique qui est un ensemble ordonné de règles qui s'appliquent successivement. Ou encore, dans le lexique, l'information relative à la prononciation des morphèmes doit figurer sous forme de matrices de traits pertinents, etc. C'est au plan de la théorie linguistique que nous nous sommes placés à la fin du deuxième chapitre lorsque nous avons évalué les mérites respectifs des règles phonologiques à application simultanée et de celles à application séquentielle.

Au plan de la grammaire d'une langue particulière — la théorie des phrases de cette langue — il s'agit de définir la notion « phrase bien formée » pour la langue en question. Les données sont les intuitions des sujets concernant les phrases de leur langue : telle paire son-sens est bien formée, telle autre non. Le système d'hypothèses — la théorie — que le linguiste propose pour rendre compte de ces données est une certaine grammaire. Pour être une candidate possible, une grammaire doit satisfaire simultanément les deux exigences suivantes : remplir les conditions générales que la théorie linguistique impose à toute grammaire, et engendrer l'ensemble infini des paires son-sens bien formées de la langue à l'étude. Or en l'état actuel de la théorie linguistique, on peut imaginer pour n'importe quelle langue un grand nombre de grammaires distinctes qui satisfont simultanément ces deux exigences. Est-il nécessaire de choisir entre ces différentes grammaires, et si oui, quels critères utiliser pour faire ce choix ?

En trouvant une grammaire dont les prédictions ne sont jamais démenties par les sujets parlants, le linguiste remplit le programme que nous lui fixions au début du chapitre I lorsque nous disions (p. 20) que « décrire une langue, c'est construire une grammaire de cette langue », c'est-à-dire « un dispositif qui permet de définir explicitement l'ensemble des paires son-sens bien formées de cette langue » (voyez de même p. 28). S'il s'agissait simplement, comme le laisse croire cette citation, de proposer une définition parfaitement explicite d'un certain ensemble infini d'objets, toutes les grammaires qui engendrent cet ensemble seraient strictement équivalentes, et le choix de l'une plutôt que de l'autre serait pure affaire de convenances personnelles. Mais le linguiste a des ambitions plus hautes. Les gens qui savent une langue, disons le français, ont acquis progressivement durant les premières années de leur vie un certain système de connaissances dont la maîtrise les met à même de prononcer et de comprendre une infinité de phrases, et d'avoir les intuitions qui servent de données aux linguistes. Ce que le linguiste se propose de découvrir lorsqu'il décrit le français, c'est *la* grammaire du français, c'est-à-dire une représentation adéquate du système de connaissances entreposé dans le cerveau des sujets parlants. Parmi toutes les grammaires qui engendrent l'ensemble des descriptions des paires son-sens bien formées en français, comment décider laquelle est la représentation la plus adéquate de ce système de connaissances?

En linguistique comme dans les autres sciences, entre plusieurs théories concurrentes qui couvrent le même ensemble de données, on préfère celle qui comporte les hypothèses les plus générales et les moins nombreuses. Entre deux grammaires qui engendrent le même ensemble de descriptions de paires son-sens, on choisit celle qui contient moins de règles, et des règles de portée plus générale, bref on choisit la grammaire la plus simple. Ce point est absolument fondamental. Tous les linguistes procèdent de cette manière, à quelque école qu'ils appartiennent, et s'ils n'en ont fréquemment pas conscience, c'est en général qu'ils n'ont pas conscience que pour n'importe quel ensemble de données, leurs présupposés théoriques (avoués ou non) permettent un grand nombre de descriptions concurrentes. Tous les grammairiens sont par exemple d'accord pour dire qu'en français les adjectifs s'accordent en genre et en nombre avec le nom dont ils dépendent. Ceci revient à dire que la grammaire du français contient une règle syntaxique qui prédit le genre et le nombre des adjectifs à partir de celui des noms qu'ils qualifient. Sachant que l'adjectif *vieux* qualifie *armures,* et que *armures* est féminin pluriel, cette règle prédit que l'adjectif est lui-même féminin pluriel, c'est-à-dire qu'on dit *de vieilles armures* et non **de vieux armures*. Il est pourtant parfaitement possible de prétendre que c'est le nom qui s'accorde avec l'adjectif et non l'inverse, c'est-à-dire de proposer une règle qui prédit le genre et le nombre des noms en supposant donné celui des adjectifs. Mais il est facile de montrer qu'une grammaire qui contiendrait une telle règle serait d'une complexité inextricable, et c'est la raison pour laquelle personne n'a jamais soutenu un tel point de vue. Un autre exemple : on a coutume de dire que les adjectifs *raccommodable, irriguable, réglable,* etc. sont formés en ajoutant le suffixe *-able* aux verbes *raccommoder, irriguer, régler,* etc. Mais rien n'empêche a priori de prétendre l'inverse, c'est-à-dire de prétendre qu'il existe une règle qui forme des verbes en retranchant *-able* des adjectifs qui sont de la forme *X-able*. Personne n'a jamais pris une telle position, et pour cause. Nous avons montré dans Dell (1970) en poussant cette hypothèse à ses ultimes conséquences que l'on obtiendrait un système de règles de formation des mots extrêmement complexes qui laisseraient inexprimées certaines généralisations essentielles.

Nous avons fait appel à chaque instant à des considérations de simplicité pour justifier notre préférence pour telle ou telle analyse dans notre discussion du Zoque et du Yawelmani. Qu'on prenne dans les pages qui précèdent n'importe quel argument tendant à montrer qu'une règle A doit être ordonnée avant une autre règle B, et on verra qu'il est fondé en dernier ressort sur des considérations touchant à la simplicité globale de la grammaire ainsi obtenue. Il est presque toujours possible de construire une grammaire concurrente où B précède A, mais il faut introduire dans la formulation de A ou de B (ou les deux) des complications qui accroissent d'autant la complexité de la grammaire prise comme un tout[45]. Plus généralement, affirmer qu'une certaine grammaire G est *la* grammaire de la langue L, c'est affirmer que parmi toutes les grammaires qui répondent aux conditions imposées par la théorie linguistique et qui engendrent toutes les paires son-sens bien formées de L et celles-là seulement, G est la grammaire la plus simple[46].

La simplicité des formulations n'est pas un but en soi. Construire des grammaires maximalement simples ne nous intéresse que dans la mesure où *simplicité* maximale égale *généralité* maximale. Considérons par exemple la règle BAS du Yawelmani, que nous redonnons ci-dessous pour faciliter la comparaison. Si dans la grammaire de (13) page 157 nous remplaçons cette règle par les règles BAS_1 et BAS_2, nous obtiendrons une grammaire qui engendre exactement le même ensemble de paires son-sens :

$$BAS : \begin{bmatrix} + \text{ syll} \\ + \text{ long} \end{bmatrix} \rightarrow \begin{bmatrix} + \text{ bas} \\ - \text{ haut} \end{bmatrix}$$

$$BAS_1 : \begin{bmatrix} + \text{ syll} \\ + \text{ long} \\ - \text{ arr} \end{bmatrix} \rightarrow \begin{bmatrix} + \text{ bas} \\ - \text{ haut} \end{bmatrix}$$

---

45 Cf. par exemple p. 113 concernant l'ordre d'application de PAL et H-EF, et p. 127-130 concernant celui de META et Y-EF.

46 Nous allons voir qu'on définit « la grammaire la plus simple » comme celle qui contient le plus petit nombre de symboles.

$$\text{BAS}_2 : \begin{bmatrix} + \text{ syll} \\ + \text{ long} \\ + \text{ arr} \end{bmatrix} \rightarrow \begin{bmatrix} + \text{ bas} \\ - \text{ haut} \end{bmatrix}$$

Alors que BAS affecte toutes les voyelles longues, qu'elles soient d'avant ou d'arrière, BAS$_1$ n'affecte que les voyelles longues d'avant, et BAS$_2$ n'affecte que les voyelles longues d'arrière. A elles deux elles ont exactement le même effet que BAS. On n'a aucune raison d'ordonner BAS$_1$ avant BAS$_2$ ou l'inverse, et BAS$_1$ et BAS$_2$ entretiennent exactement les mêmes relations d'ordre avec les autres règles. Elles doivent l'une et l'autre s'appliquer après ZERO et HARM, et avant BREV. La grammaire qui contient BAS$_1$ et BAS$_2$ exprime certes le fait que *i:* est récrit comme *ɛ:* et *u:* comme *ɔ:*, mais elle traite ces deux faits comme sans rapport entre eux. Elle traite aussi comme un accident le fait que ces deux règles doivent s'appliquer au même stade des dérivations, à un moment où ZERO et HARM, mais pas BREV, se sont déjà appliquées. Au contraire la grammaire (13) page 157 englobe ces faits sous une même généralisation exprimée par la règle BAS. Le fait que les voyelles longues d'avant et les voyelles longues d'arrière sont récrites comme basses, et le fait que ces deux réécritures ont lieu au même stade des dérivations sont les conséquences d'une généralisation unique, la règle BAS. Comme le dit Chomsky (1965 : 42), « nous avons une généralisation lorsqu'un ensemble de règles concernant des éléments distincts peut être remplacé par une règle unique (ou, plus généralement, par des règles partiellement identiques) concernant tous ces éléments pris en bloc... » Une grammaire doit exprimer le fait que l'existence de régularités linguistiques n'est pas fortuite, mais découle de certaines propriétés de la langue comme système structuré. Elle doit prendre les faits dans un réseau de généralisations aussi serré que possible.

Chaque grammaire contient un ensemble fini de symboles. En première approximation, on peut définir la « simplicité » des grammaires de la façon suivante : de deux grammaires formulées dans le cadre de la même théorie linguistique, la plus simple (ou équivalemment, la moins complexe), est celle qui contient le plus petit nombre de symboles[47]. Pour formuler chaque règle, pour spécifier le contenu de chaque entrée lexicale, il faut écrire un certain nombre de symboles, et chacun de ces symboles ajoute à la complexité globale de la grammaire.

Si on choisit un formalisme adéquat pour écrire les grammaires, une règle est d'autant plus simple (contient d'autant moins de symboles) qu'elle est plus générale. La règle BAS est par exemple plus simple que la règle BAS$_1$ (sa description

47 Chaque spécification de trait pertinent compte pour un seul symbole.

structurale contient une spécification de moins), et ceci reflète le fait qu'elle est plus générale. L'ensemble des segments qui sont [+ syll, + long] contient l'ensemble des segments qui sont [+ syll, + long, − arr]; BAS$_1$ est un cas particulier de BAS. Comparons de même la règle (16) et la règle hypothétique (17) :

$$(16) \quad [+ \text{syll}] \quad \rightarrow \quad [- \text{long}] \quad / \quad \text{———} \quad [- \text{syll}] \quad [- \text{syll}]$$

$$(17) \quad \begin{bmatrix} + \text{syll} \\ + \text{rond} \end{bmatrix} \quad \rightarrow \quad [- \text{long}] \quad \Big/ \quad \text{———} \quad \begin{bmatrix} - \text{syll} \\ - \text{cons} \\ + \text{haut} \\ - \text{arr} \end{bmatrix} [- \text{syll}]$$

La règle (16) récrit comme brève toute voyelle suivie de deux non-syllabiques. Ce n'est autre que la règle BREV de la p. 147. La règle (17) récrit comme brève toute voyelle arrondie suivie de deux non-syllabiques dont la première est un yod. Les représentations /pa:y+nit/, /pɔ:t+nit/ et /pɔ:y+nit/ sont toutes les trois du ressort de (16), mais seule la troisième est du ressort de (17), car le *a:* de la première est non-arrondi, et le *ɔ:* de la seconde n'est pas suivi d'un yod. Toute représentation qui est du ressort de (17) est aussi du ressort de (16) mais la réciproque n'est pas vraie. Les conditions requises par la description structurale de (17) sont plus restrictives (moins générales) que celles requises par la description structurale de (16), et ceci se reflète dans le fait que la formulation de (17) demande quatre spécifications de plus que celle de (16).

La complexité d'une description linguistique (le nombre de symboles qu'elle contient) dépend évidemment du symbolisme que l'on se donne au départ pour écrire les grammaires, autrement dit de la théorie linguistique dans le cadre de laquelle on travaille. Il est par exemple aisé d'imaginer un système de traits pertinents avec lequel la formulation de la règle (17) requière moins de symboles que celle de (16). Un tel système ne rendrait pas compte du fait que (16) est plus générale que (17). Le système de traits pertinents proposé par Chomsky et Halle a précisément été conçu de façon à établir la meilleure corrélation possible entre le degré de généralité des règles phonologiques et leur « simplicité », mesurée en comptant les spécifications[48]. Il en va de même en ce qui concerne les abréviations qui fusionnent plusieurs règles partiellement similaires en un schéma, notations dont l'emploi

---

48 Pour se faire une idée du type de considération qui est pertinent dans le choix d'un système de traits pertinents, cf. par exemple McCawley (1967), Kiparsky (1968*a* : 185-189), McCawley (1968*a* : 26 n. 15), Postal (1968 : 75-76), Contreras (1969), Anderson (1971*a*).

permet de ne faire apparaître qu'une seule fois dans la grammaire les spécifications qui sont communes aux règles ainsi fusionnées[49]. Ce n'est pas un problème trivial que de trouver un système de notations qui garantisse à tous coups qu'étant données deux grammaires formulées dans le cadre de ce système, celle qui contient le moins de spécifications est celle qui ne laisse dans l'ombre aucune généralisation significative. Cela revient en effet à expliciter ce qu'on entend par « généralisation significative » en linguistique. Sur ce problème fondamental pour la construction d'une théorie linguistique, nous renvoyons le lecteur à Chomsky (1965 : 37-47), Chomsky (1967*b* : 107-109), Halle (1962), Chomsky et Halle (1965 : 106 ss.), Halle (1969), au chap. 8 de SPE, et aux objections de McCawley (1968*b* : 559-560) et Botha (1971).

Notons que c'est encore notre souci de généralité maximum qui nous a amenés à plusieurs reprises à prendre en considération des faits tirés d'autres langues que celle dont nous étions en train de construire la grammaire[50]. Dans la mesure du possible, nous voulons rendre compte de faits semblables d'une langue à l'autre en les attribuant à l'action de règles formellement semblables, dans l'espoir qu'on pourra un jour montrer que ces similitudes de langue à langue ne sont pas complètement fortuites, mais découlent (au moins partiellement) de propriétés générales des grammaires.

Le problème de savoir quelle est la grammaire d'une langue donnée admet donc en principe une solution unique[51]. Ce qui ne veut pas dire qu'il existe une recette qui permette de trouver cette solution à tous coups. Encore récemment, une des tâches que de nombreux linguistes assignaient à la linguistique générale était l'élaboration de procédures de découverte, ou au moins de justification, des grammaires. On entend par procédure de découverte un ensemble d'instructions qui indiquent la marche à suivre pour passer des données brutes (les phrases prononcées par les informateurs) à la description de la langue (sa grammaire). Les opérations à effectuer sur les données sont fixées une fois pour toutes, valables pour n'importe quelle langue, et définies rigoureusement de façon à ne rien laisser à l'appréciation des descripteurs. Elles garantissent en principe que deux personnes qui étudient indépendamment l'une de l'autre la même langue en donneront des descriptions en tous points identiques. Toutes les tentatives qui ont été faites pour définir de telles pro-

---

49 Cf. Chomsky (1965 : 43-44), Kiparsky (1968*a* : 171-183), Bach (1968), McCawley (1971).

50 Cf. par exemple pages 129 et 149. Voyez aussi page 95.

51 ... abstraction faite des cas où l'ordre d'application de deux règles est indéterminé, cf. p. 119-120.

cédures se sont soldées par un échec. On peut se proposer une tâche moins ambitieuse, qui est la définition de procédures de justification[52] des grammaires. Il ne s'agit plus alors de donner à l'avance une méthode qui fixe exactement le cheminement conduisant des données brutes à la description achevée, mais seulement des tests qui permettent, étant données une langue et une certaine grammaire, de décider si cette grammaire est bien la grammaire de la langue en question[53].

De même que les tentatives pour définir des procédures de découverte, toutes celles faites pour définir des procédures de justification se sont soldées par un échec. Une des raisons de cet échec est évidente : pour pouvoir élaborer des procédures de découverte ou de justification, il faut avoir une connaissance précise des propriétés que doit nécessairement posséder toute langue, autrement dit il faut être en possession d'une théorie linguistique très spécifique. Or nous sommes encore loin du compte.

Pour arriver à la grammaire d'une langue et la justifier, le linguiste ne peut pas se reposer sur un ensemble de préceptes et de recettes dont l'application scrupuleuse lui garantirait d'obtenir à tous coups le « bon » résultat. Il doit certes faire preuve de méthode et de rigueur, mais aussi de flair et d'imagination. De la grammaire qu'il cherche, le linguiste sait qu'elle doit remplir trois conditions : (1) répondre aux conditions générales imposées par la théorie linguistique, (2) être compatible avec l'ensemble des données de la langue à l'étude, (3) être la plus simple de toutes les grammaires qui répondent aux conditions (1) et (2). Il s'agit donc d'imaginer des grammaires et de vérifier ensuite si elles répondent bien aux conditions ci-dessus. Peu importe la façon dont le linguiste s'y prend pour arriver aux grammaires qu'il teste. Tous les moyens sont bons, même les rêves prémonitoires et la consultation des voyantes, pour ceux qui y ajoutent foi.

Une fois admis que le linguiste n'envisage comme hypothèses que des grammaires qui satisfont à la condition (1), nous avons expliqué aux pages 27-29 comment il procède pour s'assurer qu'elles remplissent la condition (2) : chaque grammaire qu'il imagine fait une infinité de prédictions qui débordent l'échantillon

52 Chomsky (1957) les appelle des « procédures de décision ». Sur la différence entre découverte, justification (ou décision) et évaluation des grammaires, cf. Chomsky (1957, chap. 6), Ruwet (1967 : 66-83).

53 Il est fréquent que les procédures présentées comme des procédures de découverte soient en fait plutôt des procédures de justification. C'est par exemple le cas des sept « règles pour la détermination des phonèmes » de Troubetzkoy (1939 : 47-66), et de l'ensemble d'opérations de segmentation et de classification organisées autour du test de « commutation » de Martinet (1956 : § 3.14-3.16 ; 1960 : § 3.7-3.12, 3.22-3.23 ; 1965a ; 63-68, 111).

fini de données (positives et négatives) dont il a tenu compte pour la construire. Il teste ces prédictions auprès des sujets parlants, et certaines de ces prédictions sont en contradiction avec leurs intuitions quant à ce qui est bien ou mal formé, ce qui l'oblige à imaginer une grammaire de rechange qui soit compatible avec ces données nouvelles. Il arrive finalement à une grammaire dont les prédictions ne sont jamais démenties par les informateurs : chaque fois qu'il présente aux sujets parlants une paire son-sens dont la description est engendrée par cette grammaire, ceux-ci l'acceptent comme bien formée, et chaque fois qu'il leur en présente une que cette grammaire exclut, ils la rejettent comme mal formée, et il peut tester un nombre de prédictions aussi grand qu'il veut sans jamais en trouver une qui soit démentie [54].

Voici donc maintenant notre linguiste en possession d'une grammaire qui remplit les conditions (1) et (2). Comment fait-il pour s'assurer qu'elle remplit la condition (3)? Théoriquement, il faudrait qu'il construise pour la langue en question toutes les grammaires qui répondent aux conditions (1) et (2), et qu'il détermine quelle est la plus simple. Or comme en l'état présent de nos connaissances la théorie linguistique est encore très peu spécifique et permet de construire pour chaque langue une infinité de grammaires distinctes, il se trouverait confronté à une tâche sans fin. En fait, dans l'immense majorité, ces grammaires manquent de généralité de façon tellement flagrante qu'on peut les éliminer sans prendre la peine de les construire dans tous leurs détails. Ce serait par exemple le cas d'une grammaire de Yawelmani où la règle BREV serait remplacée par autant de règles distinctes qu'il existe de groupes de deux consonnes précédés d'une voyelle en Yawelmani :

$$\text{BREV}_1 \quad V \rightarrow [-\text{long}] \quad / \quad \underline{\quad} tn$$
$$\text{BREV}_2 \quad V \rightarrow [-\text{long}] \quad / \quad \underline{\quad} kp$$
$$\vdots \qquad \vdots \qquad\qquad\qquad \vdots$$

Une fois qu'on a tacitement éliminé toutes les grammaires de ce genre, il ne reste en général qu'un petit nombre de solutions plausibles, et on tranche entre elles par des arguments comme ceux que nous avons utilisés dans notre discussion du Zoque et du Yawelmani. *Justifier une certaine grammaire, c'est envisager toutes les grammaires concurrentes et les éliminer systématiquement.*

54 Cf. n. 55 p. 170.

En toute rigueur, le linguiste ne peut jamais prouver que la grammaire qu'il propose est la plus simple, car il est toujours possible qu'il n'ait pas pensé à envisager telle autre grammaire possible, qui à l'examen se serait encore révélée plus simple que celle qu'il défend. Et la seule façon de lui prouver que sa grammaire n'est pas la plus simple, c'est de lui en opposer une autre encore plus simple. Le linguiste qui affirme que telle grammaire est la plus simple est dans une situation qu'on retrouve dans toutes les sciences empiriques : il ne peut pas prouver la vérité de la proposition qu'il affirme, mais le cas échéant on peut en prouver la fausseté. Tant qu'on ne l'a pas fait, la proposition en question doit être considérée comme vraie [55].

Un mot pour terminer des rapports entre phonologie et morphologie. En gros, les grammaires traditionnelles rangent au chapitre de la morphologie tous les faits qui concernent l'arrangement séquentiel des morphèmes à l'intérieur des mots, ainsi que les alternances entre allomorphes d'un même morphème au voisinage de certains « morphèmes grammaticaux ». Dans la théorie linguistique ébauchée ici, les faits du premier type relèvent de la composante syntaxique, tandis que ceux du second type relèvent de la composante de rajustement (règles d'épellation), et il n'est fait aucune distinction analogue à celle que l'on établit habituellement entre les « morphèmes lexicaux » (*élan, lugubre, dormir*, etc.) et les « morphèmes grammaticaux » (*à, qui, votre, -ez*, etc.). Il s'agit en fait d'une simplification grossière adoptée pour la commodité de l'exposition. La théorie générale des faits de morphologie est encore à faire [56], mais il ne fait pas de doute que les grammaires devront comporter une composante morphologique, située dans une région qui englobera une partie de la composante syntaxique telle qu'on la conçoit actuellement, et une partie de la composante de rajustement. Quels que soient la forme et le statut exacts des règles de la composante morphologique,

55 Il en va exactement de même en ce qui concerne la proposition « telle grammaire engendre les descriptions de toutes les paires son-sens bien formées de telle langue, et celles-là seulement ». Comme le linguiste ne vérifie jamais qu'un ensemble fini de prédictions de sa grammaire, il est toujours possible que certaines des prédictions qu'il n'a pas vérifiées soient incorrectes. Il ne peut donc jamais être absolument sûr que sa grammaire est compatible avec toutes les données qu'il pourrait recueillir. Il est par contre possible de lui prouver qu'elle ne l'est pas : il suffit de fournir une paire son-sens au sujet de laquelle sa grammaire fasse une prédiction incorrecte. Tant que cela n'a pas été fait, la proposition ci-dessus doit être acceptée comme vraie.

56 Pour des tentatives en ce sens dans le cadre de la grammaire générative, cf. Bierwisch (1967), Dell (1970), Halle (1973), Kiefer (1970; 1971; 1973), Wurzel (1970). Pour un rapide survol et des références, cf. Matthews (1970) en ce qui concerne les structuralistes américains et Vachek (1966) en ce qui concerne ceux de l'école de Prague.

il va de soi que leur complexité contribue à la complexité globale des grammaires. On dispose toujours d'un argument extrêmement fort en faveur d'une analyse phonologique lorsqu'on peut montrer qu'elle permet de rendre compte très simplement de la morphologie de la langue décrite, c'est-à-dire lorsqu'elle permet de réduire les faits de supplétion au minimum et de postuler des paradigmes flexionnels construits sur un modèle uniforme.

Considérons la table (18), dont les lignes A, B, C et D reprennent les représentations phonétiques données respectivement en (6a) page 114, (11a) page 126, (8e) page 121 et (11b) page 126. Chaque représentation phonétique est accompagnée de la représentation phonologique qui lui est sous-jacente :

TABLE (18)

	I	II	III	IV
A	[mbuhtu]	[mbyuhtu]	[pyuhtu]	[puhtu]
	/n+put+u/	/ny+put+u/	/y+put+u/	/put+u/
B	[ŋgihpu]	[ŋgihpu]	[kihpu]	[kihpu]
	/n+kip+u/	/ny+kip+u/	/y+kip+u/	/kip+u/
C	[maŋu]	[myaŋu]	[myaŋu]	[maŋu]
	/n+maŋ+u/	/ny+maŋ+u/	/y+maŋ+u/	/maŋ+u/
D	[minu]	[minu]	[minu]	[minu]
	/n+min+u/	/ny+min+u/	/y+min+u/	/min+u/

Si l'on s'en tient aux variations manifestées dans les représentations phonétiques, l'indication de la personne dans les verbes[57] en Zoque semble régie par des mécanismes morphologiques assez complexes. Dans la ligne A la première personne est indiquée par un préfixe nasal, la troisième personne par un infixe *y*[58],

---

57 Le manque de place nous a obligés à nous limiter à la flexion verbale, mais la flexion des noms présente des variations en tous points identiques. Ainsi *pan* « homme » donne *mbən* dans *haʔnəh mbən* « je ne suis pas un homme », *mbyən* dans *haʔnmih mbyən* « tu n'es pas un homme », *pyən* dans *haʔn pyən* « il n'est pas un homme », etc.

58 Tandis que les préfixes et les suffixes sont des morphèmes qui sont juxtaposés devant ou derrière un autre morphème (*in*-fidèle, fidél-*ité*), on appelle infixes des morphèmes qui sont intercalés à l'intérieur d'autres morphèmes. Ainsi en Tagalog (langue des Philippines), à partir du radical *basa* « lire » on construit les formes fléchies *bumasa* « avoir lu » et *binasa* « avoir été lu » par infixation de -*um*- et -*in*-.

171

et la seconde personne par préfixation et infixation simultanées. Dans la ligne B seul apparaît le préfixe nasal, d'où l'homophonie de I avec II et de III avec IV. Dans la ligne C seul apparaît l'infixe *y*, d'où l'homophonie de I avec IV et de II avec III. Dans la ligne D enfin n'apparaît ni préfixe ni infixe, de sorte qu'on a l'impression d'avoir affaire à un verbe invariable. En fait, nous avons traité les différences d'une ligne à l'autre comme des variations superficielles recouvrant un paradigme flexionnel unique, le même pour tous les verbes. Toutes les formes ont le préfixe /n/ à la première personne, le préfixe /ny/ à la deuxième personne et le préfixe /y/ à la troisième personne. Il n'est pas inutile de revenir rapidement sur les raisons qui nous autorisent à faire l'hypothèse de ce paradigme flexionnel — de cette « conjugaison » — unique.

Un mot d'abord sur la forme sous-jacente que nous avons choisie pour les trois préfixes. Les formes IA et IIA demandent qu'on postule un /n/ préfixé[59], et celles de IIA et IIIA un yod. En considérant ce yod comme préfixé (en considérant que dans les représentations phonologiques il est situé devant la consonne initiale du radical), nous sommes à même de rendre compte de la position des trois marqueurs de personne à l'aide d'une règle morphologique unique : « les marqueurs de personne sont immédiatement préfixés au radical du verbe ». Et comme des données qui n'ont rien à voir avec les marqueurs de personne (p. 110) nous imposent de toutes façons d'inclure dans notre grammaire la règle phonologique META, nous avons déjà à notre disposition un mécanisme qui nous permet de rendre compte de la position du yod derrière la consonne initiale du radical. Si nous traitions ce yod comme un infixe, en attribuant par exemple à [mbyuhtu] la représentation phonologique /n+p+y+ut+u/, il faudrait compliquer la règle morphologique donnée ci-dessus : « dans un marqueur de personne, l'élément nasal (s'il y en a un) est immédiatement préfixé au radical du verbe, et le yod (s'il y en a un) est infixé derrière la première consonne du radical ». Mais rien ne justifie cette complication. Adopter cette formulation, ce serait admettre qu'il existe en Zoque un seul cas d'infixation, celui du yod des marqueurs de personne derrière la consonne initiale du radical, et refuser d'établir un rapport quelconque entre ce fait et l'existence de la règle phonologique META, qui fait précisément passer un yod derrière la consonne initiale du morphème suivant.

59 Nous n'avons pas justifié notre choix de la coronale /n/ plutôt que de /m/, /ŋ/ ou /ñ/ comme consonne nasale sous-jacente des préfixes de la première et de la seconde personne. Les raisons de ce choix mettent en jeu la notion de « marque » (*markedness*), dont il n'est pas traité dans la présente introduction, cf. SPE, chap. 9.

Ainsi, les formes de la ligne A nous amènent à postuler pour *certains* verbes la conjugaison $n+$X, $ny+$X, $y+$X. Si ce paradigme ne peut pas être étendu à *tous* les verbes Zoque et qu'il faille répartir ceux-ci en plusieurs classes caractérisées chacune par une conjugaison particulière, il faudra accroître la complexité de la grammaire en y incluant d'autres règles morphologiques destinées à rendre compte de l'épellation des marqueurs de personne dans ces différentes conjugaisons. Considérons la ligne B, où les formes II et III ne présentent aucune trace phonétique d'un yod préfixé, ce qui ne nous a pas empêchés d'en postuler un dans les représentations sous-jacentes, de sorte qu'une même prononciation [kihpu] dérive dans la colonne III de /y+kip+u/ et dans la colonne IV de /kip+u/. Pourquoi n'avoir pas postulé /kip+u/ dans les deux colonnes ? Nous avons sans le dire raisonné de la façon suivante : si tous les verbes se conjuguent de la même manière, la représentation phonologique de la forme III B doit être /y+kip+u/, et celle de la forme IV B doit être /kip+u/, parallèlement à /y+put+u/ et /put+u/ dans la ligne A. Or certaines formes où les marqueurs de personne ne sont pas en cause (cf. (12) p. 127) nous obligent de toute manière à poser la règle phonologique Y-EF, et une grammaire qui contient cette règle associera justement la même représentation phonétique [kihpu] aux deux représentations phonologiques /y+kip+u/ et /kip+u/. Nous nous trouvons donc dans la situation suivante : notre grammaire doit de toutes façons contenir certaines règles morphologiques destinées à rendre compte de la conjugaison dans la ligne A, ainsi que la règle phonologique Y-EF, et toutes ces règles prises ensemble nous permettent de rendre compte aussi bien des formes de la ligne B. Nous n'avons donc aucune raison « d'aller chercher midi à quatorze heures » en supposant que les verbes du type B ont une conjugaison différente de ceux du type A. Rien ne nous empêche de supposer qu'ils ont la même, et ne pas le faire reviendrait à compliquer les règles morphologiques sans que rien vienne compenser cette complication. C'est un raisonnement analogue qui nous permet d'étendre le paradigme flexionnel de la ligne A à tous les autres verbes Zoque.

L'action des règles phonologiques interpose donc entre l'observateur et les mécanismes morphologiques comme un écran de variations superficielles qui en obscurcissent la netteté de contours. La description phonologique permet précisément de percer cet écran, de faire le tri entre celles des variations phonétiques qui sont imputables à des règles phonologiques de portée générale et celles qui relèvent de la morphologie. La description de la phonologie d'une langue ne peut pas être considérée comme une tâche isolée qui aurait sa fin en elle-même. Elle est indissolublement liée à la description des autres sous-systèmes dont l'ensemble intégré constitue la grammaire de la langue, et plus particulièrement à celle de la morphologie.

DEUXIÈME PARTIE

Questions de phonologie française

IV   Schwa dans les représentations sous-jacentes

Sous le titre « formation du féminin dans la langue écrite et dans la langue parlée », Marguerite Durand (1936 : 25) écrit : « La question est fort différente selon qu'il s'agit d'étudier la langue écrite ou la langue parlée [...] à part quelques détails de redoublement de consonnes finales ou l'adjonction d'accents à la voyelle de la syllabe finale, la règle de formation orthographique du féminin est la suivante : le féminin en français se forme en ajoutant un *e* muet après la dernière lettre du mot sous la forme masculine.

« Cette règle enseignée dans les écoles, dès les classes élémentaires, est la seule dont nous ayans conscience en ce qui concerne la différence des genres et l'on ne songe guère à rendre conscientes les règles inhérentes à la langue parlée. Que les lois de notre langue n'aient pas été l'objet du travail des grammairiens et qu'un explorateur rétablisse les règles grammaticales d'après la langue parlée, il n'aurait certainement pas l'idée de dire, d'après ce qu'il entendrait, que le féminin se forme en ajoutant un *e* muet à la fin du mot sous sa forme masculine. » Et elle ajoute p. 32 : « le féminin se forme en ajoutant des phonèmes au masculin pris pour base et ce phonème est une sonsonne, ce qui permet d'énoncer un premier résultat : le féminin, en français écrit [...] est caractérisé par une désinence vocalique, alors que, dans la langue parlée, il est caractérisé par une désinence consonantique. »

Pour illustrer les propos de Durand, il suffit de mettre les prononciations [pla] et [plat] en regard des graphies correspondantes *plat* et *plate*. Tandis que dans la prononciation on passe du masculin [pla] au féminin [plat] en ajoutant un [t] final, on passe de la graphie *plat* à la graphie *plate* en ajoutant la lettre *e*.

177

Nous nous proposons de montrer que le divorce entre prononciation et graphie n'est qu'apparent[1], et que pour rendre compte des alternances de genre dans toute leur généralité, les représentations phonétiques des adjectifs féminins doivent être dérivées de représentations phonologiques qui se terminent par un certain phonème vocalique que nous noterons à l'aide d'un *e* renversé ou « schwa ». /ə/ a ceci de particulier qu'il ne lui correspond en général aucun son au niveau phonétique. C'est ce phonème /ə/ que l'orthographe traditionnelle représente par un *e* muet[2]. En fin de mot, *e* muet ne se prononce en général pas, et indique simplement que la consonne représentée par la lettre précédente doit, elle, être prononcée. Nous allons montrer que lorsqu'on élargit progressivement le champ des données considérées, l'analyse de Durand (ou d'autres identiques dans leur principe[3]) ne peut être maintenue qu'au prix de complications croissantes qui obscircissent certaines régularités.

Durand (1936 : 73-104) a dressé une liste de quelques cinq mille six cent mots susceptibles d'alternances de genre (noms et déterminants de noms), d'où on peut tirer une liste exhaustive des diverses alternances phonétiques par lesquelles le français marque le genre. Comme les noms et les déterminants de noms sont soumis au même jeu d'alternances phonétiques et que les noms ne sont susceptibles d'alternances de genre que sporadiquement, nous simplifierons la discussion en la limitant au cas des déterminants de noms, des adjectifs principalement.

Certains adjectifs n'ont pas la même représentation phonétique selon qu'ils dépendent d'un nom masculin et d'un nom féminin. Par exemple *creux* se prononce [krö] dans *un plat creux* et [kröz] dans *une tasse creuse*. On dit que *creux* s'accorde en genre avec le nom dont il dépend, et qu'il a la forme masculine [krö] et la forme féminine [kröz]. D'autres adjectifs gardent au contraire la même représentation phonétique quel que soit le genre du nom dont ils dépendent. *bleu* se prononce [blö] aussi bien dans *un plat bleu* que dans *une tasse bleue*. Plutôt que de distinguer deux classes d'adjectifs, ceux comme *creux,* qui s'accorderaient en genre et auraient une forme masculine et une forme féminine,

1 Le présent chapitre reprend certains des arguments développés dans Schane (1968 *b*) et Dell (1973 *a*).

2 Cette analyse n'a rien d'inédit. Elle a par exemple été proposée, avec des divergences de détail, dans Hjelmslev (1948) et à sa suite Togeby (1951), dans De Félice (1950), Schane (1967, 1968 *a*, 1968 *b*) et Valdman (1970). Nous nous inspirons plus directement de la variante de Schane. En ce qui concerne les consonnes latentes, voyez également Bloomfield (1933 : 217) et Harris (1951 : 168-169).

3 Pour deux exemples particulièrement nets, voyez la préface de Nyrop (1903), et Blanche-Benveniste et Chervel (1969 : 131, 139, 180).

et ceux comme *bleu*, qui ne s'accorderaient pas et auraient une forme unique, nous supposerons que tous les adjectifs sont sujets aux règles d'accord et ont une forme masculine et une forme féminine, mais que ces formes ne sont pas toujours distinctes phonétiquement[4]. Comme Durand, nous partirons des seules représentations phonétiques, de ce qu'entendrait un ethnographe ignorant de nos traditions orthographiques. Nous distinguerons donc entre les adjectifs « invariables » (ceux dont la représentation phonétique est la même pour les deux genres) et les autres[5].

(1) Adjectifs « invariables ».

  a $v \sim v$: modèle *flou* [flu] $\sim$ *floue* [flu]; *carré, joli, poilu*, etc.[6]

  b $O \sim O$: modèle *vide* [vid] $\sim$ *vide* [vid]; *atroce, unique, triste, fourbe*, etc.

  c $N \sim N$: modèle *jaune* [žon] $\sim$ *jaune* [žon]; *sublime, digne, terne, calme, borgne*, etc.

  d   *autres* : *seul, pareil, rare, souple, pauvre*, etc.

(2) Adjectifs « variables ».

  e $v \sim vO$: modèle *plat* [pla] $\sim$ *plate* [plat]; *froid, laid, gros, jaloux*, etc.

  f $Vr \sim VrO$: modèle *court* [kur] $\sim$ *courte* [kurt]; *fort, pervers, lourd*, etc.

  g $\tilde{v} \sim \tilde{v}O$: modèle *grand* [grã] $\sim$ *grande* [grãd]; *long, saint, blanc, profond*, etc.

  h $\tilde{v} \sim vN$: modèle *plan* [plã] $\sim$ *plane* [plan]; *plein, fin, brun, bon*, etc.

Abstraction faite du cas des consonnes nasales, sur lequel nous reviendrons plus bas, les seules consonnes qui puissent jouer le rôle de désinence du féminin sont les obstruantes. Les adjectifs terminés par des liquides, ou des semi-voyelles sont en général invariables[7].

4 Cf. p. 186. Comparer avec le fait que certains verbes ont des formes distinctes pour l'indicatif présent et le subjonctif présent (*savent* $\sim$ *sachent*, *sont* $\sim$ *soient*), et d'autres non (*lavent* $\sim$ *lavent*).

5 Dans ce chapitre, *v* représente les voyelles non-nasales, $\tilde{v}$ les voyelles nasales, et *V* toutes les voyelles, sans distinction de nasalité. Pour les autres abréviations cf. page 66. Nous avons laissé de côté un petit nombre d'alternances (*neuf* $\sim$ *neuve*, *sec* $\sim$ *sèche*, *beau* $\sim$ *belle*, etc.) qui ne sont pas centrales pour notre propos, ainsi que les alternances $V \sim VOO$ (*suspect* $\sim$ *suspecte, distinct* $\sim$ *distincte*). Sur ces dernières, cf. Dell (1970 : 66-67) et Selkirk (1972 : 313-315).

6 Les formes invariables terminées par une voyelle nasale sont extrêmement rares. Durand n'en donne que quatre, *marron, grognon, ronchon, gnangnan*, auxquelles il faut ajouter *con* pour certains locuteurs.

7 Il y a des exceptions, dont la plus notable est celle des adjectifs en *-ier* $\sim$ *-ière*, comme *premier, droitier*, etc., cf. Selkirk (1972 : 343-345).

Dans une forme comme [dus] *douce*, Durand propose de considérer que le *s* final est une désinence du féminin. En d'autres termes elle propose que les représentations phonologiques de [du] *doux* et [dus] *douce* dérivent de quelque chose comme /du/ et /du+s/, où /du/ est la représentation phonologique du morphème *doux*, et /s/ celle du morphème *féminin*. De même [tut] *toute* dériverait de /tu+t/, où /tu/ est la représentation phonologique du morphème *tout* (qui apparaît sans désinence dans le masculin [tu] *tout*), et /t/ une autre représentation phonologique du morphème *féminin*. Il faut donc considérer le morphème *féminin* comme un morphème à supplétion qui se manifeste avec l'allophone /s/ derrière les morphèmes *doux, gros, pervers*, etc., avec l'allomorphe /t/ derrière *tout, fort, lent*, etc., avec l'allomorphe /z/ derrière *jaloux, mauvais, ras*, etc. Dans cette perspective, les adjectifs français se répartiraient entre un certain nombre de classes flexionnelles, tous les membres d'une même classe flexionnelle ayant en commun d'appeler une même consonne comme allomorphe du morphème *féminin*. Il y aurait autant de classes flexionnelles que de consonnes différentes qui peuvent être ajoutées en guise de désinence du féminin, plus la classe des adjectifs « invariables ».

Ainsi, de même que les verbes du français se répartissent entre plusieurs « conjugaisons » (« première conjugaison » : *graver, jouer, trancher*, etc., « deuxième conjugaison » : *gravir, jouir, franchir*, etc.), de même les adjectifs se répartiraient entre plusieurs « déclinaisons » : déclinaison en *s*, déclinaison en *t*, etc. Voilà une analyse qui donne à la morphologie des adjectifs français une allure un peu insolite, mais qui a pour elle de partir de la réalité phonétique plutôt que de l'orthographe, et d'être conçue avec méthode. Mais élargissons un peu l'éventail des données prises en considération.

Dans les mots dérivés d'adjectifs, c'est presque[8] toujours la forme féminine qui apparaît devant le suffixe dérivationnel : *étroit* [etrwa] ~ *étroite* [etrwat] ~ *étroitesse* [etrwatɛs] ; *jaloux* [žalu] ~ *jalouse* [žaluz] ~ *jalousie* [žaluzi] ; *gros* [gro] ~ *grosse* [gros] ~ *grossir* [grosir].

C'est encore la forme féminine qui apparaît lorsqu'un adjectif masculin singulier précède immédiatement un substantif qui commence par une voyelle[9] : *petit écrou* se prononce [pœtitekru] et non *[pœtiekru] ; *petit ami* et *petite amie* sont homophones : [pœtitami][10].

---

8 Il y a en effet des exceptions : *noire* ~ *noircir, nue* ~ *nudité*, etc.

9 Sur la liaison, cf. pages 41-42.

10 Nous laissons de côté certaines alternances de voisement : *fausse* [fos] ~ *faux ami* [fozami] ; *grande* [grãd] ~ *grand ami* [grãtami], cf. Schane (1967 : 42 ; 1968a : 127).

Schwa dans les représentations sous-jacentes

En parlant de la consonne finale de [pœtit] *petite* comme d'une désinence du féminin, on a l'air de suggérer qu'elle est spécialisée dans l'indication du féminin. Or les faits dont il vient d'être question montrant qu'il n'en est rien : cette même consonne apparaît dans *petitesse,* où le problème du genre de *petit* ne se pose pas, et dans *petit écrou* où l'adjectif est masculin puisque s'accordant en genre avec le nom *écrou.* Plutôt que de forme masculine et de forme féminine, mieux vaut parler de forme courte et de forme longue [11] par exemple. D'autant que l'apparition d'une consonne intercalaire dans la dérivation et la liaison s'observe aussi bien dans de nombreux mots complètement étrangers aux alternances de genre. Donnons quelques exemples. Dans la dérivation : *débarras* [debara] ~ *débarrasser* [debarase], *mât* [ma] ~ *mâture* [matür], *tard* [tar] ~ *tar-der* [tarde]. Dans la liaison : *chez* se prononce [še] dans *chez lui* et [šez] dans *chez eux.* De même que dans les adjectifs, la consonne intercalaire qui apparaît dans les formes que nous venons de citer et dans toutes les autres formes ana-logues est forcément une obstruante. Notons pour couronner le tout que lors-qu'un même mot non susceptible d'alternances en genre peut apparaître alterna-tivement comme base dérivationnelle ou en liaison avec le mot suivant, c'est la même obstruante intercalaire qui apparaît dans les deux cas. *trois* par exemple, appelle la consonne *z* dans un cas comme dans l'autre : *trois fils* [trwafis], *troisième* [trwazyɛm], *trois ans* [trwazã].

Ainsi, indépendamment des alternances de genre, de nombreux morphèmes oscillent entre deux réalisations différentes dont l'apparition est conditionnée par le contexte : une forme courte et une forme longue qui s'en distingue par une obstruante finale supplémentaire, obstruante qu'on appelle une « consonne latente ». Nous pouvons postuler pour tous les morphèmes, qu'ils soient sus-ceptibles ou non d'alternances en genre, une représentation sous-jacente unique qui correspond à la forme longue, et dont la forme courte se déduit par sous-traction du segment final si celui-ci est une obstruante. Ainsi *plat* a la repré-sensation sous-jacente /plat/, d'où la prononciation [plat] dans *plate, platitude,* où le *t* final est maintenu, et la prononciation [pla] dans *plat,* où il est effacé. *rare* et *flou* auront de même les représentations sous-jacentes /rar/ et /flu/, mais comme /r/ et /u/ ne sont pas des obstruantes, ils ne disparaissent jamais, et la forme longue et la forme courte sont identiques. Leur prononciation est donc la même dans tous les contextes : [flu], [rar].

Reste à formuler la règle qui est responsable de l'effacement des obstruantes finales. Si on remarque que la quasi-totalité des suffixes dérivationnels du français

11 Nous empruntons ces termes à Blanche-Benveniste et Chervel (1969 : 131).

commencent par une voyelle, on ne peut manquer d'être frappé par le parallélisme entre le maintien de la consonne latente dans la liaison et son maintien dans la dérivation : dans les deux cas, le morphème suivant commence par une voyelle et est étroitement lié au morphème précédent, c'est-à-dire qu'il en est séparé par une frontière de morphème (*petit+esse*) ou par une seule frontière de mot (*petit#écrou*). En laissant pour l'instant de côté les formes féminines, on peut dire qu'une obstruante finale de morphème est effacée dans tous les contextes autres que —— + *V* et —— # *V*, c'est-à-dire dans les contextes suivants :

—— +C : petit+s#ami+s [ptizami] / *[ptitzami]

—— #C : petit # clou [ptiklu] / *[ptitklu]

—— # # : c'est trop petit # # [pti] / *[ptit]

Nous poserons donc les règles de troncation TRONC$_a$, TRONC$_b$ et TRONC$_c$, qui peuvent être fusionnées en le schéma TRONC[12] :

TRONC$_a$: [– son] → Ø / —— +C

TRONC$_b$: [– son] → Ø / —— #C

TRONC$_c$: [– son] → Ø / —— # #

$$\text{TRONC} \ : \ [-\text{son}] \ \rightarrow \ \emptyset \ \Big/ \ —— \left\{ \begin{Bmatrix} + \\ \# \end{Bmatrix} C \atop \# \# \right\}$$

Cette analyse rend compte de façon particulièrement simple de la façon dont le pluriel est marqué sur les noms et les déterminants de noms. Abstraction faite de cas particuliers comme *mon* ~ *mes*, *votre* ~ *vos*, *principal* ~ *principaux*, *œil* ~ *yeux*, qui réclament la mise en œuvre de mécanismes supplémentaires, il suffit de supposer que pour former le pluriel d'un nom ou d'un déterminant

12 Il ne s'agit que d'une première approximation. Schane (1967, 1968*a*) a proposé une analyse ingénieuse qui permettait de fusionner TRONC$_a$ et TRONC$_b$ avec la règle d'élision qui est responsable de la chute de la voyelle de l'article (chute marquée par une apostrophe dans la graphie) dans *l'étoile*, *l'ami*, mais il ne semble pas que cette solution puisse être retenue, cf. là-dessus Milner (1967), Dell (1970) et Selkirk (1972).

de nom on ajoute /z/ à la représentation sous-jacente de la forme correspondante au singulier. Comme /z/ est une obstruante, il est effacé par TRONC chaque fois qu'il se trouve dans un contexte approprié, et ne se manifeste phonétiquement (comme [z]) que lorsqu'il n'est pas du ressort de TRONC, c'est-à-dire lorsqu'il se trouve dans le contexte —— # V, autrement dit lorsque les conditions syntaxiques permettent la liaison avec le mot suivant et que ce mot commence par une voyelle. Prenons par exemple *un petit écrou* et *des petits écrous*. Au singulier / # pətit # ekru # # /[13] le *t* final de *petit* n'est pas du ressort de TRONC, d'où finalement [ptitekru]. Au pluriel / # pətit+z # ekru+z # # /, ce *t* est effacé par application de TRONC$_a$, car il est séparé de la voyelle initiale de *écrous* par le *z* du pluriel. Quant à lui, ce *z* se maintient, car il n'est pas du ressort de TRONC. Enfin le *z* final de /ekru+z # # / est effacé par application de TRONC$_c$, d'où finalement [ptizekru]. A l'opposé de la différence entre [ptitekru] et [ptizekru], on prononce pareillement [ptiklu] dans *un petit clou* et *des petits clous*. Au singulier / # pətit # klu # # / le *t* final de *petit* est effacé par TRONC$_b$. Au pluriel / # pətit+z # klu+z # # / il est effacé par TRONC$_a$ devant le *z* qui suit tandis que celui-ci est lui-même effacé par TRONC$_b$. Enfin le *z* final de / # klu+z # # / est effacé par TRONC$_c$. Nous voyons donc que si l'opposition entre le singulier et le pluriel se manifeste par une différence de prononciation dans le cas de *petit écrou* ∼ *petits écrous* mais pas dans le cas de *petit clou* ∼ *petits clous*, ceci découle simplement de l'existence de la règle phonologique TRONC, règle qui permet à l'allomorphe /z/ du morphème du pluriel de se manifester phonétiquement dans certains contextes et qui en supprime toute trace dans d'autres.

Nous donnons ci-dessous la structure superficielle[14] de *petits écrous*, sa représentation phonologique et sa représentation phonétique, avec en parallèle les représentations analogues pour *petits clous* :

(a)　　# *petit*+*plur* # *écrou*+*plur* # #　　　　# *petit*+*plur* # *clou*+*plur* # #

(b)　　/ # pətit+　z　# ekru +　z　# # /　　/ # pətit+　z　# klu +　z　# # /

(c)　　　　　　　[ptizekru]　　　　　　　　　　[ptiklu]

13 Le symbole *ə* qui figure dans la représentation sous-jacente de *petit* sera expliqué plus bas.

14 Sur l'omission des parenthèses étiquetées, cf. page 69.

Le parallélisme entre les structures superficielles de la ligne (a) vient du fait que la composante syntaxique du français contient une règle d'accord parfaitement générale qui introduit le morphème *plur* (« pluriel ») derrière tous les déterminants d'un nom qui est lui-même suivi du morphème *plur*. Cette règle affecte l'adjectif *petit* devant le nom pluriel *clous* aussi bien que devant le nom pluriel *écrous*. Le parallélisme entre les représentations phonologiques de la ligne (b) vient de ce qu'il existe une règle d'épellation unique qui associe une même représentation phonologique /z/ à toutes les occurrences du morphème *plur* présentes dans les structures superficielles. Le parallélisme n'est finalement rompu que lorsqu'on passe de la ligne (b) à la ligne (c), c'est-à-dire par l'effet des règles phonologiques ; *écrous* commence par une voyelle, tandis que *clous* commence par une consonne, d'où le maintien du *z* du pluriel dans un cas et sa disparition dans l'autre. La règle phonologique TRONC, qui doit de toute façon figurer dans la composante phonologique du français si nous voulons pouvoir rendre compte des alternances entre forme longue et forme courte discutées précédemment, nous permet donc également de rendre compte de la distribution complexe des *z* du pluriel au niveau phonétique tout en posant pour l'accord en nombre proprement dit des mécanismes syntaxiques (règle d'accord) et morphologiques (règle d'épellation) d'une grande simplicité. Ceci n'est évidemment possible qu'à condition de postuler des représentations phonologiques suffisamment abstraites, c'est-à-dire suffisamment éloignées des représentations phonétiques qui leur correspondent. Si nos représentations phonologiques ne contenaient d'occurrences du phonème /z/ qu'aux points où un [z] est effectivement prononcé, nous serions obligés de considérer l'apparition de [z] dans [ptizekru] et sa non-apparition dans [ptiklu] comme découlant de propriétés qui caractérisent en propre l'accord en nombre. Si nous supposions par exemple que la présence de [z] dans [ptizekru] et son absence dans [ptiklu] s'expliquent par le fait que la règle syntaxique d'accord a pris effet dans le premier cas mais pas dans le second, en d'autres termes si nous supposions que l'adjectif *petit* est suivi du morphème *plur* dans la structure superficielle de *petits écrous* mais pas dans celle de *petits clous,* il faudrait formuler la règle syntaxique d'accord de façon plus restrictive : « un déterminant de nom s'accorde au pluriel avec le nom dont il dépend si ce nom est lui-même au pluriel *et si en outre le déterminant de nom en question précède immédiatement, dans des conditions qui permettent la liaison, un mot commençant par une voyelle* ». Compte tenu du fait que l'allomorphe du morphème *plur* est une obstruante (/z/), la condition en italiques que nous venons d'inclure dans la formulation de la règle d'accord en nombre (règle de la composante syntaxique) fait double emploi avec la règle TRONC (règle phonologique). Cette condition caractérise précisément les contextes où une obstruante située en fin de mot ne tombe pas sous le coup de TRONC. Formuler ainsi la règle d'accord en nombre revient à nier l'évidence : l'alternance entre [z] et zéro que l'on constate dans *petits écrous* ~ *petits clous* ne reflète aucune propriété qui soit propre à la règle d'accord en nombre. Elle relève d'un mécanisme parfaitement général, le même qui est responsable de l'alternance entre [t] et zéro dans *petit écrou* ~ *petit clou* et de celle entre [z] et zéro dans *chez elle* ~ *chez lui*.

Si la règle TRONC prédit correctement le comportement des consonnes latentes dans les cas de dérivation et de liaison examinés plus haut, il est apparemment un cas où elle est en défaut, celui des formes féminines. Considérons par exemple *petite clef* [ptitkle] et *petites étoiles* [ptitzetwal]. A ne considérer que ce qui apparaît directement au niveau phonétique, le *t* final de *petite* dans [ptitkle] est immédiatement suivi du *k* initial du mot suivant et devrait être effacé par TRONC$_b$, tout comme il l'est dans *petit clou*. De même dans [ptitzetwal], où il précède immédiatement le *z* du pluriel, et devrait être effacé par TRONC$_a$, ainsi qu'il l'est effectivement dans *petits écrous*. Il semblerait donc qu'il faille marquer systématiquement les formes féminines comme des exceptions à TRONC. A moins qu'il ne s'agisse que d'exceptions apparentes, et que le comportement de ces formes découle naturellement d'une propriété de leurs représentations phonologiques qui n'est pas immédiatement perceptible au niveau phonétique.

Imaginons que pour former le féminin de n'importe quel déterminant de nom, on lui ajoute une désinence consistant en une certaine *voyelle* /ə/, et que cette voyelle se réalise phonétiquement comme zéro la plupart du temps. *petite* a par exemple la représentation phonologique /#pətit+ə#/, et *petites* la représentation phonologique /#pətit+ə+z#/. Du coup, le *t* final de l'adjectif *petit* ne peut pas être effacé par TRONC, puisqu'il est immédiatement suivi d'une voyelle, et il apparaît intact au niveau phonétique, tout comme il le fait devant la voyelle du suffixe dérivationnel *-esse* dans *petitesse*. Dans cette hypothèse, l'opposition entre les représentations phonétiques [pti] *petit* et [ptit] *petite* est la manifestation superficielle d'une opposition sous-jacente entre les représentations /#pətit#/ et /#pətit+ə#/. La voyelle /ə/ ne laissant aucun vestige direct au niveau phonétique, sa présence n'est signalée que de façon indirecte, par la présence de la consonne finale caractéristique de la forme longue. Dans le cas des adjectifs sans consonne latente comme *flou*, l'opposition entre la forme masculine /#flu#/ et la forme féminine /#flu+ə#/ n'est manifestée par aucune différence au niveau phonétique. Elles se prononcent toutes les deux [flu]. La forme longue et la forme courte étant identiques, il ne reste en surface aucune trace, même indirecte, de la présence de la désinence /ə/. L'invariabilité de ces adjectifs est somme toute un phénomène assez superficiel. Comme tous les autres adjectifs, ils sont sujets à la règle syntaxique qui accorde les adjectifs en genre avec le nom dont ils dépendent, et comme eux ils prennent au féminin une désinence dont la représentation phonologique est /ə/. Un concours de circonstances particulier empêche simplement cette désinence de laisser une marque matérielle dans la chaîne parlée. C'est un peu comme lorsqu'on applique à un corps au repos deux forces égales et de sens opposés ; les effets de ces forces s'annulent et le corps reste immobile comme s'il n'était soumis à aucune force.

A vouloir attribuer l'invariabilité de ces adjectifs à des causes plus profondes, comme par exemple en supposant qu'ils ne sont pas sujets à la règle syntaxique d'accord en genre, on tomberait dans des difficultés analogues à celles dérites plus haut en ce qui concerne l'accord en nombre[15].

Tout ce que nous savons pour l'instant du phonème /ə/ dont nous avons postulé la présence dans la désinence du féminin, c'est que c'est une voyelle. Mais nous ne savons rien de son timbre, et il nous serait difficile d'être mieux renseignés s'il se réalisait toujours comme zéro. Heureusement pour nous il arrive que cette voyelle se manifeste en tant que telle dans la prononciation. Lorsqu'un adjectif féminin précède immédiatement un mot à « h aspiré »[16], /ə/ se réalise comme la voyelle [œ]. On dit par exemple *grosse outre* [grosutr], *grosse poutre* [grosputr], mais *grosse housse* se prononce [grosœus] et non *[grosus]. La voyelle [œ] qui apparaît dans ces cas-là correspond bien à un segment sous-jacent, et n'est pas simplement une voyelle qui serait insérée automatiquement par une règle phonologique chaque fois qu'un mot à consonne finale en précède immédiatement un autre à h aspiré : on comprendrait mal sans cela pourquoi un [œ] apparaît dans *quelle housse* [kɛlœus] et pas dans *quel hêtre,* qui se prononce [kɛlɛtr] (comme *quel être*) ou [kɛlʔɛtr], mais en tout cas pas *[kɛlœɛtr].

Si le français possède un certain segment sous-jacent qui se réalise tantôt comme zéro et tantôt comme [œ], il serait étonnant que ce segment n'apparaisse

15 Une telle hypothèse obligerait en outre à considérer que tous les adjectifs en *-al* ~ *-aux* ne s'accordent en genre que lorsque le nom dont ils dépendent est au pluriel : *un temps égal* [ɛ̃tãegal] ~ *une part égale* [ünparegal], mais *des temps égaux* [detãego] ~ *des parts égales* [deparegal]. Il serait impossible de faire apparaître dans toute sa généralité la similitude formelle profonde de l'accord en genre et de l'accord en nombre.

16 sur *h* aspiré, cf. page 256.

jamais que dans la désinence du féminin. De fait il est d'autres contextes où on constate la présence d'une voyelle [œ] alternant avec zéro. Considérons par exemple les verbes *secouer* et *skier*. Lorsque le mot précédent est terminé par une voyelle, le *s* et le *k* peuvent se prononcer à la file : [marisku] *Marie secoue*, [mariski] *Marie skie*. Lorsque le mot précédent est terminé par une consonne, il y a apparition d'un [œ] entre *s* et *k* dans *secouer* mais pas dans *skier* : [žaksœku] *Jacques secoue*, mais [žakski] *Jacques skie* (jamais *[žaksœki]). La même différence existe entre *pelouse* et *place*. On dit [lapluz] *la pelouse* et [laplas] *la place*, où *p* et *l* se prononcent à la file. Par contre on dit [sɛtpœluz] *cette pelouse* avec un [œ] intercalaire, mais [sɛtplas] sans [œ] intercalaire. La prononciation *[sɛtpœlas] est absolument exclue.

Pour rendre compte d'une alternance comme celle entre [sku] et [sœku], deux possibilités. La première consiste à poser la représentation sous-jacente /sku/, où aucune voyelle n'apparaît entre /s/ et /k/, et à supposer qu'il existe une règle phonologique d'épenthèse[17] qui insère une voyelle *œ* entre deux consonnes initiales de mot lorsque le mot précédent est terminé par une consonne. Appliquée à la représentation /žak##sku/ cette règle donnerait /žak##sœku/, d'où finalement [žaksœku]. Mais il faudrait considérer *skier* comme une exception à la règle d'épenthèse pour empêcher celle-ci d'opérer dans /žak##ski/ *Jacques skie*. Plus généralement, il faudrait répartir tous les mots dont la représentation phonologique commence par un groupe de consonnes entre deux classes : ceux qui sont régulièrement sujets à la règle d'épenthèse (*secouer, pelouse, ferais,* etc.) et ceux qui sont des exceptions à cette règle (*skier, place, frais,* etc.). Nous opterons plutôt pour la seconde possibilité qui se présente à l'esprit : la voyelle [œ] qui apparaît dans *Jacques secoue* est la réalisation d'une voyelle sous-jacente /ə/ qui peut être effacée dans certains cas. Nous poserons la règle suivante, qui efface les *ə* qui sont précédés d'une seule consonne à l'initiale de mot lorsque le mot précédent est terminé par une voyelle[18] :

$$\text{VCE}_1 : \quad \text{ə} \;\rightarrow\; \emptyset \quad / \quad \text{V}\#_1\,\text{C}\text{———}$$

---

17 On appelle épenthèse un processus phonologique qui introduit un segment non présent dans la représentation phonologique. Le segment ainsi introduit est dit épenthétique.

18 Sous les initiales VCE, lisez « voyelle-consonne-schwa ». Cette règle sera examinée en détail plus bas. Conformément à la convention adoptée page 145, $\#_1$ note une séquence d'un nombre indéterminé de frontières #. La règle opère en effet quel que soit le nombre de frontières de mot qui sépare les deux mots.

La représentation sous-jacente de *secoue* est /səku/. La règle VCE_1 efface schwa dans /mari##səku/, d'où [marisku]. Lorsque schwa n'est pas effacé, comme dans /žak##səku/, où la règle ne peut pas prendre effet, il est réécrit ultérieurement comme *œ*, d'où finalement [žaksœku]. *skie* a par contre la représentation sous-jacente /ski/, sans rien qui sépare le /s/ du /k/, et se réalise donc toujours comme [ski].

Pour rendre compte de l'effacement du schwa de la désinence du féminin dans des formes comme *petite clef* /#pətit+ə#kle##/, où il précède immédiatement la frontière de mot, et dans *petites épaules* /#pətit+ə+z#epol+z##/, où il est séparé de la frontière de mot par le *z* du pluriel, nous poserons la règle suivante[19] :

E-FIN : ə → Ø / ——— C_0#

Cette règle efface tout schwa qui précède immédiatement une frontière de mot ou n'en est séparé que par une séquence de consonnes. Afin de faire voir la façon dont opèrent les règles TRONC, E-FIN et VCE_1 nous donnons ci-dessous les dérivations de *deux petits trous* et *deux petites roues*, formes qui se prononcent l'une et l'autre [döptitru].

	/döz#pətit+z#tru+z##/	/döz#pətit+ə+z#ru+z##/
TRONC	dö #pəti #tru ##	dö #pətit+ə #ru ##
E-FIN		dö #pətit #ru ##
VCE_1	dö #p ti #tru ##	dö #p tit #ru ##
	[döptitru]	[döptitru]

TRONC doit être ordonnée avant E-FIN. En effet, si E-FIN s'appliquait avant TRONC, le schwa final de /pətit+ə+z#/ serait d'abord effacé par E-FIN, d'où /pətit+z#/, forme où plus rien ne protège le *t* final de la troncation devant le *z* du pluriel. TRONC doit par ailleurs précéder VCE_1 de façon à ce qu'au moment où VCE_1 est applicable dans la dérivation, le *z* final de /döz/ ait disparu et ne fasse pas obstacle à l'effacement du schwa de /pətit/. Il faut enfin que E-FIN précède VCE_1. En effet *petite mesure* se prononce [pœtitmœzür], jamais *[pœtitmzür]. Dans /pətit+ə#məzür/ le maintien du schwa de *mesure* s'explique en supposant que E-FIN commence par effacer le schwa final de *petite*, de sorte qu'au moment où VCE_1 est applicable le schwa de *mesure* est précédé de la séquence /t#m/, contexte où VCE_1 ne prend pas effet.

19 Sous E-FIN, lisez « schwa final ». Cette règle n'est qu'une première approximation. Sur l'effacement des schwas finaux, cf. le chap. VI.

Il n'y a rien de paradoxal dans le fait de considérer d'une part que la représentation de *petite* est terminée par une voyelle au moment où TRONC s'applique (d'où le maintien du *t* final), et de considérer d'autre part que cette représentation est terminée par une consonne au moment où VCE$_1$ s'applique (d'où le maintien du schwa de *mesure*). Ceci découle naturellement du fait que les règles s'appliquent dans l'ordre TRONC, E-FIN, VCE$_1$.

La possibilité de postuler des schwas finaux qui sont effacés par E-FIN nous amène à rendre compte de la façon suivante des adjectifs « invariables » à obstruante finale comme *lisse, moite, vide*, etc. Considérons par exemple *lisse*, qui se prononce toujours [lis]. Si sa représentation phonologique était /lis/, le *s* tomberait au masculin, et on aurait l'alternance [li] ∼ [lis] parallèlement à *las* [la] ∼ *lasse* [las] (de /las/ ∼ /las+ə/). Il faut plutôt attribuer à *lisse* la représentation phonologique /lisə/, avec un schwa final qui fait partie intégrante du thème. Au niveau phonologique, *lisse* a donc la structure /CVCV/, et son *s* n'a pas plus de raisons de tomber que celui de *lasso* (/laso/). Ainsi toutes les formes dont la représentation phonétique se termine par une obstruante finale « ferme » (c'est-à-dire qui ne tombe jamais) sont-elles terminées par un schwa au niveau phonologique[20] ; opposer /ešardə/ (*écharde*) et /bavard/ (*bavard* ∼ *bavarde*), /pəluzə/ (*pelouse*) et /žaluz/ (*jaloux* ∼ *jalouse*), /rɛšə/ (*rêche*) et /frɛš/ (*frais* ∼ *fraîche*), etc. Comme tous les autres, ces adjectifs prennent la désinence /ə/ au féminin. *lisse* a donc la forme masculine /#lisə#/ et la forme féminine /#lisə+ə#/.

L'analyse dont nous venons d'esquisser les grandes lignes est corroborée par le comportement des voyelles nasales[21]. Nous avons jusqu'ici laissé de côté les mots dont la forme longue se termine par une consonne nasale et la forme courte par une voyelle nasale, comme *plane* [plan] ∼ *plan* [plã], *plafonner* [plafɔne] ∼ *plafond* [plafɔ̃], *baigne* [bɛñ] ∼ *bain* [bɛ̃], etc. Ici la chute de la consonne finale s'accompagne toujours de la nasalisation de la voyelle précédente. Dans la

---

20 Il faut faire une exception pour certaines formes comme *sept*. Si *sept* avait la représentation /sɛtə/, on s'attendrait à ce que le schwa final soit maintenu devant un *h* aspiré. Or *sept housses* se prononce [sɛtus] ou [sɛtʔus], mais pas *[sɛtœus]. Force est donc d'admettre que certaines obstruantes sont des exceptions à la règle TRONC. Reste à distinguer en général entre les obstruantes qui ne tombent pas parce que protégées par un schwa final et celles qui font exception à la règle TRONC. Pour un début de discussion, cf. Schane (1967 : 46-49 ; 1968*a* : 8-9), Dell (1970 : 59-64), Selkirk (1972 : 326-333).

21 Sur les problèmes particuliers posés par les nasales dans la liaison, cf. les discussions détaillées de Selkirk (1972) et Dell (1973*b*). En ce qui concerne les mots à redoublement du type *cancan, flonflon*, etc., cf. Morin (1972).

logique de l'analyse que nous prônons, le féminin *plane* a la représentation phonologique /#plan+ə#/, de laquelle on dérive sans difficulté [plan] en appliquant la règle E-FIN. Le masculin *plan* doit avoir une représentation phonologique qui ne diffère de celle de *plane* que par l'absence de désinence du féminin, soit /#plan#/. Pour en dériver la représentation phonétique [plã], il faut postuler une règle qui nasalise toute voyelle précédant une consonne nasale située en fin de mot, et qui efface cette consonne nasale :

$$\text{NAS :} \quad \underset{1}{[+\text{ syll}]} \ \underset{2}{[+\text{ nas}]} \ \underset{3}{\#} \quad \to \quad \underset{1}{[+\text{ nas}]} \ \underset{2}{\varnothing} \ \underset{3}{\#}$$

Dans /#plan#/, cette règle récrit la séquence *an#* comme *ã#*, d'où finalement [plã]. La présence d'un schwa final dans la représentation /#plan+ə#/ sous-jacente à *plane* empêche NAS de prendre effet, puisque le *n* final du morphème *plan* est situé entre les deux voyelles *a* et *ə*. Quoiqu'il n'ait pas de manifestation phonétique directe, le schwa du féminin a exactement le même effet que la voyelle *i* dans /a+plan+ir/ (*aplanir*).

La règle NAS nous permet de ramener les alternances [plã] ~ [plan] et [pla] ~ [plat] (*plat* ~ *plate*) à la formule unique /X/ ~ /X+ə/, c'est-à-dire qu'elle nous permet de conserver toute sa généralité à la règle qui épelle la désinence du féminin comme /ə/. Elle nous permet d'autre part d'expliquer pourquoi il n'existe pas et ne saurait exister d'adjectif qui ait la forme féminine [plan] et la forme masculine [pla], parallèlement à [plat] ~ [pla]. La règle NAS garantit en effet qu'une consonne nasale finale caractéristique d'une forme longue ne peut pas tomber sans nasaliser préalablement la voyelle précédente.

Si nous avions opté pour une analyse où on obtient les formes longues à partir des formes courtes en leur ajoutant une consonne finale, dérivant par exemple [plan] *plane* à partir de la représentation /#plã+n#/, il aurait fallu faire figurer dans la grammaire une clause spéciale qui stipule que seules les formes courtes terminées par une voyelle nasale peuvent recevoir une consonne nasale. Il aurait d'autre part fallu postuler la règle NAS' :

$$\text{NAS' :} \quad [+\text{ syll}] \quad \to \quad [-\text{ nas}] \quad / \quad \underline{\quad\quad} [+\text{ nas}]\#$$

Alors que NAS nasalise les voyelles suivies d'une consonne nasale finale de mot, NAS' les dénasalise. Tandis que NAS décrit un phénomène d'assimilation qui est abondamment attesté dans les langues du monde, les cas de dissimilation semblables à NAS' sont à tout le moins rarissimes.

Une telle analyse se heurterait d'autre part à des difficultés dues au fait que l'opération de NAS a pour corollaires des ajustements de timbre qui entraînent dans certains cas la confusion phonétique de plusieurs voyelles sous-jacentes. Par exemple [i] a pour contrepartie nasale, non pas [ĩ], mais [ɛ̃] : *fine* [fin] ~ *fin* [fɛ̃], *latine* [latin] ~ *latin* [latɛ̃], etc. Mais à [ɛ̃] correspond dans certains cas [i], dans d'autres cas [ɛ] (*plein* [plɛ̃] ~ *pleine* [plɛn]), dans d'autres encore [ü] (*un* [ɛ̃] ~ *une* [ün]). Ainsi, étant donné le timbre d'une voyelle non-nasale qui figure dans la forme longue, on peut toujours en déduire le timbre de la voyelle nasale qui figure dans la forme courte correspondante, mais la réciproque n'est pas vraie : à une même voyelle nasale peuvent correspondre dans les formes longues plusieurs voyelles non-nasales. Si la représentation de *fine* est /#fɛ̃+n#/ et que celle de *saine* est /#sɛ̃+n#/[22], aucune différence formelle entre ces deux représentations n'indique que le résultat de la dénasalisation de /ɛ/ doit être [i] dans la première forme et [ɛ] dans la seconde. Notre analyse évite toutes ces difficultés. *fine* et *saine* dérivent sans problème de /#fin+ə#/ et /#sɛn+ə#/ par application de E-FIN. *fin* et *sain* dérivent de /#fin#/ et /#sɛn#/ par application de NAS d'où les représentations intermédiaires /#fĩ#/ et /#sɛ̃#/. On passe de /#fĩ#/ à l'output final [fɛ̃] par application de certaines règles phonologiques qui rajustent le timbre de certaines voyelles nasales, et qui ont entre autres pour effet de réécrire *ĩ* comme *ɛ̃*[23].

En écrivant la règle NAS, nous affirmons que *certaines* voyelles nasales dérivent de séquences phonématiques /VN/ : celles qui alternent en fin de mot avec [vN] dans les représentations phonétiques. Mais que dire de celles qui n'entrent pas dans de telles alternances, par exemple celle de *hareng* [arã], *selon* [sœlɔ̃], *lent* [lã] ~ *lente* [lãt], etc.? Rien ne laissant jamais supposer la présence d'une consonne nasale, nous n'avons à première vue aucune raison de ne pas faire dériver ces voyelles d'authentiques phonèmes /ã/ et /ɔ̃/. Dans cette perspective, [marɔ̃] dérive de /#marɔ̃+ə#/ dans *jupe marron* et de /#marɔ̃#/ dans *chapeau marron*, tout comme [blö] dérive de /#blö+ə#/ dans *jupe bleue* et de /#blö#/ dans *chapeau bleu*. Il est curieux de constater à quel point les adjectifs « invariables » terminés par une voyelle nasale sont rares[24], tandis que ceux terminés par une voyelle non-nasale sont monnaie courante.

Supposons au contraire que l'inventaire des phonèmes du français ne contienne que des voyelles non-nasales, et que *toutes* les voyelles nasales qui apparaissent au niveau phonétique dérivent de séquences sous-jacentes /VN/[25].

22 ... par opposition à celle de *sainte*, qui serait /#sɛ̃+t#/.
23 Sur ces règles cf. Schane (1968*a* : 45-50).
24 cf. note 6 page 179.
25 cf. Schane (1968*a* : 142-143).

Les séquences /VN/ se réalisent comme [ṽ] non seulement devant une frontière de mot, mais aussi devant une consonne. Il faut reformuler NAS comme suit :

$$\text{NAS :}\quad [+\text{ syll}]\ [+\text{ nas}]\ \begin{Bmatrix} C \\ \# \end{Bmatrix} \quad \rightarrow \quad [+\text{ nas}]\ \emptyset\ \begin{Bmatrix} C \\ \# \end{Bmatrix}$$
$$\qquad\qquad\quad 1 \qquad\ \ 2 \qquad\ \ 3 \qquad\qquad\quad 1 \qquad 2 \qquad 3$$

La représentation phonologique de *lent* est /#lant#/, où *an* est récrit *ã* devant le *t* suivant en vertu de NAS. Ce *t* est par ailleurs effacé par TRONC, d'où finalement la représentation phonétique [lɑ̃]. Toute séquence [NC] qui apparaît dans une représentation phonétique dérive d'une séquence /NəC/. Car si la consonne nasale avait été au contact de la consonne suivante dès le niveau phonologique, elle serait tombée après avoir nasalisé la voyelle précédente. Ainsi la représentation lexicale de *canneton* [kɑ̃tɔ̃] est /kanətɔn/, tandis que celle de *canton* est /kantɔn/.

Comme les adjectifs prennent normalement la désinence /ə/ au féminin, il ne saurait y avoir de formes féminines terminées phonétiquement par une voyelle nasale, puisque toute voyelle nasale dérive d'une séquence /VN/, et que /VN/ ne peut pas se réaliser comme [ṽ] lorsqu'une voyelle suit. La représentation phonologique de *marron* doit être /#marɔn#/ dans *jupe marron* aussi bien que dans *chapeau marron*. Si *bleu* et *marron* sont des adjectifs « invariables », ce n'est pas pour les mêmes raisons. *bleu* est invariable parce que les règles phonologiques associent la même représentation phonétique aux représentations phonologiques /#blö+ə#/ et /#blö#/. *marron* est invariable parce que contrairement à la règle générale il ne prend pas la désinence /ə/ au féminin et a en conséquence la même représentation phonologique /#marɔn#/ aux deux genres. L'invariabilité de *bleu* n'est que le résultat du fonctionnement normal des règles morphologiques et phonologiques. Celle de *marron* témoigne d'un comportement aberrant du point de vue syntaxique ou morphologique [26].

L'impossibilité d'avoir des adjectifs qui prennent régulièrement la désinence /ə/ et dont la représentation phonétique se termine par une voyelle nasale au féminin doit être rapprochée du fait général suivant : au niveau phonétique, le français n'admet pas à l'intérieur des mots de séquence de deux voyelles dont la première soit nasale. Il existe des séquences comme [ea] (*béat*), [eɑ̃] (*séance*), mais il n'existe pas de séquence *[ɛ̃a] ou *[ɛ̃ɑ̃]. En effet, si à l'intérieur d'un mot toute voyelle nasale [ṽ] dérive d'une séquence /VN/ située devant une consonne, une séquence [ṽV] ne saurait dériver que d'une séquence /VNCV/ où C est tombé après

26 Il n'est pas rare d'entendre des enfants dire *jupe marronne*, en traitant *marron* comme un adjectif régulier.

nasalisation de la première voyelle et chute de *N*. Or il n'existe en français qu'une seul consonne qui puisse tomber entre deux voyelles, *h* aspiré[27], qui n'apparaît que très rarement au milieu d'un mot. En dehors de ce cas, illustré par *enhardir* [ãardir] et *Panhard* [pãar], les mots français ne comportent pas de séquence [ṽV].

Pour conclure ce chapitre, une remarque qui nous ramène à notre point de départ. Comme le fait remarquer Schane (1967 : 58; 1968 *a* : 16-17), les graphies traditionnelles sont très proches de nos représentations phonologiques en ce qui concerne le traitement des consonnes latentes et des schwas finaux. Comme nous n'avons à aucun moment tiré argument des faits de graphie pour étayer notre analyse, cette remarque n'a aucun caractère de nécessité logique; il s'agit d'une constatation empirique. Elle n'a rien qui doive intriguer, si on partage l'opinion communément admise que pour l'essentiel, le principe des écritures alphabétiques est de « coller » phonème par phonème aux représentations phonologiques. Encore faut-il se mettre d'accord sur ce qui compte comme une « représentation phonologique » du français. Si à propos de graphies comme *plate* ([plat]) et *plat* ([pla]), Blanche-Benveniste et Chervel (1969 : 139) s'étonnent de « ... cette pratique paradoxale qui consiste à écrire une voyelle pour faire prononcer une consonne [... et qui] crée une situation fictive où la consonne est traitée comme si elle se trouvait à l'intervocalique dans le mot, et non à la finale », c'est qu'au terme de leur analyse il y a les représentations phonologiques /#plat#/ et /#pla#/. En généralisant le *t* de la forme longue, ce qui permet d'associer à toutes les occurrences du morphème *plat* la séquence graphique invariante *P-L-A-T*, l'orthographe française aurait, à en croire Blanche-Benveniste et Chervel, recours à un procédé caractéristique des écritures idéographiques, qui transcrivent toutes les occurrences d'un morphème à l'aide d'une unité graphique unique, sans tenir compte des variations de prononciation d'une occurrence à l'autre. Nous avons au contraire montré que les représentations /#plat#/ et /#pla#/ n'ont qu'un statut intermédiaire et dérivent de représentations plus abstraites /#plat+ə#/ et /#plat#/ par application des règles TRONC et E-FIN. L'invariance de la représentation orthographique du morphème *plat* reflète l'invariance de sa représentation phonologique[28]. Les défauts de l'orthographe française actuelle ne se comptent pas, mais on est forcé de reconnaître que sur ce point au moins elle offre un reflet fidèle de la réalité linguistique.

---

27 Cf. page 256.

28 Notre analyse prédit que les écoliers ne devraient éprouver aucune difficulté particulière à maîtriser les règles orthographiques qui veulent que *plate* se lise [plat], et *plat,* [pla], puisque ces règles ont pour contrepartie exacte les règles E-FIN et TRONC.

V Schwa en syllabe fermée

PRÉLIMINAIRES

Un mot d'abord sur le parler qui est décrit ici. C'est celui de l'auteur[1]. Le comportement de schwa est l'un des domaines où les variations d'un locuteur à l'autre sont très fréquentes, même entre gens dont les prononciations sont très semblables. Il est donc à prévoir que de nombreux lecteurs, même universitaires, parisiens, et de la même génération, se trouveront en désaccord sur un point ou sur un autre avec les données qui servent de base à notre discussion. Il n'existe probablement pas deux individus qui aient des prononciations en tous points identiques, ce qui veut dire qu'il n'existe probablement pas deux individus dans la tête desquels soit entreposée exactement la même grammaire. Évidemment, les similitudes entre grammaires individuelles l'emportent largement sur les différences, sans quoi la communication serait impossible. Mais les différences sont trop considérables pour pouvoir être ignorées ou traitées comme des fluctuations accidentelles autour d'une fictive « prononciation moyenne »[2]. La grammaire intériorisée par chaque individu est unique lorsqu'on la prend comme un tout,

---

1 Né en 1943, a vécu dans un petit village de l'Yonne jusqu'en 1949, et réside à Paris depuis.

2 Il y a longtemps qu'on sait que certaines variations au sein d'une communauté linguistique sont en corrélation avec des variables sociologiques comme l'appartenance à telle catégorie sociale ou telle classe d'âge. Mais il a fallu attendre des études détaillées effectuées ces dernières années pour découvrir à quel point ces corrélations sont précises et systématiques. L'étude rigoureuse de la variation est certainement un des progrès les plus importants réalisés récemment en linguistique. On trouvera des exemples de variation et une discussion de leurs implications théoriques et méthodologiques dans Labov (1969, 1970, 1971) et Fasold (1970). Sur le rôle que la variation joue dans l'évolution linguistique, cf. Weinreich et al. (1968).

mais la spécificité de ce tout réside plutôt dans l'arrangement de ses parties que dans ces parties elles-mêmes, qui réapparaissent combinées de façon un peu différente dans les grammaires des autres individus. Ainsi, quoiqu'en droit la grammaire que nous allons construire ne vise à rendre compte que de notre propre prononciation, notre but en la construisant est surtout de fournir un système de référence utile pour l'étude des autres prononciations en usage en France.

La plupart des règles phonologiques qui concernent schwa sont assez « tardives ». Nous voulons dire par là qu'elles sont ordonnées après la plupart des autres règles phonologiques, et qu'en conséquence les représentations qui leur sont soumises sont assez proches des représentations phonétiques finales. Il est commode d'introduire la différence de sens suivante entre les expressions « représentation phonologique » et « représentation sous-jacente », que nous avons jusqu'à présent employées comme des synonymes : nous continuerons d'appeler « représentations phonologiques » les représentations qui sont l'input de la première règle phonologique, tandis que l'expression « représentation sous-jacente » englobera non seulement les représentations phonologiques, mais aussi tous les niveaux de représentation intermédiaires qui apparaissent en cours de dérivation. Les représentations sous-jacentes que nous aurons en vue seront en général les inputs des règles phonologiques tardives qui rendent compte du comportement de schwa, et non les représentations phonologiques proprement dites. Afin de ne pas compliquer inutilement, les représentations sous-jacentes que nous poserons ne différeront des représentations phonétiques finales que par les traits qui seront pertinents pour le fonctionnement des règles en discussion. S'agissant par exemple du sort de schwa dans *patienterez*, dont la représentation phonologique est quelque chose comme /pasiant+ə+r+ez/, nous nous contenterons de prendre en considération une représentation intermédiaire simplifiée comme /pasyãt+ə+r+e/, car en ce qui concerne le comportement du schwa, peu importe que dans [pasyãtre] *y* dérive de *i* par application de SEM, que *ã* dérive de *an* par application de NAS, et que le *z* final soit effacé par TRONC.

SCHWA ET Œ

Dans le parler décrit ici, schwa se réalise toujours comme [œ][3]. Pour nous *quel genêt* et *quel jeunet* sont absolument homophones ([kɛlžœnɛ]), de même pour *jeune vaurien* et *je ne vaux rien* ([žœnvoryɛ̃]).

3 Seule exception, schwa maintenu devant pause, comme dans *sur ce, prends-le,* où il oscille entre [œ] et une voyelle très proche sinon identique à celle de *peu* [pö].

Ces exemples viennent à propos nous rappeler que tous les [œ] qui apparaissent dans les représentations phonétiques ne dérivent pas de schwas sous-jacents. Le [œ] de *genêt* alterne avec zéro (*des genêts* [dežnɛ]), tandis que celui de *jeunet* se prononce quel que soit le contexte : *des jeunets* se prononce toujours [dežœnɛ], jamais *[dežnɛ]. Si nous attribuions à la première voyelle de *genêt, neveu, geler,* la même représentation sous-jacente /œ/ qu'à la première voyelle de *jeunet, neuvième, gueuler,* il serait impossible de distinguer dans les représentations sous-jacentes entre les *œ* qui peuvent alterner avec zéro et ceux qui ne le peuvent pas. C'est pourquoi nous réservons la voyelle sous-jacente /œ/ pour les *œ* du second type. Pour les premiers, nous avons posé une certaine voyelle sous-jacente /ə/. Pour l'instant, nous ne sommes pas capable de définir exactement la colonne de spécifications représentée par ce symbole ə. Nous admettrons simplement qu'il s'agit d'une voyelle ([+ syll, − cons]), et que cette voyelle est distincte de toutes les autres voyelles qui apparaissent dans les dérivations, de sorte qu'elle est la seule à pouvoir tomber sous le coup de règles comme E-FIN ou VCE_1. Nous admettrons aussi qu'une fois appliquées toutes les règles phonologiques qui effacent ou insèrent des schwas, la grammaire contient une règle qui récrit ə comme *œ*. Nous obtiendrons ainsi des dérivations comme les suivantes :

	les genêts	les jeunets	quels genêts
	/le # žənɛ/	/le # žœnɛ/	/kɛl # žənɛ/
VCE_1	le # ž nɛ		
ə → œ			kɛl # žœnɛ
	[ležnɛ]	[ležœnɛ]	[kɛlžœnɛ]

Dans cette perspective, les différences de timbre dans la prononciation de ə que l'on constate d'un locuteur à l'autre sont un phénomène superficiel[4]. Elles relèvent de règles phonologiques très tardives.

Il nous a paru commode de conserver la lettre ə dans nos représentations phonétiques pour noter les [œ] qui dérivent de schwa. Qu'il soit bien clair qu'il s'agit simplement d'un artifice de présentation. Lorsque dans ce qui suit nous notons [žənɛ], [žəle] pour *genêt, gelé,* c'est simplement une façon d'indiquer les prononciations [žœnɛ], [žœle] en attirant l'attention sur le fait que la première voyelle dérive de /ə/.

4 Sur ces différences, cf. par exemple Martinet (1945 : 63-70), Pleasants (1956), Zwanenburg (1968).

AJUSTEMENT DE E

La possibilité d'alterner avec zéro n'est pas la seule propriété qui distingue les [œ] issus de /ə/ de ceux issus de /œ/. Dans certaines conditions que nous allons tenter de définir, [œ] ou zéro issus de /ə/ alternent avec [ɛ], comme on le voit par exemple dans les alternances suivantes : *appeliez* [apœlye] ~ *appellera* [apɛlra] ~ *appel* [apɛl]; *hôtelier* [otœlye] ~ *hôtellerie* [otɛlri] ~ *hôtel* [otɛl]; *achevez* [ašve] ~ *achèvemént* [ašɛvmã] ~ *achève* [ašɛv]; *crevez* [krœve] ~ *crèvera* [krɛvra] ~ *crève* [krɛv][5], etc. A première vue le principe qui règle l'alternance de ə et ɛ semble très simple : on a ə en syllabe ouverte[6] et ɛ en syllabe fermée. Sachant qu'une voyelle se réalise comme ɛ en syllabe fermée[7], on ne peut pas prédire à tous coups comment elle se réalise en syllabe ouverte, comme le montre la différence entre les alternances *halète* [alɛt] ~ *halètement* [alɛtmã] ~ *haletant* [altã] et *alaite* [alɛt] ~ *alaitement* [alɛtmã] ~ *alaitant* [alɛtã]. Comparez de même les verbes *menez* et *gêner*, *lever* et *rêver*, etc. Par contre sachant qu'une voyelle se réalise comme schwa en syllabe ouverte, elle se réalise presque toujours[8] comme ɛ en syllabe fermée. C'est donc la voyelle ə, et non la voyelle ɛ, qui est sous-jacente aux alternances [ə] ~ [ɛ]. Nous sommes ainsi amenés à poser les règles ə-AJ$_a$ et ə-AJ$_b$, que nous allons examiner tour à tour[9] :

$$\text{ə-AJ}_a : \quad \text{ə} \ \rightarrow \ \text{ɛ} \quad / \ \text{——} \ C\#$$

$$\text{ə-AJ}_b : \quad \text{ə} \ \rightarrow \ \text{ɛ} \quad / \ \text{——} \ CC$$

Voyons d'abord les formes dont ə-AJ$_a$ est censée rendre compte. Il s'agit de formes où le ɛ issu de schwa est la dernière voyelle prononcée, comme dans

5 de /krəv/. Comparez avec *abreuvez* ~ *abreuve*, de /abrœv/.

6 Sur les syllabes ouvertes et les syllabes fermées, cf. page 211.

7 Le parler décrit ici ne fait pas de distinction entre *maitre* et *mettre*, *bêle* et *belle*, *fête* et *faite*, etc.

8 Nous laissons de côté les alternances ə ~ wa et ə ~ yɛ. Mis à part l'alternance entre formes fortes et formes faibles des pronoms (*que* ~ *quoi*, *me* ~ *moi*) et la conjugaison de quelques verbes usuels (*devons* ~ *doivent*, *venons* ~ *viennent*, ces alternances n'apparaissent que très sporadiquement et sont loin de jouer le rôle central que Schane (1968*a*) leur attribue dans la phonologie du français contemporain.

9 ə-AJ pour « ajustement de ə ».

appelle, appel, hôtel, achève, etc. Notons en particulier l'alternance à laquelle sont sujettes un certain nombre de formes qui se terminent orthographiquement par *-et : cachet* [kašɛ] ~ *cacheter* [kašte], et de même *paquet* ~ *empaqueter, jet* ~ *jeter, soufflet* ~ *souffleter, feuillet* ~ *feuilleter,* etc. Dans la logique de notre analyse, *cachet* doit avoir la représentation sous-jacente /#kašət#/, d'où /#kašɛt#/ par application de ə-AJ$_a$, et finalement [kašɛ] par troncation du *t* final.

S'il est nécessaire d'ordonner ə-AJ$_a$ avant TRONC pour lui permettre de dériver le ɛ de *cachet* et d'autres formes dont la dernière voyelle ne se trouve plus dans le contexte —— C # une fois que TRONC s'est appliquée, ə-AJ$_a$ ne peut plus nous servir à dériver le ɛ de formes comme *(il) achève, (il) cachette,* dont la dernière voyelle prononcée ne se trouve pas encore dans le contexte —— C # avant que TRONC ne s'applique. En effet, avant que TRONC ne s'applique, le schwa qui protège l'obstruante finale du radical de la troncation est encore présent, et ces formes ont les représentations /#ašəv+ə+t#/, /#kašət+ə+t#/[10]. Si c'est la même règle ə-AJ$_a$ qui est responsable du ɛ de *cachet* et de celui de *(il) cachette,* nous nous trouvons en face d'un paradoxe, car cette règle doit s'appliquer avant TRONC pour dériver *cachet,* mais après E-FIN — et donc après TRONC — pour dériver *cachette,* ce qui est contraire à notre hypothèse générale en vertu de laquelle l'ordre d'application des règles est le même dans toutes les dérivations[11]. Avant de remettre cette hypothèse en cause, voyons s'il n'est pas possible de mettre le ɛ de *cachette* sur le compte d'une autre règle que ə-AJ$_a$, règle dont nous aurions de toutes façons besoin pour d'autres raisons. Pour cela, nous allons examiner les formes dont ə-AJ$_b$ est censée rendre compte.

On en a vite fait le tour. Cette règle concerne toujours la dernière voyelle de morphèmes qui sont suivis d'un des trois suffixes *-ement, -erie* et *-er-* (futur)[12]. Ces suffixes sont avec *-eté* les seuls qui commencent phonétiquement par un segment consonantique dans certains contextes. En fait, à un niveau de repré-

---

10 Le *t* final est la désinence de la troisième personne, qui se prononce dans *quand l'achève-t-il ?*. Le schwa qui précède est une voyelle thématique caractéristique de la conjugaison en *-er* (cf. p. 213). Sur les terminaisons verbales, cf. De Félice (1950) et Schane (1968*a*, chap. 3).

11 Cf. page 96.

12 *-er-* se découpe comme /+ə+r+/, où /+ə+/ est la voyelle thématique de la première conjugaison (cf. p. 213) et /+r+/ le morphème du futur. Mais lorsque ce point n'interviendra pas dans notre argumentation, nous écrirons un suffixe unique /+ər+/ afin de ne pas surcharger inutilement les représentations.

sentation plus abstrait, ils commencent tous les trois par un schwa. Le comportement de ce schwa est régi par les règles qui effacent schwa à l'intérieur des mots, principalement la règle VCE$_2$ sur laquelle nous reviendrons en détail plus loin :

$$\text{VCE}_2 : \quad ə \;\rightarrow\; \emptyset \quad / \quad VC\text{—}$$

Schwa tombe lorsqu'il est précédé de *VC* mais se maintient lorsqu'il est précédé de *CC*. Ainsi le schwa initial de *-erie*, *-ement* tombe dans *hôtellerie*, *achèvement*, mais se maintient dans *ébénisterie* [ebenistəri], *raccordement* [rakɔrdəmã]. Quant au suffixe du futur, /ər/, son schwa initial apparaît phonétiquement, non seulement derrière *CC* (*écarterez* [ekartəre])[13], mais lorsque ce qui suit est *-ions*, *-iez*[14] : *appelleriez* [apɛlərye].

Dans des formes comme *achèvement* /ašəv+əmã/, *hôtellerie* /otəl+əri/, on pourrait supposer que la règle VCE$_2$ efface d'abord le second schwa, d'où /ašəv+mã/, /otəl+ri/, donnant naissance à un groupe *CC* qui permet ensuite à ə-AJ$_b$ de réécrire le premier schwa comme ε. Cette hypothèse est intenable pour la raison suivante. Nous verrons plus tard que lorsque VCE$_2$ prend effet dans une séquence *VCəCə*, elle efface soit le premier schwa soit le second, témoin par exemple *redevenir* qui peut se prononcer [rədvənir] ou [rədəvnir]. Or si VCE$_2$ effaçait le premier schwa de /ašəv+əmã/ et /otəl+əri/, on obtiendrait *[ašvəmã] et *[otləri]. On évite ceci en supposant qu'au stade de la dérivation où VCE$_2$ est applicable, le premier schwa a déjà été réécrit comme ε et n'est donc plus du ressort de VCE$_2$. Mais dans ce cas il faut postuler la règle ə-AJ$_c$, qui est ordonnée avant VCE$_2$ et réécrit schwa comme ε lorsque la voyelle de la syllabe suivante est elle-même un schwa. L'alternance *sevrez* [səvre] ~ *sèvrera* [sɛvrəra], de /səvr+e/ ~ /səvr+ər+a/, montre que les deux schwas peuvent être séparés par plus d'une consonne :

$$\text{ə-AJ}_c : \quad ə \;\rightarrow\; ε \quad / \quad \text{—}\, C_1\, ə$$

Cette règle est de toute façon nécessaire pour rendre compte de formes comme *appelleriez* /apəl+ər+i+e/ [apɛlərye], formes pour lesquelles ə-AJ$_b$ ne nous est d'aucun secours, puisque le deuxième schwa n'est pas effacé, et qu'en conséquence le premier schwa ne se trouve à aucun moment de la dérivation devant un groupe *CC*. C'est d'autre part ə-AJ$_c$ qui va nous servir à dériver *achève* et les formes analogues.

13 Cf. p. 231.
14 Cf. p. 257.

Telle qu'elle est formulée pour l'instant, ə-AJ$_c$ réécrit comme ɛ le premier schwa de n'importe quelle séquence ə C_1ə, sans se soucier de la distribution des frontières de morphème. Elle est trop générale. Schwa n'est jamais réécrit comme ɛ lorsqu'il se trouve en finale absolue de morphème, voyez par exemple le premier schwa de /də+vən+e/ *devenez* ou /rə+səməl+e/ *ressemelez*. Il ne l'est pas non plus lorsque le schwa de la syllabe suivante appartient au même morphème mais ne se trouve pas en finale absolue de morphème, ainsi que le montre la prononciation [ə] du premier schwa de *semel-* dans *semelle ~ ressemeler*, ou de *genev-* dans *Genève ~ genevois*. En fait schwa n'alterne jamais avec ɛ que dans le contexte /+X———C$_1$ə$_0$+/, c'est-à-dire lorsqu'il est la dernière voyelle d'un morphème terminé par une ou plusieurs consonnes (morphèmes du type /+XəC$_1$+/), ou lorsqu'il est l'avant-dernière voyelle d'un morphème terminé par une voyelle qui est elle-même un schwa (morphèmes du type /+XəC$_1$ə+/). Tous les morphèmes que nous avons envisagés jusqu'ici sont du type /+XəC$_1$+/ : /otəl/, /kašət/, /səvr/, etc. Mais considérons par exemple *étiquette* ou *Genève*, dont la dernière voyelle prononcée est sous-tendue par un schwa, témoin *étiqueter* [etikte], *genevois* [žənvwa]. Leurs représentations sous-jacentes doivent se terminer par un schwa, sans quoi l'obstruante finale serait tronquée au même titre que celle de *paquet, nerf* (cf. *énerver*). Ces représentations sont donc /etikətə/ et /žənəvə/.

Si nous attribuons aux suffixes *-ment* et *-erie* les représentations sous-jacentes /+ə+mã+/ et /+ə+ri+/, où /+ə+/ est un augment dont le statut morphologique reste à préciser, nous pouvons reformuler ə-AJ$_c$ de la façon suivante :

$$\text{ə-AJ}_c : \quad ə \rightarrow ɛ \ / \ \overbrace{\text{———C}_1} \ ə \ [-\text{seg}]$$

Cette règle réécrit schwa comme ɛ lorsqu'il est suivi d'une ou plusieurs consonnes qui appartiennent au même morphème que lui, et que la syllabe suivante contient un schwa qui précède une frontière de mot ou de morphème[15]. Nous convenons que lorsque la description structurale d'une règle contient l'expression $\widehat{XY}$, ceci veut dire que la règle en question affecte toutes les séquences *XY* où *X* et *Y* ne sont pas séparés par une frontière de morphème, mais pas les

---

15 Les frontières + et # sont en fait des colonnes de spécifications de traits, tout comme les « segments » (voyelles, consonnes, etc.). Les colonnes d'une matrice qui représentent des segments contiennent la spécification [+ segment], et celles qui représentent des frontières contiennent la spécification [− segment]. Pour plus de détails, cf. SPE p. 64, 66, 364.

séquences $X+Y$ correspondantes. L'introduction d'une telle notation est nécessaire, car ə-AJ$_c$ doit pouvoir affecter les séquences əC$_1$ə$[-seg]$ (comme dans
$/\#$etikətə$\#/$) ou les séquences əC$_1$+ə$[-seg]$ (comme dans $/\#$ašəv+ə+t$\#/$),
mais pas les séquences ə+C$_1$ə$[-seg]$[16] (comme ə+də+ dans /rə+də+vən+e/),
c'est-à-dire qu'il est essentiel que le premier schwa et la consonne qui suit appartiennent au même morphème. Voici donc un contre-exemple à la proposition (19)
de la page 136, que nous avions envisagée comme un candidat au statut
d'universal. Plutôt que d'abandonner (19) purement et simplement, il est probablement possible de lui substituer une proposition de moindre généralité qui
n'exclue pas totalement la possibilité de règles phonologiques opérant exclusivement à l'intérieur des morphèmes, mais qui limite cette possibilité à une classe
de cas aussi restreinte que possible. Nous laissons le problème ouvert[17].

Finalement, nous pouvons rendre compte de tous les faits d'ajustement
de schwa en écrivant le schéma ci-dessous, ordonné avant TRONC :

$$\text{ə-AJ} : \quad \text{ə} \rightarrow \text{ɛ} \quad \Big/ \quad \underline{\quad}\widehat{}\text{C}_1 \begin{Bmatrix} \# \\ \text{C} \\ \text{ə}[-\text{seg}] \end{Bmatrix} \qquad \begin{matrix}(a)\\(b)\\(c)\end{matrix}$$

Grâce à la notation $\widehat{XY}$, ə-AJ$_a$ réécrit schwa comme ɛ dans $/\#$kašət$\#/$ *cachet*,
mais pas dans $/\#$kaš+ə+t$\#/$ *(il) cache* ou dans $/\#$kɛlkə+z$\#/$ *quelques*. ə-AJ$_b$
rend compte de formes comme *cachets* $/\#$kašət+z$\#/$, *appels* $/\#$apəl+z$\#/$, etc.
Ainsi, le seul cas où le schwa d'un morphème de la forme $/+$XəC$_1$ə$_0+/$ ne soit
pas réécrit comme ɛ est celui où ce morphème est suivi d'une voyelle autre
que schwa, par exemple dans *cachetez*, qui a la représentation $/\#$kašət+ez$\#/$
au moment où ə-AJ est applicable.

Nous allons abandonner temporairement la règle ə-AJ et ouvrir une parenthèse concernant l'élision de schwa devant voyelle, ce qui nous permettra

16 Il n'existe pas de mots contenant des séquences ə+C$_1$+ə.
17 Nous maintenons bien entendu la convention (18) de la page 135. On peut très
bien adopter cette convention et ne pas considérer (19) comme universellement vraie.
L'adoption de (18) n'oblige à considérer (19) comme un universal qu'à la condition d'être
assortie de l'interdiction de toute notation du type $\widehat{XY}$. Une fois qu'on se permet d'employer
une telle notation, adopter la convention (18) revient simplement à affirmer que les
règles qui affectent à la fois les séquences XY et les séquences $X+Y$ ajoutent moins
à la complexité des grammaires que celles qui affectent seulement les séquences $X+Y$,
ou que celles qui affectent seulement les séquences XY. En effet, la formulation de ces
dernières requiert l'emploi d'un symbole supplémentaire (+ ou $\widehat{}$).

d'introduire une notion dont nous aurons besoin à plusieurs reprises dans ce qui suit, la notion de « restriction induite ».

Un schwa final de morphème tombe obligatoirement quand le morphème suivant commence par une voyelle, et ceci ne semble dépendre ni du nombre ni de la nature des frontières qui séparent les deux morphèmes[18] : comparez *refermer* et *rapporter, vers le pont* et vers *vers l'avion*; voyez aussi des homophonies comme celle de *il parle d'une autre* et *il parle du nôtre*[19]. Nous posons donc la règle d'élision suivante :

$$\text{ELIS} : \quad \text{ə} \;\rightarrow\; \emptyset \quad / \quad \underline{} [-\text{seg}]_1 \, V$$

Cette règle est obligatoire et n'admet aucune exception. Nous avons déjà dit que dans certaines formes de la conjugaison des verbes en -*er*, le radical du verbe est séparé de la terminaison par une voyelle thématique schwa, voyelle dont la présence est nécessaire pour empêcher la troncation de l'obstruante finale du radical, comme par exemple dans *(il) cachette*. A première vue, on n'a pas besoin de postuler de voyelle thématique dans des formes comme *cachetez*, puisque le *e* initial du suffixe -*ez* suffit à expliquer le maintien du *t* qui précède. Mais dans ce cas il faudrait que les règles morphologiques qui régissent la conjugaison des verbes en -*er* indiquent quelles terminaisons appellent une voyelle thématique et quelles terminaisons non. Il est plus simple de supposer que toutes les formes conjuguées des verbes en -*er* contiennent la voyelle thématique schwa dans leur représentation phonologique, et que comme tous les autres schwas qui précèdent une voyelle, cette voyelle thématique est effacée par ELIS lorsque la terminaison qui suit commence par une voyelle. *cachetez* a donc la représentation phonologique /kašət+ə+ez/, qui devient /kašət+ez/ par application de ELIS. De même ELIS récrit /etikətə+ə+ez/ (*étiquetez*) comme /etikət+ez/, et ceci doit évidemment se faire avant l'application de ə-AJ.

Telle que nous l'avons formulée, ELIS ne concerne que les schwas qui sont séparés de la voyelle suivante par une ou plusieurs frontières. Qu'en est-il des schwas qui précèdent immédiatement une voyelle appartenant au même morphème? Il nous est impossible de le savoir directement. Alors que le français permet en général les séquences *VV* à l'intérieur d'un même morphème (cf. *niais, pays, chahut*, etc.), il n'existe pas un seul morphème auquel il soit nécessaire d'attribuer une représentation phonologique qui contienne une séquence /əV/.

18 Mais cf. page 252.
19 Cf. Delattre (1966 : 145).

Ceci ne doit pas nous empêcher de reformuler ELIS de façon à ce qu'elle efface schwa même devant une voyelle qui appartient au même morphème, bien au contraire :

$$\text{ELIS} : \quad \text{ə} \quad \rightarrow \quad \emptyset \quad / \quad \text{———} [-\text{seg}]_0 \text{ V}$$

En effet, cette nouvelle formulation est plus générale que la précédente, tout en restant compatible avec l'ensemble des données. Imaginons que les séquences /əV/ soient possibles dans les représentations phonologiques, et qu'à côté du morphème *vélo,* qui a l'allomorphe /velo/, il en existe un autre qui ait l'allomorphe /vəelo/. Les représentations de ces deux morphèmes seraient toutes deux confondues en /velo/ après application de ELIS, et aboutiraient finalement à [velo]. Nous avons déjà rencontré maints cas où deux représentations phonologiques aboutissent à la même représentation phonétique. Ainsi certaines occurrences de [sɛ̃] dérivent de /#sɛn#/ (*sain*) et d'autres de /#sɛnt#/ (*saint*), selon qu'il s'agit de l'adjectif qui se prononce [sɛn] *saine* au féminin, ou de celui qui s'y prononce [sɛ̃t] *sainte*. Mais dans le cas particulier qui nous occupe, rien ne nous permet de lever l'ambiguïté. ELIS étant une règle obligatoire qui n'admet aucune exception, notre grammaire prédit que /velo/ et /vəelo/ auront toujours la même représentation phonologique [velo] *quel que soit le contexte*[20]. De tels cas d'ambiguïté systématique étendue à tous les contextes sont fréquents. Prenons par exemple le morphème *saint,* auquel nous venons d'attribuer l'allomorphe /sɛnt/. On pourrait aussi bien lui attribuer l'allomorphe /sint/, puisque la grammaire contient des règles phonologiques qui permettent de dériver [ɛ̃] de /in/[21]. Aucune alternance ne nous permet de choisir, puisque la tranche phonétique [sɛ̃-] reste invariante à travers toutes les occurrences de ce morphème.

Dans de tels cas, ce sont encore les considérations touchant à la complexité globale de la grammaire qui emportent la décision : parmi toutes les représentations qui sont à la fois compatibles avec les règles de structure morphématique et avec l'ensemble des données phonétiques, on choisit comme allomorphe la représentation la plus « simple », c'est-à-dire celle qui ajoute le moins à la complexité globale de la grammaire. C'est ce que pour la commodité de l'exposition nous baptiserons le « principe de la représentation la plus simple ». Le principe de la représentation la plus simple n'est pas autre chose qu'un cas particulier du principe général en vertu duquel, entre deux grammaires qui engendrent le même ensemble

---

20 Ce n'est pas le cas pour *sain* et *saint,* qui ne sont phonétiquement confondus que dans les contextes où TRONC peut prendre effet.

21 Cf. page 191.

de paires son-sens, on choisit la plus simple. Il n'est pas nécessaire d'entrer ici dans le détail des facteurs qui contribuent à la complexité des représentations lexicales. Disons simplement que la complexité d'une matrice phonologique dépend entre autres de la distance qui la sépare des représentations phonétiques correspondantes, et que dans les cas où plusieurs représentations phonologiques sont également possibles pour un même morphème, toutes choses égales d'ailleurs, on choisira celle qui se rapproche le plus des représentations phonétiques du morphème en question[22]. C'est à ce principe que nous nous sommes implicitement conformés lorsque nous avons attribué d'autorité à *vélo* l'allomorphe /velo/. A priori, /velot/, /velɔt/ ou /velɔp/ auraient aussi bien fait l'affaire, puisque la grammaire doit de toutes façons contenir des règles qui permettent de dériver [so] de /#sot#/ *saut*, [so] de /#sɔt#/ *sot*, et [galo] de /#galɔp#/ *galop*, et que ces règles associeraient forcément la représentation phonétique [velo] à /velot/, /velɔt/ et /velɔp/ dans tous les contextes où le morphème *vélo* est susceptible d'apparaître. Mais nous ne connaissons aucun fait qui donne à penser que la représentation phonologique de *vélo* soit terminée par une consonne. Préférer /velot/ et ses semblables à /velo/ serait compliquer inutilement le lexique. Pour les mêmes raisons, à supposer que /vɑelo/, /velɑo/ et /vɑelɑo/ soient des représentations phonologiques possibles, c'est-à-dire permises par les règles de structure morphématique, elles ne sauraient être retenues comme l'allomorphe du morphème *vélo,* car /velo/ rend compte des mêmes données à moindres frais.

Plus généralement, il est *par principe* impossible qu'une représentation phonologique de la forme /XəVY/ figure dans l'entrée lexicale d'un morphème, puisqu'à cette représentation on peut en associer une autre plus courte /XVY/ obtenue en en retranchant schwa, et que l'organisation de la composante phonologique garantit que ces deux représentations aboutiront toujours au même output quel que soit le contexte où elles se trouvent. Tout ceci pour dire qu'il est parfaitement superflu d'inclure dans la grammaire une règle de structure morphématique spécialement conçue pour interdire les séquences /əV/ dans les représentations phonologiques. L'impossibilité de telles séquences dans le lexique est une conséquence particulière du principe de la représentation la plus simple, étant donné que la composante phonologique comprend la règle ELIS, qui est obligatoire et n'admet aucune exception.

Parmi toutes les restrictions combinatoires que l'on constate au niveau des représentations phonologiques, on est ainsi amené à faire un sort particulier à celles que nous appellerons les « restrictions induites dans les représentations

---

22 Nous suivons ici Zimmer (1969).

phonologiques par la composante phonologique », ou plus brièvement les « restrictions induites ». Une fois admis le principe de la représentation la plus simple, ces restrictions découlent automatiquement de l'existence de certaines règles phonologiques, règles qui opèrent aussi bien à l'intérieur des morphèmes qu'aux jointures entre morphèmes. Les restrictions induites n'ont pas besoin d'être formulées explicitement. Seules doivent être formulées explicitement (sous forme de règles de structure morphématique) les restrictions qui ne sont pas des restrictions induites, comme par exemple les restrictions (R4) et (R5) de la page 102. En d'autres termes, l'ensemble des allomorphes possibles est l'intersection de deux ensembles : l'ensemble A des représentations compatibles avec les règles de structure morphématique, et l'ensemble B des représentations compatibles avec les restrictions induites. Soient par exemple en français les matrices /lã/, /lǝan/, /lan/ et /lant/. La représentation /lã/ n'appartient pas à l'ensemble A, car il existe une règle de structure morphématique qui exclut les voyelles nasales des représentations phonologiques [23], mais elle appartient à l'ensemble B. La représentation /lǝan/ appartient à l'ensemble A, car il n'existe pas de règle de structure morphématique qui interdise les séquences /ǝV/, mais elle n'appartient pas à l'ensemble B. Enfin /lan/ et /lant/ appartiennent à la fois à l'ensemble A et à l'ensemble B, et sont donc deux allomorphes possibles en français ; seule /lant/ est effectivement attestée (*lent*).

En reconnaissant l'existence de restrictions induites, nous nous évitons de faire figurer une même généralisation en deux endroits différents de la grammaire : une première fois sous la forme d'une règle phonologique et une seconde fois sous la forme d'une règle de structure morphématique [24]. Nous nous écartons ainsi de la doctrine communément admise, qui implique en fait que la classe des inputs possibles de la composante phonologique est définie par des règles qui sont toutes complètement extérieures au fonctionnement de cette composante : règles syntaxiques et règles de rajustement, au nombre desquelles figurent les règles de structure morphématique. En introduisant la notion de restriction induite nous impliquons au contraire que l'ensemble de ces règles ne définit pas complètement la classe des inputs possibles de la composante phonologique, et que certaines

---

23 Cf. la règle (R2) de la page 100.

24 Nous faisons allusion à un problème classique qu'on trouvera clairement posé dans Stanley (1967 : 402). C'est l'existence de restrictions induites qui explique par exemple la distribution des spécifications du trait [voix] dans les séquences d'obstruantes qui appartiennent à un même morphème en russe (Cf. Halle, 1959 : 61, 63-65), ou de celles du trait [arrière] dans les différentes voyelles d'un même morphème en finnois (cf. Kiparsky, 1968*b* et Rardin, 1969).

contraintes auxquelles ces inputs sont sujets découlent des propriétés de la composante phonologique elle-même.

Revenons maintenant à la règle ə-AJ. Des formes comme *achetiez* [aštye], *cabaretier* [kabartye] montrent que schwa n'est pas récrit comme ɛ devant ce qui se manifeste phonétiquement comme une séquence *Cy*. Ou bien on conserve ə-AJ$_b$ avec sa formulation présente, mais dans ce cas elle doit s'appliquer avant la règle SEM, qui récrit *i* comme *y*, ou bien on remanie le contexte de ə-AJ$_b$ en y remplaçant par [+ cons] le symbole *C* (abréviation de [− syll]) qui figure à droite de l'accolade, et alors l'ordre d'application de SEM et ə-AJ est indifférent. Nous ne connaissons aucune raison de préférer une solution à l'autre.

Dans les morphèmes auxquels nous attribuons des représentations sousjacentes de la forme /+Xəc$_{1_0}$+/, la présence de schwa ne peut pas toujours être prédite à partir de l'entourage phonique, et ne peut donc pas s'expliquer par l'action d'une règle phonologique d'épenthèse. C'est ce qu'illustre l'opposition entre *il triple* ([tripl], *[tripɛl]) et *il appelle* ([apɛl], *[apl]), et de même celles entre *il exalte* et *il halète*, *il riposte* et *il époussette*, *il contacte* et *il empaquette*, etc. Notons aussi qu'en cette position le phonème schwa est en perte de vitesse. Schwa ne figure en effet jamais dans les morphèmes nouveaux qui viennent enrichir le lexique. N'ayant plus aucun moyen de se renouveler, le stock des morphèmes qui contiennent une occurrence de schwa ne peut que décroître avec le temps. Il vaut la peine de s'arrêter sur le mécanisme de cette disparition progressive, car il illustre un type de processus qui se retrouve fréquemment dans l'évolution linguistique. Les morphèmes de la forme /+Xəc$_{1_0}$+/ et ceux de la forme /+Xɛc$_{1_0}$+/ sont phonétiquement indistinguables lorsqu'ils se trouvent dans un contexte où ə-AJ prend effet : la prononciation [desɛl] représente *il décèle* (de /de+səl+ə+t/) et *il déselle* (de /de+sɛl+ə+t/). Seules nous permettent de lever l'ambiguïté des formes apparentées comme *décelant* [deslã] et *désellant* [desɛlã], où les morphèmes en question sont suivis d'une voyelle autre que schwa. Mais demandez à quelqu'un qui ne les a jamais rencontrés de former des adjectifs sur *La Rochelle* et *Sartène*. Il vous proposera [rɔšɛlɛ] et [sartɛnɛ][25]. Ceci montre qu'il attribue à [rɔšɛl] et [sartɛn] les représentations phonologiques /rɔšɛl/ et /sartɛnə/ plutôt que les représentations /rɔšəl/ et /sartənə/ impliquées par les formes *rochelais* et *sartenais* que donne le *Petit Robert*. Plus généralement, lorsqu'un morphème se prononce [Xɛc$_1$] et qu'aucune alternance ne force les locuteurs à faire dériver le [ɛ] d'un schwa sous-

25 ... ou [rɔšɛlwa] et [sartɛnwa], le choix du suffixe *-ais* ou *-ois* importe peu.

jacent, ils le font dériver d'un /ɛ/[26]. Ainsi, à mesure que se distendent les liens entre les différents mots d'une même famille étymologique ou que certains d'entre eux tombent en désuétude, certains schwas sont réinterprétés comme des /ɛ/. Que *chandelier* vienne à disparaître, et *chandelle* verra son allomorphe actuel /šandəl/ remplacé par /šandɛl/.

Il existe un autre processus, complémentaire du précédent et fondé sur le même principe, qui affaiblit encore la position de schwa dans le lexique. Du fait de la règle VCE_2, les morphèmes de la forme $/+XVC\partial C\partial_0+/$ et $/+XVCC\partial_0+/$ sont phonétiquement confondus lorsqu'ils se trouvent dans un contexte où ə-AJ ne prend pas effet. Les prononciations [krakle] *craqueler* (de /krakəl+e/) et [rakle] *râcler* (de /rakl+e/) sont identiques à l'initiale près, et c'est l'existence des formes apparentées [krakɛl] *craquèle* et [rakl] *râcle* qui nous apprend que /k/ et /l/ sont séparés par un schwa dans la représentation phonologique du premier verbe et pas dans celle du second. Le verbe *(se) craqueler* est déjà d'un emploi assez peu fréquent. Qu'il vienne à disparaître, et il ne restera plus que *craquelé* (adjectif) et *craquelure*, où *craquel-* sera réinterprété comme /krakl/. De même Martinon (1913 : 174) a fait remarquer que le verbe *décolleter* est de plus en plus souvent conjugué comme *récolter*. Le radical *décollet-* n'est guère usité que dans l'adjectif et le nom *décolleté*, où il apparaît toujours sous la forme [dekɔlt-], et le nom *collet* sur lequel ce radical est bâti ne s'emploie plus couramment que dans des locutions figées comme *collet monté* ou *prendre au collet*. La relation étymologique n'étant plus sentie, rien n'empêche de réinterpréter comme /dekɔlt/.

Selkirk (1972 : 396-398) rend compte des alternances entre schwa et ɛ en supposant que la voyelle sous-jacente est non pas ə, mais ɛ, et en posant une règle phonologique qui récrit ɛ comme ə lorsque la syllabe suivante porte l'accent de mot. Cette règle affecte le deuxième ɛ de /arsɛl+ɛr+y+e/ *harcèleriez*, mais non le premier, d'où finalement [arsɛlərye].

Mais si nous demandons à quelqu'un de former des dérivés en *-iser, -isation* sur *empaquetable*, parallèlement à la série *rentable, rentabiliser, rentabilisation*, les formes fournies sont toujours [ãpaktabilize], [ãpaktabilizasyɔ̃], et non *[ãpakɛtabilize], *[ãpakɛtabilizasyɔ̃] comme le prédit la règle de Selkirk. De même, parallèlement à *ouvriérisme*, la forme unanimement construite sur *hôtelier* est [otəlyerism] et non *[otɛlyerism]. L'analyse de Selkirk laisse d'autre part dans

---

26 Ici encore, les représentations lexicales choisies sont celles qui ajoutent le moins à la complexité de la grammaire. La préférence des locuteurs pour /ɛ/ est en accord avec l'hypothèse évoquée plus haut, en vertu de laquelle toutes choses égales d'ailleurs, une représentation lexicale ajoute d'autant moins à la complexité de la grammaire qu'elle est plus proche des représentations phonétiques.

l'ombre le fait que l'alternance $ə \sim ε$ ne concerne que les morphèmes de la forme $/+Xə C_1 ə_0+/$. Enfin si on fait dériver les schwas qui alternent avec $ε$ de la voyelle sous-jacente $/ε/$, on voit mal comment distinguer dans les représentations sous-jacentes les $ε$ sujets à alternance (type *lève*) de ceux qui restent toujours $ε$ (type *rêve*).

Le schéma $ə$-AJ ne rend pas compte du passage de schwa à $ε$ ou *e* dans *congélation, interpellation, appellation, dénivellation, angélique* (cf. *angelot*), *modéliste* (cf. *modeler*). Ce phénomène n'est pas particulier aux morphèmes $/+Xə C_1 ə_0+/$, puisqu'on le retrouve dans *secréter $\sim$ sécrétion, rebelle $\sim$ rébellion, tenace $\sim$ ténacité, reprocher $\sim$ irréprochable, remédier $\sim$ irrémédiable*. Il faut le mettre sur le compte d'une règle spéciale d'une généralité limitée à certaines formations savantes. Nous n'essayerons pas de la formuler ici.

La règle d'ajustement de schwa dont il vient d'être question est en tous points semblable à celle qui abaisse *e* en $ε$ dans les morphèmes de la forme $/+XeC_1 ə_0+/$: [27]

$$\text{e-AJ} : \quad e \;\rightarrow\; ε \quad \Big/ \quad \overset{\frown}{\quad} C_1 \left\{ \begin{array}{l} \# \\ C \\ ə[-\text{seg}] \end{array} \right. \qquad \begin{array}{l} \text{(a)} \\ \text{(b)} \\ \text{(c)} \end{array}$$

Ce schéma est lui aussi ordonné après ELIS et avant TRONC. e-AJ$_a$ rend compte d'alternances comme *compléter* [kɔ̃plete] $\sim$ *complet* [kɔ̃plɛ], *péter* [pete] $\sim$ *pet* [pɛ], *décréter* [dekrete] $\sim$ *décret* [dekrɛ]. *pet* a par exemple la représentation sous-jacente $/\#$pet$\#/$, d'où $/\#$pɛt$\#/$ par application de e-AJ$_a$, et finalement [pɛ] après effacement du *t* final par TRONC[28]. La règle e-AJ$_b$ rend compte d'alternances comme *insérer* [ɛ̃sere] $\sim$ *insertion* [ɛ̃sɛrsyɔ̃], *protéger* [prɔteže] $\sim$ *protection* [prɔtɛksyɔ̃], *gérer* [žere] $\sim$ *gestion* [žɛstyɔ̃]. Enfin la règle e-AJ$_c$ est nécessaire pour rendre compte de *célébrer* [selebre] $\sim$ *célébrerez* [selɛbrəre], *céder* [sede] $\sim$ *céderiez* [sedərye], etc., où le schwa sous-jacent se maintient intact jusque dans les représentations phonétiques. Cette règle rend également compte de *cède* [sɛd] (de $/\#$sed$+ə+$t$\#/$), *cédera* [sɛdra] (de $/\#$sed$+ə+$r$+$at$\#/$), formes dont le schwa est ultérieurement effacé par des règles ordonnées après TRONC.

---

27 Cette règle correspond à la règle que Selkirk (1972 : 367-375) baptise « ajustement en syllabe fermée ». Nous mettons largement à profit les données rassemblées par Selkirk et ses remarques concernant cette règle, mais nous arrivons à des conclusions différentes. La règle de Selkirk récrit comme $ε$ tout *e* qui précède CC, $C\#$ ou $Cə\#$. Nous laissons au lecteur le soin de se convaincre qu'une telle règle ne rend pas compte de l'ensemble des données qui motivent notre propre formulation de e-AJ. Voyez aussi note 44 page 217.

28 e-AJ$_a$ admet certaines exceptions, comme *chez* et la désinence *-ez*.

209

ə-AJ et e-AJ opèrent dans des contextes identiques et entretiennent les mêmes relations d'ordre avec les autres règles de la grammaire. Il s'agit en fait d'un mécanisme unique qui confond en ε les trois voyelles sous-jacentes ə, e et ε. Comme nous ne connaissons pas le contenu phonologique exact du segment que nous notons ə, convenons d'appeler [E] l'expression en traits pertinents qui définit la classe $\{ə, e, ε\}$. ə-AJ et e-AJ peuvent être fusionnés en le schéma E-AJ :

$$\text{E-AJ} \quad [\text{E}] \;\rightarrow\; ε \; \Big/ \; \underline{\quad}\;\widehat{}C_1 \left\{ \begin{array}{l} \# \\ C \\ ə[-\text{seg}] \end{array} \right\} \qquad \begin{array}{l} \text{(a)} \\ \text{(b)} \\ \text{(c)} \end{array}$$

condition sur E-AJ$_b$: $C_1C \neq OL$[29]

Notons qu'à l'intérieur d'un même morphème, ε est la seule des trois voyelles ə, e, ε à pouvoir être suivie d'un groupe CC qui ne soit pas un groupe OL. Devant un groupe OL on trouve ə (cf. *sevrer*) et e (cf. *célébrer*) aussi bien que ε (cf. *empêtrer*). Mais devant un autre groupe CC on ne trouve que ε[30] : *mercure*, *texte*, etc. Pour de tels morphèmes, il n'existe aucune alternance qui nous indique si ce ε dérive d'un /ε/, d'un /ə/ ou d'un /e/. A priori, [mɛrkür] peut aussi bien dériver de /mɛrkür/, /mərkür/ ou /merkür/, puisque E-AJ$_b$ garantit de toute façon que la voyelle de la première syllabe sera récrite comme ε. Dans de tels cas nous opterons systématiquement pour /ε/. Quant à l'impossibilité des allomorphes comme /mərkür/ et /merkür/, où /ə/ et /e/ précèdent immédiatement un groupe CC qui n'est pas un groupe OL, nous la mettrons sur le compte d'une restriction induite qui découle de la présence de la règle E-AJ$_b$ dans la composante phonologique. Pour que cette analyse soit possible, il faut montrer que E-AJ$_b$ prend effet devant tous les groupes CC sauf les groupes OL, car si elle prenait aussi effet devant les groupes OL, il devrait être impossible d'opposer /ə/ et /e/ à /ε/ devant un groupe OL dans les représentations phonologiques.

Nous ne disposons d'aucune donnée qui nous indique comment e se comporte devant un groupe $O+L$, car il n'existe aucun mot pour lequel il soit nécessaire de postuler une représentation phonologique qui contienne une séquence /eO+L/[31].

---

29 La raison d'être de cette condition sera donnée plus bas.

30 Nous faisons abstraction des complications dues à l'harmonie vocalique, dont il sera question plus bas.

31 Les seules séquences $O+L$ qui existent en français se trouvent dans le futur de certains verbes, où un radical terminé par une obstruante est immédiatement suivi du *r* du futur (*battrez*, /bat+r+e/. Or il n'existe pas de verbe de ce type dont le radical soit de la forme /+XeO+/.

En ce qui concerne *ə*, les données existent mais elles sont très limitées. Les seules formes où apparaisse une séquence /əO+L/ sont les formes du futur de *devoir* et des verbes en *-cevoir*. Si on laisse E-AJ$_b$ prendre effet devant tous les groupes CC sans exception, on attendrait les prononciations *[dɛvre] pour *devrez* /dəv+r+e/ et *[rəsɛvre] pour *recevrez* /rə+səv+r+e/. Plutôt que de considérer *devrez, recevrez*, etc. comme des exceptions à E-AJ$_b$, nous formulerons E-AJ$_b$ de façon à ce qu'elle ne prenne pas effet devant les groupes OL[32]. Nous pouvons ainsi expliquer les lacunes systématiques dans la distribution de /e/ et /ə/ dans les représentations phonologiques comme une conséquence naturelle de la règle E-AJ$_b$. Ainsi, E-AJ$_b$ interdit à *e* et *ə* d'apparaître devant tout groupe CC qui n'est pas un groupe OL, que ce groupe appartienne au même morphème ou qu'il naisse du contact de deux morphèmes[33].

Rappelons comment on définit traditionnellement les notions « syllabe fermée » et « syllabe ouverte » en français (et dans d'autres langues romanes) : sont en syllabe fermée toutes les voyelles qui précèdent une séquence C_1 # ou une séquence de segments consonantiques qui n'est pas du type OL. Les autres voyelles sont dites en syllabe ouverte. Les voyelles en syllabe ouverte sont donc celles qui sont suivies de V, #, CV, OLV ou d'une séquence consonne plus semi-voyelle. Munis de ces définitions, nous voyons que le contenu du schéma E-AJ peut s'énoncer de la façon suivante : *ə* et *e* suivis d'une consonne qui fait partie du même morphème qu'eux sont récrits comme *ɛ* lorsqu'ils se trouvent en syllabe fermée *ou lorsque la syllabe suivante contient un schwa situé en fin de morphème*[34]. Cette règle serait plus générale si on pouvait l'amputer de la clause en italiques, qui correspond au seul cas où *ə* et *e* soient récrits comme *ɛ* quoique situés en syllabe ouverte. Il n'est pas inutile de s'assurer que la règle E-AJ$_c$ n'est pas un artefact de notre analyse.

Nous avons donné deux raisons pour justifier la règle E-AJ$_c$. La première est qu'il fallait rendre compte de formes comme *il cachette* /#kašət+ə+t#/, *complète* /#kɔ̃plet+ə#/, formes qu'il est impossible de mettre sur le compte

---

32 C'est ce qu'exprime la condition $C_1C \neq OL$ que nous avons mise en appendice à la description structurale de E-AJ$_b$.

33 ... à moins que le groupe CC en question n'appartienne tout entier au morphème suivant. Voyez en effet *restructurer* et *déstructurer*, où *re-* et *dé-* se prononcent [rə], [de], comme prédit par E-AJ$_b$, puisque les séquences *ə* +*st* et *e*+*st* ne sont pas du ressort de cette règle.

34 Il ne fait pas de doute que la théorie liguistique devra être enrichie de façon à donner un statut théorique à la notion de syllabe. Voyez à ce sujet les difficultés rencontrées par Chomsky et Halle (1968 : 241 n. 2 et 3), et les suggestions de Hooper (1972).

de E-AJ$_a$ à moins d'abandonner l'hypothèse que l'ordre d'application des règles est le même dans toutes les dérivations[35]. Mais comme on a par ailleurs actuellement des raisons de douter de la solidité de cette hypothèse[36], ces formes ne fournissent pas un argument décisif en faveur de la règle E-AJ$_c$. Le deuxième argument en faveur de E-AJ$_c$ a plus de poids. C'est la nécessité de rendre compte de *appelleriez, sèvrerez, céderiez, célébrerez* et de toutes les formes analogues où un schwa se manifeste phonétiquement devant le *r* du futur. Mais cet argument ne vaut qu'à condition d'admettre que ce schwa est présent dans les représentations qui sont soumises à E-AJ, ce que nous avons précisément fait en supposant que *-ement, -erie* et *-er-* (futur) avaient les représentations phonologiques /ə+mant/, /ə+ri/ et /ə+r/. On peut aussi bien imaginer que les représentations phonologiques en question sont /mant/, /ri/ et /r/, et que le schwa qui apparaît dans certains cas devant ces suffixes est introduit en cours de dérivation par une règle ə-INS qui insère un schwa dans le contexte $C+ \underline{\quad} CV$. Si cette règle est ordonnée après E-AJ$_b$, on obtient des dérivations comme les suivantes[37] :

	appellerez	sèvrerez	appelez	crevez
	/apəl+r+e/	/səvr+r+e/	/apəl+e/	/krəv+e/
E-AJ$_b$	apɛl+r+e	sɛvr+r+e		
ə-INS	apɛl+ər+e	sɛvr+ər+e		
VCE$_2$	apɛl+r+e		apl+e	
	[apɛlre]	[sɛvrəre]	[aple]	[krəve]

Les deux dérivations de gauche montrent qu'au moment où E-AJ$_b$ est applicable, le schwa du radical précède une séquence C_1+C et est donc du ressort de E-AJ$_b$. ə-INS introduit ensuite un schwa qui est ultérieurement sujet aux mêmes règles d'effacement que les schwas déjà présents au niveau phonologique, comme le montre le parallèle avec les deux dérivations de droite.

Nous pouvons donc nous débarrasser de la règle E-AJ$_c$ à deux conditions : (1) abandonner l'hypothèse que l'ordre d'application des règles est le même dans toutes les dérivations, et permettre ainsi à la règle E-AJ$_a$ de rendre compte du ɛ de *cachette* aussi bien que de celui de *cachet*; (2) supposer que le schwa qui apparaît dans *sèvrerez, appelleriez*, etc. ne dérive pas d'une voyelle déjà présente dans les

35 Cf. page 199.

36 Cf. note 37 page 97.

37 Les représentations phonologiques entre barres obliques ont été débarrassées de certains détails qui ne jouent aucun rôle ici, comme le *z* final de la désinence *-ez*.

représentations phonologiques, mais est introduit par une règle d'épenthèse ordonnée après E-AJ$_b$.

Le point (2) nous paraît difficile à soutenir. En effet tous les verbes n'ont pas phonétiquement un schwa devant le *r* du futur, et il se trouve que ceux qui en ont un sont précisément aussi ceux qui gardent intacte l'obstruante finale de leur radical aux trois personnes du singulier de l'indicatif présent et à l'impératif singulier. Nous voulons parler des verbes de la première conjugaison[38]. Que l'on compare par exemple *border* (radical /bɔrd/) et *tordre* (radical /tɔrd/) : *borderez* [bɔrdəre], *tordrez* [tɔrdre]; *borderiez* [bɔrdərye], *tordriez* [tɔrdriye]; *il borde* [bɔrd], *il tord* [tɔr]. Ceci s'explique naturellement en supposant que dans les représentations phonologiques de toutes les formes de la première conjugaison le segment final du radical est séparé de la terminaison par une voyelle thématique /ə/[39]. Cette voyelle thématique protège la consonne finale de la troncation, et elle se manifeste éventuellement comme [ə] lorsqu'elle n'est du ressort d'aucune des règles d'effacement de schwa dont il sera question plus loin. Ainsi l'obstruante finale de /bɔrd/ est tronquée dans le nom *bord* /#bɔrd#/ mais elle se maintient dans *il borde* /#bɔrd+ə+t#/. C'est aussi la voyelle thématique qui est à l'origine du schwa de *borderez* (de /bɔrd+ə+r+e/). Au contraire les représentations phonologiques de verbes comme *tordre* ne contiennent pas de voyelle thématique, et la terminaison y est au contact direct du radical. Rien n'empêche la troncation du *d* du radical dans *il tord* /#tɔrd+t#/, et aucun schwa n'apparaît dans la prononciation de *tordrez* /tɔrd+r+e/[40]. En supposant que les verbes en *-er* se distinguent de tous les autres par l'apparition constante d'une voyelle thématique /ə/ dans les représentations phonologiques, nous faisons apparaître l'impossibilité de tronquer l'obstruante finale du radical et l'apparition d'un schwa devant le *r* du futur comme deux conséquences nécessaires d'une propriété morphologique unique. Au contraire, si nous attribuons le schwa de formes comme *borderez* à l'opération de la règle ə-INS, il faut marquer tous les verbes autres que ceux en *-er* comme des exceptions à ə-INS. Et s'il se trouve par ailleurs qu'aux personnes du singulier de l'indicatif présent tous les verbes marqués [− règle ə-INS] ont des représentations phonologiques qui ne contiennent pas de /ə/ entre le radical et la désinence, ce fait n'a aucun caractère de nécessité; il ne découle pas

---

38 Dans la « première conjugaison » nous rangeons tous les verbes en *-er*, dans la deuxième tous ceux en *-ir* ∼ *iss* (*finir, blanchir*, etc.), et dans la troisième tous les autres (*perdre, servir, devoir*, etc.).

39 Cf. page 203.

40 Sur la différence entre *borderiez* et *tordriez*, cf. page 239.

automatiquement des autres propriétés de la grammaire, et doit faire l'objet d'une mention spéciale.

Si nous admettons l'hypothèse (2), il nous faut par ailleurs renoncer à mettre les lacunes de la distribution de /ə/ et /e/ dans les représentations phonologiques sur le compte d'une restriction induite par E-AJ$_b$. En effet, pour dériver [lɛvre] de /ləv+r+e/ (*lèverez*) et [sɛdre] de /sed+r+e/ (*céderez*) il faut admettre que E-AJ$_b$ prend effet même devant les séquences $O+L$. D'autre part, avant que ə-INS n'ait pris effet, les représentations sous-jacentes de *lèverez* et *devrez* sont identiques à la consonne initiale près : /ləv+r+e/ et /dəv+r+e/. Le seul moyen d'empêcher E-AJ$_b$ de prendre effet dans la seconde est de supposer que *devoir* et les verbes en -*cevoir*, qui sont déjà des exceptions à ə-INS, sont en outre des exceptions à E-AJ$_b$.

Pour toutes ces raisons, nous pensons que la règle E-AJ$_c$ doit figurer dans la grammaire. Nous renonçons pour l'instant à expliquer pourquoi E-AJ traite *ə* et *e* comme s'ils se trouvaient en syllabe fermée lorsqu'ils sont en syllabe ouverte et que la syllabe suivante contient un schwa suivi d'une frontière.

L'HARMONIE VOCALIQUE

Dans le parler décrit ici, la régularité des alternances dues à E-AJ est obscurcie en surface par l'opération de la règle d'harmonie vocalique suivante :

$$\text{HARM} \begin{bmatrix} + \text{syll} \\ - \text{rond} \\ - \text{haut} \\ - \text{arr} \end{bmatrix} \rightarrow [\alpha \text{ bas}] \Bigg/ \underline{\qquad} C_1 + C_0 \begin{bmatrix} + \text{syll} \\ \alpha \text{ bas} \end{bmatrix}$$

Cette règle est facultative. Elle opère d'autant plus facilement que l'élocution est familière. Elle récrit *e* comme *ɛ* lorsque la syllabe suivante contient une voyelle basse n'appartenant pas au même morphème, et elle récrit *ɛ* comme *e* lorsque la syllabe suivante contient une voyelle non-basse n'appartenant pas au même morphème. Ainsi *cédant* /sed+ã/ se prononce [sedã] lorsque la règle ne prend pas effet et [sɛdã] lorsqu'elle prend effet ; *aider* /ɛd+e/ se prononce [ɛde] lorsqu'elle ne prend pas effet et [ede] lorsqu'elle prend effet. L'opération de cette règle a donc pour résultat d'oblitérer la distinction entre les voyelles sous-jacentes *e* et *ɛ* devant consonne(s) finale(s) de morphème. La prononciation [sɛdã] peut représenter *cédant* /sed+ã/ aussi bien que *s'aidant* /s#ɛd+ã/, et la prononciation [sede] peut représenter *s'aider* /s#ɛd+e/ aussi bien que *céder* /sed+e/. La distinction entre *e* et *ɛ* n'en doit pas moins être maintenue dans les représentations phonologiques pour rendre compte du fait que le locuteur peut pratiquer une diction plus relevée où HARM n'opère qu'assez sporadiquement. C'est un fait que la prononciation [sedã] ne peut représenter que *cédant*, et la prononciation [sɛde] ne peut représenter que *s'aider*. On peut résumer ces données comme suit :

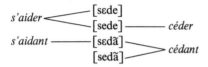

Notre grammaire rend compte de ces données, car elle ne contient aucune règle qui puisse récrire *ɛ* comme *e* dans /s#ɛd+ã/ (*s'aidant*), ni *e* comme *ɛ* dans /sed+e/ (*céder*). Ainsi que l'indique la formulation donnée plus haut, HARM doit tenir compte du découpage morphologique : *récolte, détail* ne se prononcent jamais *[rɛkɔlt], *[dɛtay], et *prétend* [pretã] ne se confond jamais avec *prêtant* [prɛtã].

Du point de vue de HARM, les *ɛ* issus de *e* ou *ə* par application de E-AJ se comportent exactement comme les voyelles qui avaient déjà le timbre *ɛ* dans les représentations phonologiques. *céderez* et *lèverez* se prononcent [sɛdre], [lɛvre] (cas où HARM ne prend pas effet) ou [sedre], [levre] (cas où HARM prend effet). *cédera, lèvera* se prononcent uniquement [sɛdra], [lɛvra], jamais *[sedra], *[levra]. On rend compte de ces traits en ordonnant HARM après E-AJ.

Tandis que E-AJ se retrouve identique dans la grammaire de tous les Parisiens, ce qui est à mettre en relation avec le fait qu'il s'agit d'une règle obligatoire et applicable assez tôt dans la dérivation, une enquête systématique révélerait sûrement des différences de locuteur à locuteur assez importantes en ce qui concerne HARM, qui est facultative et tardive[41]. Nous donnons ci-dessous les dérivations de *aiderez, céderez, lèverez* et *lèvera* pour illustrer le fonctionnement de E-AJ, VCE_2 et HARM. Les trois premières formes ont deux prononciations

41 L'existence de telles variations est reflétée dans la littérature. Grammont (1914) et Fouché (1956), sur les données desquels Selkirk (1972) fonde son traitement de l'harmonie vocalique, ne parlent que du passage de *ɛ* à *e* devant voyelle non-basse. Au contraire Malmberg (1969) et Morin (1971) traitent également le passage de *e* à *ɛ* devant voyelle basse. D'autre part Fouché (p. 71) et Malmberg (p. 32) décrivent des parlers où l'harmonie n'affecte pas les *ɛ* en syllabe fermée, alors que le nôtre ne connaît pas cette restriction : *rester* et *perdrez* peuvent s'y prononcer [reste], [perdre]. Enfin Morin (p. 98) décrit un parler où l'harmonie opère sans tenir compte des frontières de morphème.

distinctes selon que HARM prend effet ou non. Ces dérivations montrent que HARM doit être ordonnée après VCE_2.

	aiderez	céderez	lèverez	lèvera
	/ɛd+ər+e/	/sed+ər+e/	/ləv+ər+e/	/ləv+ər+a/
E-AJ		sɛd+ər+e	lɛv+ər+e	lɛv+ər+a
VCE_2	ɛd+r+e	sɛd+r+e	lɛv+r+e	lɛv+r+a
HARM	(ed+r+e)	(sed+r+e)	(lev+r+e)	
	[ɛdre]	[sɛdre]	[lɛvre]	[lɛvra]
	ou [edre]	ou [sedre]	ou [levre]	

Pour en finir avec E-AJ proprement dite, il faut dire un mot des prononciations [ɛlve], [prɛvne] qui apparaissent concuramment à [elve] *élevé*, [prevne] *prévenez*. La réalisation [ɛ] du /e/ de la première syllabe ne peut pas être due à HARM, puisque la voyelle de la seconde syllabe est non-basse. Elle ne peut non plus être mise sur le compte de E-AJ. En effet, dans /e+ləv+e/ *élevé* par exemple on a la séquence /e+C_1ə/, et non la séquence /e͡C_1ə/ requise par la description structurale de E-AJ$_c$. Alors que l'abaissement de *e* en ɛ est obligatoire dans /e͡C_1ə/ (type *cédera* [sɛdra]/*[sedra]), il est facultatif dans /e+C_1ə/, comme le montre le fait que *élevant* peut se prononcer [elvã] aussi bien que [ɛlvã]. Bref, nous avons affaire à une règle différente de E-AJ$_c$. La comparaison de *céderiez* [sɛdərye]/*[sedərye] et *dételiez* [detəlye]/*[dɛtəlye] (en face de *dételez* [detle]/[dɛtle]) montre par ailleurs qu'alors que dans /e͡C_1ə/ l'abaissement de *e* a lieu quel que soit le sort du schwa qui suit, dans /e+C_1ə/ cet abaissement a lieu seulement si le schwa est effacé. Nous poserons donc la règle facultative suivante, ordonnée après la règle VCE_2 qui est responsable de l'effacement des schwas intérieurs[42] :

e-AB : e → ɛ / —— CC

Il ne s'agit que d'une première approximation. La description structurale doit comporter des restrictions qui empêchent la règle d'affecter les séquences *eCC* où le groupe *CC* provient en droite ligne des représentations phonologiques[43], comme dans *pénétrer* et *déstructurer*, qui ne peuvent pas se prononcer *[penɛtre],

---

42 Sous e-AB, lire « abaissement de *e* ».

43 Dans de telles séquences, *CC* est forcément un groupe situé en début de morphème (cf. n. 33 p. 211) ou un groupe *OL* ou les deux à la fois, car toutes les autres séquences *eCC* sont éliminées par E-AJ$_b$.

*[dɛstrüktüre]. Quelle que soit la formulation exacte de e-AB, il est de toutes façons exclu qu'on puisse la fusionner avec e-AJ_b, car e-AJ_b est ordonnée avant VCE_2 et e-AB est ordonnée après VCE_2. Il est certain que la coexistence de e-AJ_b et e-AB au sein d'une même grammaire n'est pas fortuite, mais le formalisme développé ici ne nous permet pas de mettre en lumière la parenté profonde qui les unit[44], car les abréviations en schémas de règles ne nous autorisent à tirer profit que des similitudes formelles entre règles adjacentes.

L'ACCENT DE MOT

Pour terminer ce chapitre, disons un mot des règles qui gouvernent la position de l'accent de mot en français, règles dont la connaissance est nécessaire pour comprendre certains développements du chapitre suivant. On peut les énoncer comme suit :

ACC₁ : dans les mots qui contiennent plus d'une voyelle, et où la dernière voyelle est un schwa, l'accent tombe sur l'avant-dernière voyelle.

ACC₂ : dans tous les mots qui ne sont pas du ressort de la règle précédente, l'accent tombe sur la dernière voyelle.

En vertu de ACC₁, l'accent tombe par exemple sur l'avant-dernière voyelle du premier mot dans *cette housse* [sétəús][45], *énorme hache* [enɔ́rməáš], *quelques amis* [kélkəzamí]. Cette règle s'écrit formellement comme suit :

$$\text{ACC}_1 : \quad V \rightarrow \acute{V} \quad / \quad \underline{\quad} C_0 \text{ə} C_0 \#$$

La règle ACC₂ concerne tous les mots qui ne sont pas du ressort de ACC₁, c'est-à-dire les mots qui ne contiennent qu'une voyelle (qui peut éventuellement être un schwa), et les mots dont la dernière voyelle n'est pas un schwa : *cé tás, quél tracás, tracassér, tracasseréz, plús bavárd qué Marcél.* Qu'il soit bien clair que nous n'avons en vue ici que l'accent de *mot*, et non l'accent de *groupe*. Dans une phrase comme *rends-les-moi ce soir*, la règle ACC₂ attribue un accent de mot à chacun des cinq monosyllabes. Or on n'entend pas cinq syllabes également accentuées, mais

44 Selkirk (2972) dispose d'un seul et même schéma de règles pour rendre compte du ɛ de [ɛlve] *élever* et de celui de [kɔ̃plɛ] *complet*. Elle doit l'ordonner après VCE₂ pour rendre compte de la première forme (p. 407), et avant TRONC pour rendre compte de la seconde (p. 371), ce qui est impossible puisque TRONC précède VCE₂.
45 Nous écrivons un accent aigu au-dessus d'une voyelle pour indiquer que la syllabe dont cette voyelle fait partie porte l'accent du mot.

plutôt quelque chose comme *rénds-les-mói ce sóir*. Outre les règles d'accentuation de mot, une grammaire complète du français doit contenir des règles d'accentuation pour les groupes de mots et les phrases entières. De même que les règles d'accentuation du mot donnent à une certaine syllabe la prééminence sur toutes les autres du même mot, de même les règles d'accentuation du groupe établissent une hiérarchie entre les divers accents de mot à l'intérieur d'un groupe. Pour le français, ces règles sont encore à découvrir. Notons que les monosyllabes de la forme $\#C\partial\#$ doivent être munis d'un accent de mot, puisque certains d'entre eux peuvent porter l'accent principal d'un groupe de mots : *sur cé, attrape-lé, parce qué*[46]. Il est vrai que de tels cas sont assez rares. Mais ceci est dû au fait que les règles d'accent de groupe accordent la prééminence à l'accent du dernier mot du groupe, et que les propriétés syntaxiques des monosyllabes $\#C\partial\#$ leur interdisent généralement d'être le dernier mot d'un groupe.

Si la règle ACC_2 ne prend en considération que les formes qui ne sont pas du ressort de ACC_1, on peut l'écrire comme suit :

$$ACC_2 : \quad V \quad \rightarrow \quad \acute{V} \quad / \quad \underline{\qquad} C_0 \#$$

Convenons en général que l'expression $X(Y)Z$ est une notation abrégée pour les expressions XYZ et XZ prises dans cet ordre. Nous pouvons alors fusionner les deux règles ACC_1 et ACC_2 en le schéma ACC[47] :

$$ACC : \quad V \quad \rightarrow \quad \acute{V} \quad / \quad \underline{\qquad} C_0(\partial C_0)\#$$

Telle que nous l'avons formulée, la règle ACC doit être ordonnée après la règle E-AJ. La représentation /otəl/ (*hôtel*) devient /otɛl/ par application de E-AJ, forme qui est ensuite accentuée sur la seconde syllabe par ACC_2. Si ACC était applicable en premier, /otəl/ recevrait l'accent sur la première syllabe en vertu de ACC_1 (comme *quelques*), d'où finalement *[ótɛl].

Pour l'instant, la règle ACC peut être ordonnée aussi bien avant qu'après la règle qui efface les schwa en fin de mot. Prenons par exemple une forme féminine comme [žaluz] *jalouse*, dont la représentation phonologique est $/\#\check{z}aluz+\partial\#/$.

---

46 Lorsque ce mot est prononcé isolément (comme une réponse évasive ou péremptoire).

47 La définition complète de la notation par parenthèses implique non seulement que ACC_1 précède ACC_2, mais aussi que toute forme qui est du ressort de ACC_1 n'est pas du ressort de ACC_2. On dit que les règles fusionnées à l'aide de cette notation sont ordonnées disjonctivement. Nous nous bornons à mentionner l'ordre disjonctif en passant, car la règle d'accentuation est la seule où il joue un rôle dans le présent livre. On trouvera des explications détaillées sur la notation par parenthèses et l'ordre disjonctif dans SPE : 30, 36, 61-64, 71 n. 16.

Si la règle d'accentuation est ordonnée avant celle d'effacement des schwas finaux, cette forme est accentuée sur le *u* en vertu de la règle ACC_1. Si au contraire la règle d'accentuation est ordonnée après E-FIN, la représentation soumise à ACC est /#žaluz#/, et c'est encore *u* qui reçoit l'accent, mais cette fois-ci en vertu de ACC_2. Il faut bien voir que même en ordonnant ACC après E-FIN nous ne pourrions pas pour autant faire l'économie de la règle ACC_1, puisqu'il existe des schwas finaux (assez rares il est vrai) qui ne s'effacent pas et sont présents de bout en bout dans les dérivations. Tel est le cas du schwa final de *cette* dans *cette housse* et de celui de *quelques* dans *quelques amis*, formes qui requièrent une règle qui place l'accent sur la pénultième lorsque la dernière voyelle est un schwa.

En conclusion, il existe en français un phonème /ə/ qui se réalise tantôt comme [ɛ][48], tantôt comme [œ], et tantôt comme zéro. Notre ignorance reste entière en ce qui concerne sa définition par traits pertinents. Tout ce que nous savons de cette voyelle, c'est qu'elle est distincte de tous les autres phonèmes vocaliques du français, entre autres de /ɛ/, /e/, /œ/ et /ö/, tout en étant étroitement apparentée à /ɛ/ et /e/. Si l'on met à part les cas où schwa se trouve en fin de mot (*le, quelques*), sa manifestation phonétique est toujours confondue avec celle d'un autre phonème qui peut apparaître dans le même contexte; rien ne distingue en surface le [œ] de *abreuvons*, qui est issu de /œ/, de celui de *crevons*, qui est issu de /ə/, et de même rien ne distingue le [ɛ] de *rêve*, qui est issu de /ɛ/, de celui de *crève*, qui est issu de /ə/. Ce qui distingue schwa des autres voyelles sous-jacentes est donc moins le timbre de ses réalisations phonétiques que le jeu particulier des alternances auxquelles il est soumis.

Nous laissons au lecteur attentif le soin de se convaincre que l'action conjuguée des règles ə-AJ et ACC garantit qu'au niveau des représentations phonétiques schwa − ou pour parler plus exactement, [œ] issu de /ə/ − a bien les propriétés suivantes, qui ont été constatées par maints auteurs : (a) hormis le cas des monosyllabes #Cə#, schwa n'apparaît jamais sous l'accent de mot; (b) à l'intérieur d'un mot, les seules séquences de segments consonantiques qui puissent apparaître derrière schwa sont des groupes *OL* ou des groupes initiaux de morphème. A proprement parler, cette dernière affirmation n'est pas vraie des représentations phonétiques, mais des représentations intermédiaires qui sont les imputs de VCE_2; elle vaut par exemple pour la représentation /žənəv+wa/, qui est l'input de VCE_2, mais plus pour [žɔnvwa], où l'application de VCE_2 a créé un groupe *nv* qui suit immédiatement le premier schwa.

---

48 ... ou comme [e] par harmonie vocalique.

VI   Les règles d'effacement de schwa

PRÉLIMINAIRES

Les principes qui gouvernent la chute et le maintien de schwa ont déjà fait l'objet d'une volumineuse littérature[1]. A notre connaissance, la première tentative de traitement systématique date du livre de Mende (1880). Mais le coup d'envoi a véritablement été donné par Grammont (1894; 1914), dont les travaux ont marqué le point de départ d'une série de descriptions de plus en plus exhaustives : Martinon (1913), Leray (1930), Fouché (1956), et Delattre (1966 : 17-36), pour ne citer que les plus significatives[2]. Ces auteurs s'efforcent de donner un catalogue aussi complet que possible des faits, mais l'absence d'une théorie linguistique leur interdit d'en donner une description qui s'organise en un tout structuré. Des tentatives en ce sens ont été faites par Weinrich (1958 : 248-260) et Pulgram (1961), mais le lecteur attentif se convaincra aisément qu'elles ne rendent compte que d'une petite partie des données présentées ici.

Nous adopterons les conventions suivantes. Quand nous voudrons indiquer qu'un schwa est obligatoirement prononcé, nous soulignerons la lettre ə ou le e qui lui correspond dans l'orthographe. Nous écrirons par exemple [krəve] ou crevez pour indiquer que ce mot se prononce obligatoirement [krəve], jamais *[krve]. Des parenthèses indiqueront que la prononciation de schwa est facultative. Nous écrirons par exemple [vɛst(ə)marɔ̃] ou vest(e) marron pour indiquer que les prononciations [vɛstəmarɔ̃] et [vɛstmarɔ̃] sont également possibles. Une lettre rayée d'une barre oblique indique enfin que schwa tombe obligatoirement.

---

1 Le présent chapitre est une version élargie du premier chapitre d'une thèse de Ph. D. rédigée sous la direction de Morris Halle (Dell, 1970).

2 On trouvera d'autres références dans Martinet (1945), Pleasants (1956) et Zwanenburg (1968).

Nous écrirons par exemple [grosətɛtə̸] ou grossé̸ têt̸é pour indiquer que la seule prononciation possible est [grostɛt].

EFFACEMENT APRÈS VOYELLE ET EFFACEMENT DEVANT UNE PAUSE

Schwa s'efface obligatoirement lorsqu'il suit une voyelle. On prononce de la même façon *je lierai* et *je lirai*. Comparez de même *remercié̸ment* et *débarque̸ment*, *vous joué̸riez* et *vous parle̸riez, elle est parti̸é trop tôt* et *elle est mort(e) trop tôt*. Nous écrirons donc la règle obligatoire suivante[3] :

V-E : ə → Ø / V——

V-E doit s'appliquer avant la règle SEM qui récrit une voyelle haute qui précède une voyelle comme une semi-voyelle[4]. Ainsi, au moment où SEM est applicable, V-E a déjà fait disparaître le schwa des séquences $u+ə$, $ü+ə$ et $i+ə$, voyez par exemple [avwe] *avouez* et [avu] *avoue*, qui dérivent respectivement de /avu+ez/ et /avu+ə+t/. Plus généralement, l'ordre d'application de V-E et SEM rend compte du fait qu'il n'existe jamais dans les représentations phonétiques de séquence *[wə] ou *[ẅə], ni de séquence [yə] où [y] dérive de /i/. Il n'existe pas de séquence *[wə] ou *[ẅə] parce que la seule source de [w] et [ẅ] est /u/ et /ü/ (par application de SEM), et que l'ordre de V-E et SEM garantit que les séquences /u+ə/ et /ü+ə/ se manifesteront phonétiquement comme [u] et [ü]. De même les séquences /i+ə/ se manifestent nécessairement comme [i]. Il existe bien des séquences [yə], par exemple dans *vieille housse* [vyɛyəus], *fouilleriez* [fuyərye], mais le [y] qui y figure ne dérive pas d'un /i/[5].

Il n'existe pas de morphème dont la représentation phonologique contienne une séquence /Və/. Une argumentation en tous points similaire à celle développée aux pages 203-206 à propos de ELIS permet de conclure qu'il n'est pas nécessaire d'écrire une règle de structure morphématique spéciale pour exclure les séquences /Və/ des représentations phonologiques. Étant donné deux matrices

3 Sous les initiales V-E, lire « voyelle-schwa ».
4 Cf. page 86.
5 Les yods postvocaliques que l'orthographe note *-il(l-)*, comme dans *rail, dérailler* ou *-y-*, comme dans *balayez, royal*, ne dérivent jamais de /i/. Sur l'origine profonde des premiers, voyez les propositions de Schane (1968*a* : 58). Nous les noterons simplement *y* dans les représentations sous-jacentes.

phonologiques /XVǝY/ et /XVY/, où la seconde est identique à la première au schwa près, la composante phonologique leur assignerait forcément la même représentation phonétique dans tous les contextes. Ceci découle de l'existence de la règle V-E, qui est obligatoire et n'admeⱦ aucune exception. Les matrices phonologiques de la forme /XVǝY/ ne sont interdites par aucune règle de structure morphématique, mais elles sont systématiquement exclues des représentations lexicales en vertu du principe de la représentation la plus simple, qui oblige à leur préférer les représentations correspondantes /XVY/, qui ajoutent moins à la complexité du lexique.

Il est important de remarquer que l'existence de la règle V-E dans la composante phonologique n'est pas suffisante pour garantir que les représentations phonologiques /XVǝY/ et /XVY/ seront toujours confondues phonétiquement quel que soit le contexte. Supposons que V-E soit ordonnée après E-AJ et imaginons qu'à côté des formes *fil*, *filé* (radical /fil/) existent des formes analogues bâties sur le radical hypothétique /fiǝl/. Voici leurs dérivations :

	/#fil+e#/	/#fiǝl+e#/	/#fil#/	|#fiǝl#/
E-AJ				#fiɛl#
V-E		#fi l+e#		
SEM				#fyɛl#
	[file]	[file]	[fil]	[fyɛl]

La dérivation de /#fiǝl#/ montre que si E-AJ est ordonnée avant V-E, elle récrit comme ɛ certains schwas précédés d'une voyelle, leur permettant ainsi d'échapper à l'effacement par V-E et de se manifester phonétiquement comme [ɛ]. Pour que notre grammaire garantisse que les séquences /Vǝ/ seront à tous coups confondues avec les voyelles /V/ correspondantes et qu'on puisse ainsi mettre l'impossibilité d'allomorphes contenant de telles séquences sur le compte d'une restriction induite, il faut ordonner V-E avant E-AJ [6], ce que nous ferons, car nous ne connaissons aucune donnée qui exige l'ordre inverse.

Les considérations qui précèdent montrent que les restrictions induites ne découlent pas simplement de la présence d'une certaine règle dans la composante phonologique, mais aussi de la façon dont cette règle est ordonnée par rapport aux autres, bref, que les restrictions induites engagent la composante phonologique prise comme un tout. C'est pourquoi nous avons parlé de restrictions induites

---

6 Le lecteur vérifiera aisément qu'avec cet ordre d'application les deux dérivations de droite aboutissent au même output [fil].

« par la composante phonologique » plutôt que par telle ou telle règle phonologique en particulier.

Schwa tombe obligatoirement devant une pause lorsqu'il n'est pas l'unique voyelle d'un mot : *elle est trop petite, elle est perverse*, mais *bats-le, sur ce*. En utilisant le symbole § pour représenter une pause, on peut écrire :

$$\text{PAUS}: \quad \mathrm{ə} \;\rightarrow\; \varnothing \quad / \quad VC_0 \text{——} §$$

De même que les règles ELIS et V-E, la règle PAUS est obligatoire et n'admet aucune exception. A partir de maintenant, chaque fois que nous écrirons une nouvelle règle, nous ferons suivre son nom de la mention (OBL) ou (FAC) selon qu'il s'agit d'une règle obligatoire ou facultative.

Nous allons maintenant examiner le comportement des schwas situés en fin de polysyllabe qui ne sont sujets ni à ELIS, ni à V-E ni à PAUS.

EFFACEMENT EN FIN DE POLYSYLLABE

Schwa tombe obligatoirement lorsqu'il est précédé d'un seul segment non-syllabique[7] : *une vieille courtisane*. On prononce de la même façon *petite roue* et *petit trou, grande rame* et *grand drame*. Nous poserons donc la règle obligatoire suivante :

$$\text{E-FIN}_1: \quad \mathrm{ə} \;\rightarrow\; \varnothing \quad / \quad VC \text{——} \#$$
(OBL)

Lorsqu'un schwa situé en syllabe finale de polysyllabe est immédiatement précédé de deux consonnes ou plus, son effacement est facultatif. Il est toujours possible, mais sa fréquence est d'autant plus grande que le locuteur apporte moins de soin à sa prononciation et que le débit est rapide : *il box(e) souvent, le text(e) du discours, une énorm(e) pancarte*. Quoique nous ne nous soyons pas penchés en détail sur ce point, il ne fait pas de doute que la fréquence de cet effacement dépend aussi du nombre et de la nature des consonnes environnantes. Ainsi, toutes choses égales d'ailleurs, le schwa final de *texte* tombe plus facilement dans

---

7 Nous laissons de côté les cas où le mot suivant commence par un *h* aspiré (cf. p. 256) ainsi que le cas unique du mot *rien*, devant lequel schwa se maintient facultativement ; comparez *il mange tout* et *il ne mang(e) rien*.

text(e) tout à fait confidentiel que dans *text(e) strictement confidentiel*. Nous écrirons la règle facultative suivante :

E-FIN$_2$:   ə → Ø   / CC ——— #
(FAC)

Comme il n'existe pas en français de monosyllabes de la forme #CCə#, cette règle ne concerne en fait que les schwas finaux de polysyllabes. Nous renvoyons à plus tard le rapprochement de E-FIN$_1$ et E-FIN$_2$. Il existe quelques rares mots qui ne perdent jamais leur schwa final devant un mot commençant par *C* et doivent être marqués dans le lexique comme des exceptions à E-FIN$_2$, par exemple *quelques* et *presque*[8] *: quelques soupirs* [kɛlkəsupir], *presque toujours* [preskətužur]. L'impossibilité d'effacer schwa est bien une propriété idiosyncratique de ces mots, puisqu'il en existe d'autres qui se comportent régulièrement, quoique schwa y soit précédé du même groupe de consonnes : *il décalqu(e) souvent, il risqu(e) la mort.*

Ainsi que le laisse prévoir sa description structurale, la règle E-FIN$_2$ prend entre autres effet à l'intérieur des mots composés (assemblages de mots qui comptent eux-mêmes pour un mot). Mais elle est soumise dans ce cas à une restriction intéressante. Léon (1966) a fait remarquer que schwa se maintient toujours dans les mots comme *porte̲-plume, porte̲-voix, garde̲-meuble, ouvre̲-boîte*, où le second terme du composé n'a phonétiquement qu'une syllabe, tandis qu'il tombe facultativement dans des mots comme *port(e)-drapeau, gard(e)-malade, gard(e)-barrière, ouv(re)-bouteille.* On retrouve un phénomène similaire dans les syntagmes qui précèdent immédiatement une pause syntaxique forte ou qui sont prononcés isolément (ce qui revient au même). Le schwa final de *parle* se maintient presque toujours dans *il parle bas*, alors qu'il peut fort bien disparaître dans *il parle plus bas, il parle beaucoup.* Comparez de même *mets ta veste̲ rouge* et *mets ta vest(e) rouge et blanche* ou *mets ta vest(e) rouge dans l'armoire*[9].

Les schwas immédiatement précédés de deux consonnes appartenant au même mot ne tombent donc ni lorsque la syllabe suivante porte l'accent principal

8 Sur ces exceptions, cf. pages 233 et 242.

9 Leray (1930 : 172) remarquait déjà qu'on peut dire *ouv' vite cette porte!*, mais pas **ouv' vite!* et concluait que « très souvent un schwa semble se maintenir dans le seul but d'éviter que deux syllabes toniques se suivent sans interruption ». Ceci est évidemment trop général, puisque schwa peut tomber dans *prenéz c(e) vérre*. La restriction en discussion ici ne concerne pas tous les schwas situés entre deux syllabes toniques, mais seulement ceux situés dans le contexte V́C$_2$——#$_1$ C$_1$V́.

225

de mot composé, ni lorsqu'elle porte l'accent principal d'un groupe de mots situé devant une pause. Ces deux restrictions sont probablement la manifestation d'une seule et même restriction à l'application de E-FIN$_2$. En l'absence d'une étude détaillée de la façon dont s'organise la hiérarchie des accents de mot dans la phrase, nous ne pouvons écrire formellement cette restriction et l'intégrer à la description structurale de E-FIN$_2$.

Dans notre parler, le syntagme *livre d'art chinois* est ambigu lorsqu'on prononce [livrədaršinwa] en faisant sonner le schwa final de *livre*, mais pas lorsqu'on prononce [livdaršinwa]. Dans le premier cas il peut s'agir (a) d'un livre qui traite d'art chinois, (b) d'un livre d'art qui est d'origine chinoise. Par contre dans le second cas l'interprétation (b) devient impossible. Ceci s'explique lorsqu'on remarque que l'expression *livre d'art* a été lexicalisée comme un nom composé. Comme le deuxième terme de ce nom composé est monosyllabique[10], le schwa final de *livre* se maintient toujours, conformément à la règle énoncée ci-dessus, de même qu'il se maintient dans les noms composés *Livre Blanc, livre d'or, œuvre d'art*[11]. Ainsi, à la structure superficielle ((*livre d'art*) *chinois*) correspond la seule prononciation [livrədaršinwa], tandis qu'il en correspond deux à la structure superficielle (*livre* (*d'art chinois*)) : [livrədaršinwa] et [livdaršinwa].

Lorsqu'un schwa situé en syllabe finale de mot est précédé d'un groupe *OL* et que le mot suivant commence par une consonne, il y a deux possibilités : ou bien schwa se maintient ainsi que la liquide qui précède, ou bien il tombe en entraînant la liquide avec lui. *Pauvre vieillard* se prononce alternativement [povrəvyɛyar] et [povvyɛyar], jamais *[povrvyɛyar] ni *[povəvyɛyar]. On prononce de même *prendre son temps* [prãd(rə)sõtã], *capable de nager* [kapab(lə)dənaže]. Nous proposons de rendre compte de ces faits de la façon suivante : les mots dont la dernière syllabe contient un schwa précédé d'un groupe *OL* sont comme les autres sujets à la règle facultative E-FIN$_2$, et il existe une règle obligatoire ordonnée après E-FIN$_2$ qui efface toute liquide située en fin de mot lorsqu'elle est précédée d'une obstruante et que le mot suivant commence par une consonne.

LIQUEF : $L \rightarrow \emptyset \ / \ O \text{——} \#_1 C$
(OBL)

---

10 ... une fois que la règle ELIS a effacé le schwa de la préposition *de*, cf. page 251.

11 Le schwa final de *œuvre* se maintient toujours dans le nom composé *œuvre d'art*, mais il tombe facultativement dans des assemblages libres comme *œuv(re) de jeunesse, l'œuv(re) de Quang Phuc Dong*.

Ainsi la chute de la liquide est une conséquence automatique de l'effacement du schwa final par E-FIN$_2$.

LES SCHWAS INTERNES

Par « schwas internes » nous entendons tous ceux qui ne sont du ressort d'aucune des règles présentées depuis le début du présent chapitre.

En syllabe initiale de mot derrière une pause, schwa ne tombe jamais lorsqu'il est précédé de deux consonnes ou plus (*prenez tout*). Il peut tomber facultativement lorsqu'il est précédé d'une seule consonne, sauf s'il est à la fois précédé et suivi d'une obstruante non-continue [12] ; ceci vaut aussi bien pour les monosyllabes que pour les syllabes initiales de polysyllabes : *r(e)venez demain, m(e)sure-moi cette planche, v(e)nez ici, j(e) stérilise cette seringue, c(e)la ne fait rien, d(e) mon côté..., d(e)vant chez moi..., t(e) fais pas de bile, r(e)trouve-moi cet argent, j(e)tez-y un coup d'œil, c(e) travail est trop dur, debout sur une table..., te casse pas la tête, de quoi tu te plains ?* Nous écrirons la règle facultative INI, dont l'application est immédiatement précédée par celle de la règle obligatoire INI-EX [13] :

$$\text{INI-EX :}_{(\text{OBL})} \quad \text{ə} \;\rightarrow\; [-\text{règle INI}] \quad \Bigg/ \quad \begin{bmatrix} -\text{son} \\ -\text{cont} \end{bmatrix} \text{---} \; \#_0 \begin{bmatrix} -\text{son} \\ -\text{cont} \end{bmatrix}$$

$$\text{INI :}_{(\text{FAC})} \quad \text{ə} \;\rightarrow\; \varnothing \quad / \quad \S\text{C} \text{---}$$

Avant que ne s'applique la règle INI, qui efface facultativement tout schwa précédé d'une seule consonne initiale elle-même précédée d'une pause, la règle INI-EX marque comme des exceptions à INI tous les schwas qui sont à la fois précédés et suivis d'une obstruante non-continue [14].

On pourrait faire l'économie de INI-EX en intégrant la restriction qu'elle exprime à la description structurale de INI, c'est-à-dire en formulant directement INI de façon à ce qu'elle efface facultativement tous les schwas qui sont à la fois

---

12 *petit* fait exception à cette restriction : *p(e)tit crétin!* ; *que* ne perd jamais son schwa lorsqu'il est précédé d'une pause et que le mot suivant commence par une consonne *que c'est bête! que s(e) passe-t-il?* Mais il est sujet normalement à l'élision : *qu(e) il est bête!*

13 INI pour « initial », et EX pour « exception ».

14 Sur les règles d'exception comme INI-EX, cf. SPE : 374-375.

précédés d'une seule consonne après pause, et flanqués de deux consonnes dont au moins une est autre chose qu'une obstruante non-continue :

$$\text{INI}' \atop (\text{FAC}) \quad \text{ə} \rightarrow \varnothing \quad \Big/ \quad \S \left[\begin{array}{l} C \underline{\quad\quad} \#_0 \left\{ \begin{array}{l} [+\text{ son}] \\ [+\text{ cont}] \end{array} \right\} \\ \left\{ \begin{array}{l} [+\text{ son}] \\ [+\text{ cont}] \end{array} \right\} \underline{\quad\quad} \end{array} \right]$$

La présence dans la deuxième syllabe après une pause d'un schwa susceptible d'être effacé par les règles VCE[15] n'a pas d'influence sur la façon dont INI opère : le premier schwa de *je repartirai* tombe facultativement ([žər(ə)partirɛ] ou [žrəpartirɛ]), tout comme celui de *j(e) rattraperai*. Cette dernière assertion appelle une remarque importante. En écrivant la règle INI, ou INI', nous affirmons seulement qu'on peut répartir l'ensemble des occurrences de schwa en syllabe initiale derrière pause entre deux ensembles disjoints et complémentaires : ceux qui ne répondent pas aux conditions de la description structurale de la règle et qui ne tombent jamais, et ceux qui répondent à ces conditions et qui peuvent tomber. Les règles INI et INI' n'en disent pas plus. Mais en fait tous les schwas qui répondent à leur description structurale ne tombent pas avec une égale facilité, et certaines syncopes de schwa en syllabe initiale derrière une pause sont senties comme plus naturelles que d'autres[16]. Il nous semble que le premier schwa tombe moins facilement dans *je repartirai* ([žrəpartirɛ]) que dans *je rattrapperai* ([žratraprɛ]). Parmi d'autres facteurs qui influent sur la facilité avec laquelle INI prend effet il faut compter la nature des consonnes environnantes[17], et aussi les faits accentuels : schwa tombe d'autant plus facilement que le groupe au début duquel il figure est long, c'est-à-dire d'autant plus facilement qu'il est éloigné de l'accent principal de groupe. Il tombe par exemple avec une facilité croissante dans les trois phrases suivantes : *venez, venez ici, venez boire un verre.* La syllabe initiale après une pause est un des contextes où le comportement de schwa varie de plus en plus d'un locuteur à l'autre, ce qui expliquerait que les intuitions sur ce qui est bien formé ne soient pas aussi tranchées ici qu'ailleurs. De toutes façons, il ne

---

15 Sur ces règles, cf. pages 229-230.

16 On a montré depuis quelque temps que la dichotomie entre règles obligatoires et règles facultatives avec laquelle nous opérons ici est un outil d'observation trop grossier, et que les facteurs qui inhibent ou au contraire facilitent l'opération des règles facultatives sont très finement pondérés. Voyez à ce sujet les références de la note 2 page 195. En ce qui concerne le français, tout reste à faire en la matière.

17 Cf. Delattre (1966 : 28-35).

fait pas de doute que l'effacement de schwa en cette position est soumis à des restrictions particulières. Des variations dans la formulation de ces restrictions n'auront aucune conséquence sur l'organisation du reste de la grammaire.

Un schwa précédé de deux consonnes appartenant au même mot ne tombe jamais[18] : *malmener, surgelé, exactement, mercredi, mousquetaire, harceler, gouvernemental, crevaison, squelette, breton,* etc. Lorsqu'un schwa interne est précédé d'une seule consonne, il faut distinguer deux cas selon que cette consonne est ou non à l'initiale de mot.

Lorsque l'unique consonne qui précède schwa n'est pas à l'initiale de mot, il tombe obligatoirement, même à débit lent : *feuilletez, guillemet, acheteur, clavecin, paquebot, traquenard, promener, Danemark, centenaire, casserole, souvenir,* etc. Il y a quelques exceptions, en général des mots d'un emploi peu fréquent : *champenois, attenant, enchevêtrer, dépecer.* Schwa tombe également lorsqu'il est suivi de plus d'une consonne : *Fontainebleau*[19]. Nous écrirons donc la règle suivante :

$$\text{VCE}_2 : \quad \text{ə} \quad \rightarrow \quad \emptyset \quad / \quad \text{VC} \underline{\hspace{2cm}}$$
(OBL)

Lorsque l'unique consonne qui précède schwa est à l'initiale de mot, schwa se maintient toujours si le mot précédent est terminé par une consonne[20], et il tombe facultativement si ce mot est terminé par une voyelle (il tombe d'autant plus facilement que le débit est rapide et que le locuteur porte moins d'attention à son élocution). On prononce *vieilles tenailles* mais *des t(e)nailles, quel neveu* mais *mon n(e)veu.* Opposez de même *j'arrive demain* et *j'arriverai d(e)main, ils veulent repartir* et *il veut r(e)partir, une secrétaire* et *la s(e)crétaire, Jacques devrait partir* et *Henri d(e)vrait partir.* Les deux derniers exemples illustrent le fait que schwa tombe de la même façon lorsqu'il est suivi de plus d'une consonne.

Le schwa des monosyllabes $\#C\text{ə}\#$ se comporte exactement comme celui de la première syllabe de polysyllabes commençant par $\#C\text{ə}$-[21] : on prononce

---

18 ... sauf s'il s'agit de la voyelle thématique au futur, cf. page 231. Sur certaines exceptions qui apparaissent très sporadiquement dans la parole rapide, cf. Malécot (1955).

19 Les mots où schwa se trouve dans le contexte $VC\underline{\hspace{1cm}}OLV$ sont très rares. Outre *Fontainebleau* nous ne connaissons que les formes du futur des verbes en *-cevoir* (*décevrez, recevrez*), qui sont des exceptions à VCE_2.

20 Mais cf. page 230 et page 232.

21 ... et non comme un schwa final de polysyllabe ; ce schwa n'est du ressort ni de E-FIN$_1$ ni de E-FIN$_2$.

feuille de chou [fœydǝšu] mais *pied de chou* [pyed(ǝ)šu], *mange le gâteau* [mãžlǝgato] mais *mangez le gâteau* [mãžel(ǝ)gato]. Rien ne change lorsque ce schwa est suivi de plus d'une consonne, comme le montrent les exemples suivants : *une espèce de scrupule, pas d(e) scrupules, costumé de sport, terrain d(e) sport.* Nous écrirons la règle suivante[22] :

$$\text{VCE}_1 : \quad \text{ǝ} \rightarrow \emptyset \quad / \quad V \#_1 C \text{——}$$
(FAC)

On trouvera chez Delattre (1966) des listes systématiques qui illustrent abondamment le fonctionnement de VCE_1 et VCE_2 dans les divers cas possibles. La plupart des noms propres sont des exceptions à VCE_1. Haden (1965) a attiré l'attention sur des oppositions comme celles entre *j'ai vu l(e) sage* et *j'ai vu Lesage*, *sans ch(e)valier* et *sans Chevalier*. De même : *René, Seguin, Nemours, Besançon, Ledru-Rollin, Geneviève*, etc. Les exceptions à VCE_1 ne se limitent d'ailleurs pas aux noms propres : *femelle, guenon, peser, vedette*, etc. Nous avons dressé la liste exhaustive de tous les mots commençant par #Cǝ- contenus dans le *Petit Robert* et connus de nous, et nous les avons répartis entre deux colonnes, selon que dans notre parler ils peuvent ou nous perdre leur schwa lorsque le mot précédent est terminé par une voyelle. L'examen de cette liste ne fait apparaître aucune régularité simple qui permettrait de prédire à partir des consonnes qui l'entourent si un schwa en syllabe initiale de mot est ou non sujet à VCE_1. Cette liste montre en tout cas que ce sont les mots, et non les morphèmes, qui doivent être marqués dans le lexique comme des exceptions à VCE_1. En effet, un même morphème peut être une exception dans un mot et pas dans un autre. Notre parler oppose par exemple *m(e)ner* et *meneur*, *s(e)mer* et *semailles*, *ch(e)min* et *cheminer*. En général ce sont les mots peu courants ou d'usage littéraire qui ont tendance à être des exceptions à VCE_1. Nous avons montré à la page 188 que VCE_1 doit s'appliquer après E-FIN_1.

Contrairement à ce que nous avons affirmé plus haut, il semble que dans la parole très rapide le schwa d'un petit nombre de mots commençant par #Cǝ- puisse tomber même si le mot précédent est terminé par une consonne : *quelle semaine* se prononce parfois [kɛlsmɛn]. Toujours dans la parole très rapide, le schwa de *semaine* tombe parfois alors même que le schwa du monosyllabe précédent tombe aussi : *fin de semaine* se prononce non seulement [fɛ̃dsǝmɛn] et [fɛ̃dǝsmɛn] comme prédit par la règle VCE_1 [23], mais aussi [fɛ̃dsmɛn]. Les autres

---

22 Il en a déjà été question à la p. 187.

23 Sur la façon dont VCE_1 affecte les schwas situés dans des syllabes adjacentes, cf. page 244 et suivantes.

mots qui ont cette propriété dans notre parler sont *je*[24], *semelle, cerise, chemise, fenêtre* et *petit*. Dans tous ces mots sauf *petit*, schwa est précédé d'une fricative et suivi d'une sonante. Mais il est d'autres mots semblables où VCE_1 est toujours respectée : *semestre, seringue, chenille*.

Les faits touchant ce point varient d'un locuteur à l'autre. Certains semblent s'en tenir toujours strictement à VCE_1, même dans le débit le plus rapide. Ceux qui s'en écartent ne le font pas toujours dans les mêmes mots. Le système de règles que nous proposons ne rend pas compte des faits discutés dans le paragraphe précédent; il ne permet d'engendrer ni [kɛlsmɛn] ni [fɛ̃dsmɛn]. Il engendre l'ensemble des représentations phonétiques qui sont bien formées pour les locuteurs qui s'en tiennent toujours strictement à VCE_1. Cet ensemble coïncide avec l'ensemble des représentations phonétiques bien formées qui sont communes à tous les locuteurs dont la prononciation ne diverge qu'en ce qui concerne VCE_1. Nous disposons ainsi d'un système de référence pour une étude plus fine des variations individuelles.

Dans les formes du futur et du conditionnel des verbes en *-er*, le schwa qui précède le *r* du futur tombe non seulement lorsqu'il est précédé d'une seule consonne, ce qui est conforme à VCE_2 (*volɇras, mangɇras*), mais aussi, facultativement, lorsqu'il est précédé de deux consonnes ou plus[25] : *parl(e)ras, fix(e)ras, prétext(e)ras*. La chute facultative de schwa est bien une propriété spécifique de ces formes verbales, car ailleurs, dans le même entourage phonique, schwa se maintient toujours comme prévu par VCE_2, ainsi qu'on le voit dans les paires suivantes : *largu(e)ra/marguerite, calm(e)rai/palmeraie, forg(e)ront/forgeron, insist(e)ra/fumisterie*.

Comment rendre compte de ces données? il est tentant d'assimiler les schwas du futur et du conditionnel à des schwas finaux : le schwa de *fumɇras* tombe obligatoirement comme celui de *unɇ roue*, et celui de *prétext(e)ras* tombe facultativement comme celui de *text(e) rare*. Il suffirait donc de postuler des représentations *fume#ras* et *prétexte#ras*. Rien en principe ne s'oppose à ce que nous adoptions cette analyse, qui donne aux formes du futur et du conditionnel un statut morphologique particulier, à condition qu'un certain nombre d'arguments concourent indépendamment les uns des autres à l'étayer. Or le comportement de schwa est la seule chose qui milite en sa faveur, et encore le parallélisme entre

24 Comme le montre la prononciation [fokʒmãnay] pour *faut que je m'en aille*. VCE_1 permet seulement [fokʒəmãnay] et [fokəʒmãnay].
25 Sauf s'il s'agit d'un groupe *OL*, auquel cas il se maintient obligatoirement : *rentreras, souffleras*.

les schwas du futur et les schwas finaux n'est-il pas complet : dans les verbes dont le radical est terminé par *OL*, le schwa et la liquide ne tombent jamais. Alors que *manœuvre rapide* se prononce alternativement [manœvrərapid] ou [manœvrapid], *manœuvrera* ne se prononce que [manœvrəra], jamais *[manœvra]. Un autre fait qui pose problème avec cette analyse est le maintien de schwa dans *hésiteriez*, *voleriez*, etc. Nous verrons plus tard que schwa se maintient devant un groupe *Ly* qui appartient au même mot (*hôtelier*), mais pas au mot suivant (*petite lionne*). Si on analyse *hésite # riez*, on comprend mal pourquoi schwa se maintient malgré tout, alors qu'il tombe dans *petite # lionne*.

Il vaut mieux attribuer la chute de schwa dans *mangera*, *volera* à l'action de la règle obligatoire VCE$_2$, et celle de schwa dans *vals(e)ra*, *prétext(e)ra* à celle d'une règle facultative spéciale qui efface schwa devant le morphème du futur :

E-FUT : ə → Ø / ⎯⎯ +r+
(FAC)

condition : sauf derrière *OL*

Quoique n'étant pas du ressort de VCE$_1$, schwa tombe facultativement dans *Jacques s(e)ra là, Ernest f(e)ra la cuisine* (comparez avec *chaque seringue*). Ceci ne constitue pas forcément un argument supplémentaire en faveur de la règle E-FUT, car il est possible que ces formes soient à mettre sur le même plan que *cerise*, *fenêtre*, etc., dont il a été question à la page 231.

VCE$_1$ et VCE$_2$ prennent effet normalement lorsque la voyelle de la syllabe précédente est un schwa qui ne peut pas tomber : *entretenir* [ãtrətnir], *breveter* [brəvte], *patte de renard* [patdər(ə)nar], *elle te demande* [ɛltəd(ə)mãd], *laissez-le debout* [leseləd(ə)bu], *je pense que ce devant quoi il faut s'incliner… […səd(ə)vã…]*[26]. Il existe cependant un cas où les conditions de la description structurale de VCE$_1$ sont remplies, mais où l'opération de cette règle fournirait des représentations phonétiques mal formées : lorsque la voyelle de la syllabe précédente est un schwa final qui n'a pas été effacé par la règle facultative E-FIN$_2$. Avec la règle VCE$_1$ telle qu'elle est formulée pour l'instant, on devrait pouvoir dire *[ipartədmɛ̃] pour *ils partent demain*, de même qu'on peut dire [vupartedmɛ̃] pour *vous partez demain*. En fait on ne peut dire que [ipartdəmɛ̃] ou [ipartədəmɛ̃], selon qu'E-FIN$_2$ prend ou non effet. Ainsi VCE$_1$ peut prendre avantage du [e] final de *partez* pour

26 Sur les raisons pour lesquelles le premier schwa ne tombe pas dans les deux dernières formes, cf. page 254.

effacer le schwa de *demain,* mais elle ne peut en faire autant avec le schwa final de *partent.* Voyez de même[27] :

carte de Chine	[kart(ə)d̯əšin]	/ *[kartədšin]
l'ordre que tu donnes	[lɔrd(rə)k̯ətüdɔn]	/ *[lɔrdrəktüdɔn]
perche recourbée	[pɛrš(ə)r̯əkurbe]	/ *[pɛršərkurbe]
l'autre melon	[lot(rə)m̯əlɔ̃]	/ *[lotrəmlɔ̃]
la veste de Paul	[vɛst(ə)d̯əpɔl]	/ *[vɛstədpɔl]
ma montre se casse	[mɔ̃t(rə)s̯əkas]	/ *[mɔ̃trəskas]
porte-fenêtre	[pɔrt(ə)f̯ənɛtr]	/ *[pɔrtəfnɛtr]

Quand on remarque que dans *partez d(e)main* et *la fêt̯e d̯e d(e)main,* où *demain* est sujet à VCE_1, la voyelle qui précède *demain* porte un accent de mot, on peut se demander s'il ne faut pas restreindre VCE_1 de façon à ce qu'elle ne prenne effet que lorsque la voyelle finale du mot précédent est accentuée, c'est-à-dire dans le contexte $\acute{V}\#_1 C$——[28]. Mais cette hypothèse est contredite par le fait que VCE_1 prend effet normalement derrière les mots qui sont des exceptions à $E\text{-}FIN_2$[29], mots dont le schwa final est inaccentué tout comme celui de *partent* : *quelque̯s s(e)condes, il a presque̯ d(e)viné, entre̯ G(e)nève et Paris, contre̯ l(e) mur, une simple̯ ch(e)mise, sa propre̯ ch(e)ville, pas le moindre̯ j(e)ton*[30]. Bref, VCE_1 prend effet derrière toutes les voyelles – accentuées ou non – sauf derrière les schwas qui peuvent être sujets à $E\text{-}FIN_2$. Il est clair que du point de vue de VCE_1, les mots terminés par de tels schwas ont le même effet que s'ils étaient terminés par une consonne, même lorsque leur schwa se maintient.

---

27 Les formes précédées d'astérisques sont mal formées pour nous et les personnes de notre entourage immédiat, mais elles sont bien formées pour de nombreux Parisiens, sans parler de certaines variétés régionales de français, comme à Besançon, où elles l'emportent largement sur les variantes concurrentes.

28 Proposé par Vergnaud (1970 : 24).

29 Cf. page 225.

30 L'impossibilité de dire *quelqu'minutes, *presqu' partout,* montre que *quelques* et *presque* sont bien en général des exceptions à $E\text{-}FIN_2$, et que le maintien de leur schwa final dans *quelques secondes, presque deviné,* n'est pas dû à la présence d'un schwa dans le mot suivant. Voyez de même *ent' Paris et Genève, *cont' la table, *sont prop' mouchoir, *la moind' défaillance.*

Avant de trouver une solution qui rende compte de ces faits, il est bon de revenir sur certaines des règles que nous avons données. Nous les répétons ici pour faciliter la tâche au lecteur :

PAUS : $\text{ə} \rightarrow \emptyset$ / $VC_0 \text{———} \S$
(OBL)

E-FIN$_1$: $\text{ə} \rightarrow \emptyset$ / $VC \text{———} \#$
(OBL)

E-FIN$_2$: $\text{ə} \rightarrow \emptyset$ / $CC \text{———} \#$
(FAC)

VCE$_1$: $\text{ə} \rightarrow \emptyset$ / $V \#_1 C \text{———}$
(FAC)

VCE$_2$: $\text{ə} \rightarrow \emptyset$ / $VC \text{———}$
(OBL)

Les règles E-FIN$_1$ et VCE$_2$ présentent une ressemblance vraiment troublante. On peut se demander si la présence de VCE$_2$ ne nous permet pas de nous dispenser complètement de E-FIN$_1$, qui n'en est semble-t-il qu'un cas particulier. Mais E-FIN$_1$ et VCE$_2$ sont bien deux règles distinctes. En effet, nous avons montré à la page 188 que E-FIN$_1$ doit s'appliquer avant VCE$_1$, et nous allons montrer dans un instant que VCE$_1$ doit s'appliquer avant VCE$_2$. Si E-FIN$_1$ et VCE$_2$ étaient une seule et même règle, il faudrait que cette règle s'applique tantôt avant et tantôt après VCE$_1$, ce qui est impossible dans le cadre théorique adopté ici. Montrons donc que VCE$_2$ doit s'appliquer après VCE$_1$. Il suffit pour cela de comparer les dérivations de *tu devenais* selon qu'on ordonne VCE$_1$ avant ou après VCE$_2$[31] :

	/tü # dəvənɛ/	/tü # dəvənɛ/		/tü # dəvənɛ/
VCE$_1$	tü # d vənɛ		VCE$_2$	tü # dəv nɛ
VCE$_2$		tü # dəv nɛ	VCE$_1$	tü # d v nɛ
	[tüdvənɛ]	[tüdəvnɛ]		*[tüdvnɛ]

31 Dans ces dérivations et celles qui suivent, nous faisons abstraction des frontières de morphème, qui ne sont pas pertinentes pour notre propos.

Lorsque VCE_1 précède VCE_2, il y a deux dérivations possibles selon que la règle facultative VCE_1 efface ou non le schwa de gauche. Si elle l'efface, le schwa suivant se trouve alors placé derrière deux consonnes à la file, et VCE_2 ne peut plus prendre effet. Si elle ne l'efface pas, le schwa de droite reste précédé d'une seule consonne et est obligatoirement effacé par VCE_2. L'opération de VCE_1 dans une séquence $V\#_1\ CaCa$ empêche donc celle de VCE_2, et VCE_2 opère si et seulement si VCE_1 n'a pas opéré auparavant. En d'autres termes, VCE_1 et VCE_2 ne peuvent pas s'appliquer l'une après l'autre de façon à effacer deux schwas appartenant à des syllabes contiguës, et ceci est parfaitement en accord avec les données. Au contraire l'ordre inverse permet aux deux règles de prendre effet dans des syllabes contiguës, avec pour résultat la représentation mal formée *[tüdvnɛ]. VCE_2 doit s'appliquer après VCE_1, et en conséquence VCE_2 est un processus distinct de $E\text{-}FIN_1$.

$E\text{-}FIN_1$ précédant VCE_1 et VCE_1 précédant VCE_2, il suit que $E\text{-}FIN_1$ doit précéder VCE_2. Notons qu'il n'existe pas de forme qui nous permette d'établir directement ce dernier résultat. En effet, $E\text{-}FIN_1$ et VCE_2 ne peuvent jamais affecter deux syllabes contiguës, car il ne peut pas exister en français de mot où la dernière et l'avant dernière syllabe contiennent chacune un schwa au moment de la dérivation où ces règles sont applicables. Dans les mots qui ont une représentation phonologique de la forme $/\#XaCa(+C)\#/$, le schwa de l'avant-dernière syllabe est toujours récrit comme ɛ par la règle E-AJ, et ceci a lieu avant l'application de $E\text{-}FIN_1$ et VCE_2.

INI doit s'appliquer avant VCE_1 : *je repars* se prononce [žrəpar], [žərpar] ou [žərəpar]. La dernière prononciation est obtenue lorsque ni INI ni VCE_1, qui sont l'une et l'autre facultatives, ne prennent effet. Nous donnons ci-dessous les dérivations des deux premières prononciations, avec en regard une des dérivations qu'on obtiendrait si INI s'appliquait après VCE_1 :

	/§žə # rəpar/	/§žə # rəpar/			/§žə # rəpar/
INI	§ž #rəpar			VCE_1	§žə #r par
VCE_1		§žə #r par		INI	§ž #r par
	[žrəpar]	[žərpar]			*[žrpar]

INI doit de même s'appliquer avant VCE_2 si on veut éviter que la grammaire n'engendre *[dvne] à partir de /§davəne/ dans *devenez riche*. Comme il n'existe aucune règle qui doive être ordonnée entre INI et VCE_1, ni entre VCE_1 et VCE_2, on peut fusionner ces trois règles en le schéma suivant :

$$\mathrm{a} \rightarrow \varnothing\ \Big/\ \left\{ \begin{matrix} \S \\ V(\#_1) \end{matrix} \right\} C\ \text{---}$$

Rappelons qu'à la différence de VCE_1 et VCE_2, INI doit prendre en considération certaines caractéristiques des consonnes qui entourent le schwa. Par ailleurs on constate que tout mot qui est une exception à VCE_1 est aussi une exception à INI, et réciproquement [32]. Ceci suggère une parenté profonde entre INI et VCE_1, parenté qui est complètement obscurcie par la complexité formelle de la formulation INI′ donnée à la page 228. On voudrait pouvoir dire que INI et VCE_1 sont deux modalités d'un processus fondamentalement un, l'effacement facultatif de schwa dans le contexte $\#C$— lorsque ce qui précède n'est pas une consonne, processus sujet à des restrictions particulières derrière une pause. C'est ce que nous avons essayé de mettre en lumière en préférant à la règle unique INI′ les deux règles INI et INI-EX de la page 227.

LES SCHWAS EPENTHÉTIQUES

Dans la liste de règles que nous avons donnée à la page 234, il y en a trois qui effacent schwa en fin de polysyllabe : PAUS, $E\text{-}FIN_1$ et $E\text{-}FIN_2$. En y regardant de plus près, on s'aperçoit que les seuls schwas finaux de polysyllabes qui puissent subsister dans les représentations phonétiques sont ceux précédés de deux consonnes lorsque le mot suivant commence par une consonne :

uné femme	uné amie	j'en vois uné
l'aut(re) femme	l'autré amie	je vois l'autré

Nous proposons donc d'effacer en un premier temps *tous* les schwas finaux de polysyllabes, quel que soit le nombre de consonnes qui précèdent, et de réinsérer facultativement un schwa lorsqu'un mot terminé par deux consonnes ou plus est suivi d'un autre qui commence par une consonne [33] :

E-FIN : $\quad ə \rightarrow \emptyset \quad / \quad VC_0 \text{——} \#$
(OBL)

EPEN : $\quad \emptyset \rightarrow ə \quad / \quad CC \text{——} \#_1 C$
(FAC)

32 *que* et *ne* sont à notre connaissance les seules exceptions à INI qui ne soient pas aussi des exceptions à VCE_1 : *qu͜e c'est beau!*, mais *il faut qu(e) ça mousse*; *n͜e pars pas*, mais *Jean n(e) part pas.*
33 EPEN pour « épenthèse ».

Le contexte de E-FIN est VC_0——# plutôt que simplement ——# pour éviter que les schwas des monosyllabes ne soient affectés. La règle EPEN, en général facultative, doit toutefois être obligatoire dans les contextes accentuels où notre ancienne règle E-FIN$_2$ ne devait pas prendre effet[34]. Les mots comme *quelques, presque*, etc. sont marqués comme des exceptions à E-FIN.

Il peut sembler paradoxal d'effacer partout schwa final pour le réintroduire dans certains contextes par une règle spéciale d'épenthèse. Ceci l'est moins lorsqu'on remarque que certains des schwas présents au niveau phonétique ne peuvent pas avoir leur source dans une voyelle présente dès les représentations phonologiques. Nous pensons aux schwas qui figurent à la fin de certaines formes des verbes *ouvrir, couvrir, offrir, souffrir* lorsque le mot suivant commence par une consonne. Ces verbes appartiennent à la troisième conjugaison, comme *peindre, servir*, etc. Leur représentation phonologique ne contient pas de voyelle thématique[35], et parallèlement à *il peint* /peñ+t/, *il sert* /sɛrv+t/, on doit attribuer à *il ouvre, il offre* les représentations phonologiques /uvr+t/, /ɔfr+t/, où n'apparaît aucune voyelle dont on puisse dériver le schwa qui apparaît facultativement dans *il ouv(re) la porte, il m'off(re) du feu*[36].

En ordonnant EPEN après VCE$_1$, nous résolvons le problème posé par des séquences comme *ils part(e)nt demain*[37], dont voici la dérivation, avec en regard celle de *ils viennent demain* :

	/vyɛnə##dəmɛ̃/	/partə##dəmɛ̃/
E-FIN	vyɛn ##dəmɛ̃	part ##dəmɛ̃
VCE$_1$		
EPEN		part(ə)##dəmɛ̃
	[vyɛndəmɛ̃]	[part(ə)dəmɛ̃]

Dans la colonne de droite est condensé le contenu de deux dérivations : celle qui aboutit à [partədəmɛ̃] lorsque la règle facultative EPEN prend effet, et celle qui aboutit à [partdəmɛ̃] lorsque cette règle ne prend pas effet. Après que E-FIN a effacé le schwa final, la représentation de *partent* se termine par une consonne, tout comme celle de *viennent*, ce qui fait que le schwa de *demain* n'est pas du ressort de VCE$_1$.

---

34 Cf. p. 225.
35 Cf. p. 213.
36 Sur ce point nous sommes d'accord avec Schane (1968*a* : 116).
37 Cf. p. 232-233.

Dans quel ordre s'appliquent EPEN et LIQUEF? Prenons par exemple *arbre pourri,* qui se prononce [arbrəpuri] ou [arbpuri], mais pas *[arbəpuri]. Si LIQUEF s'applique avant EPEN, on obtient *[arbəpuri] dans le cas où EPEN prend effet, comme le montre la dérivation ci-dessous, en regard de laquelle nous avons fait figurer celle de *serp(e) rouillée* pour permettre la comparaison :

	/arbrə##puri/	/sɛrpə##ruye/
E-FIN	arbr ##puri	sɛrp ##ruye
LIQUEF	arb ##puri	
EPEN	arbə ##puri	sɛrpə##ruye
	*[arbəpuri]	[sɛrpəruye]

Cette difficulté disparaît si on adopte l'ordre inverse; le liquide ne tombe que si EPEN ne vient pas intercaler un schwa entre elle et la consonne suivante :

	/arbrə##puri/	/arbrə##puri/
E-FIN	arbr ##puri	arbr ##puri
EPEN	arbrə##puri	
LIQUEF		arb ##puri
	[arbrəpuri]	[arbpuri]

Arrivés à ce point, il n'est pas inutile de revenir sur l'hypothèse, déjà évoquée rapidement à la page 187, selon laquelle les schwas internes[38] ne dériveraient pas de voyelles déjà présentes dans les représentations phonologiques, mais seraient introduits par épenthèse en cours de dérivation. C'est à ceci que revient en fait la position qui a été constamment soutenue par André Martinet[39]. Il ne voit en effet de nécessité de poser un phonème /ə/ que pour rendre compte de certaines oppositions devant *h* aspiré, comme celles de *l'être* et *le hêtre, dors* et *dehors.* Pour le reste, la présence ou l'absence de *ə* serait toujours déterminée mécaniquement par la nature du contexte. Tout phonème consonantique /C/ du français se réaliserait [Cə] lorsque situé entre deux consonnes, et [C] partout ailleurs. Ainsi, selon Martinet (1969 : 217) « le phonème /d/ a la variante [d] devant voyelle, dans *dans,* par exemple, ou après voyelle et devant consonne unique,

---

38 La discussion qui va suivre ne concerne que les schwas « internes », tels que nous les avons définis page 227.
39 1960; § 3-22; 1962 : 11-25; 1965*a* : 125; 1969 : 209-219.

comme dans *là-dessus* [ladsy], mais une variante [də] entre consonnes, comme dans *pardessus* /pardsy/, réalisé comme [pardəsy] ». Martinet fait très justement remarquer que cette analyse a pour elle d'expliquer naturellement le fait qu'à la différence des autres voyelles, schwa n'apparaît jamais à l'initiale de mot[40]. Mais c'est le seul avantage que nous lui connaissions. Le problème déjà évoqué à la page 187 relativement à des paires comme *secoue—skie, pelouse—place* se retrouve ailleurs que derrière les consonnes initiales de mot : *perdrix* se prononce [pɛrdri] et jamais *[pɛrdəri], alors que *bordereau* se prononce [bordəro] et jamais *[bordro]. Voyez de même les paires *portrait—forteresse, marbré—Barberot, Harfleur—farfelu, escrime—brusquerie, sclérose—squelette.*

Notons aussi l'opposition entre les formes du futur et du conditionnel de la première conjugaison, où schwa apparaît dans certains cas, et les formes analogues de certains verbes de la troisième conjugaison, où il n'apparaît jamais : *borderez* [bord(ə)re], mais *tordrez* [tordre], *fonderiez* [fɔ̃dərye] (de *fonder*) mais *fondriez* [fɔ̃driye] (de *fondre*). Conformément à l'analyse que nous avons défendue à la page 213, les formes ci-dessus ont les représentations sous-jacentes suivantes : /bord+ə+r+e/, /tord+r+e/, /fɔ̃d+ə+r+i+e/, /fɔ̃d+r+i+e/. L'effacement facultatif de schwa dans *borderez* est l'œuvre de la règle E-FUT. Quant au fait que /i+e/ se réalise comme [iye] dans *fondriez* mais comme [ye] dans *fonderiez*, c'est un exemple d'une régularité parfaitement générale qu'on peut en première approximation énoncer comme suit : /iV/ se réalise [iyV] derrière un groupe *OL* et [yV] partout ailleurs : *oublier* [ubliye], *étudier* [etüdye]; *quatrième* [katriyɛm], *troisième* [trwazyɛm]; *poudrière* [pudriyɛr], *glacière* [glasyɛr], etc. La grammaire devra de toute façon contenir des règles phonologiques formulées de façon à garantir ce résultat[41]. Si on veut à toute force que le schwa de *fonderiez* ne dérive pas d'une voyelle sous-jacente mais que sa présence découle de certaines propriétés du contexte, on est obligé d'attribuer à la terminaison *-iez* de *fonderiez* et à celle de *fondriez* des représentations phonologiques distinctes, ce qui n'a aucune justification indépendante.

Conscients de ces difficultés, Blanche-Benveniste et Chervel (1969 : 127-130) ont récemment proposé une analyse où schwa représente un phonème dans certains contextes et est le résultat d'un processus d'épenthèse dans d'autres. Cette

---

40 Dans le cadre de notre analyse, le seul moyen de rendre compte de ce fait est de postuler une règle de structure morphématique qui interdit à tout morphème lexical ou à tout préfixe de commencer par /ə/. La généralité de cette règle ne déborde pas le fait particulier qui motive son introduction dans la grammaire. En ce sens notre analyse n'explique pas le fait en question; elle se contente de le constater.

41 Sur le détail de ces règles, cf. les références données à la n. 15 de la page 67.

analyse met à profit un fait que nous allons d'abord présenter en nous plaçant au point de vue de notre propre analyse : tous les groupes de consonnes ne sont pas possibles dans les représentations phonologiques. Considérons par exemple ce qui se passe en début de morphème. L'existence de *plisse* en face de *pelisse*, *police*, montre qu'au niveau des représentations phonologiques on peut opposer des morphèmes commençant par /pl/ et d'autres qui commencent par /pVl/ ; /pl/ est un groupe de consonnes possible en début de morphème. Par contre le français ne saurait opposer de morphèmes commençant par la séquence /mz/ aux morphèmes commençant par /mVz/, comme *mesure*, *masure* ; /mz/ n'est pas un groupe de consonnes possible en début de morphème. On peut dire que la présence d'une voyelle entre [m] et [z] est prédictible dans [šakməzür] *chaque mesure*, en ce sens que la séquence *[šakmzür] ne peut pas être bien formée en français[42]. Abstraction faite d'un certain nombre d'exceptions comme *pneu*, *psychose*, etc., il n'y a que deux sortes de groupes de deux consonnes possibles en début de morphème : *s* suivi d'une non-continue (*ski*, *scribe*[43]), ou certains groupes *OL* (*place*, *crête*[44]). Pour la commodité de l'expression, nous utiliserons l'expression *WZ* comme un symbole arbitrairement choisi pour représenter la caractérisation en traits pertinents de la classe de séquences de deux consonnes permises en début de morphème, et l'expression *W'Z'* pour représenter la caractérisation en traits pertinents du complément de cette classe (séquences de deux consonnes qui ne peuvent pas figurer en début de morphème). La solution proposée par Blanche-Benveniste et Chervel consiste à considérer que tous les schwas qui apparaissent au niveau phonétique entre deux consonnes *WZ* sont les réalisations d'un phonème /ə/, tandis que tous ceux qui apparaissent entre deux consonnes *W'Z'* ont été introduits par épenthèse. Ainsi *secoue*, *pelote*, *ski* et *place* seront représentés phonologiquement comme /səku/, /pəlɔt/, /ski/, /plas/, tandis que *mesure*, *genou* seront représentés phonologiquement comme /mzür/, /žnu/.

Blanche-Benveniste et Chervel se sont contentés d'esquisser leur analyse dans les grandes lignes sans entrer dans les détails, mais il est intéressant d'essayer de la pousser jusqu'à ses ultimes conséquences. Notons qu'elle implique que

---

42 A strictement parler, ce qui est nécessaire dans le contexte *km——z*, c'est simplement la présence *d'une voyelle quelconque*, pas celle de schwa en particulier. Ceci dit, la raison qui pousse à traiter schwa (plutôt que *a* ou *o*) comme une voyelle épenthétique est claire, même si elle n'est jamais donnée explicitement dans la littérature sur le sujet : la présence de *a* dans *masure* est une propriété permanente de ce morphème, tandis que celle de schwa dans *mesure* dépend du contexte.

43 Par opposition à *secouer*, *secret*.

44 Par opposition à *pelote*, *querelle*.

n'importe quelle séquence de consonnes est possible en début de morphème au niveau phonologique, et qu'elle permet donc de faire l'économie de la règle de structure morphématique qui est nécessaire dans notre propre analyse pour exprimer le fait que seules sont admises en cette position les séquences *WZ*. La grammaire de Blanche-Benveniste et Chervel devra contenir comme la nôtre la règle facultative VCE_1, afin de rendre compte du fait que le phonème schwa peut se réaliser phonétiquement comme zéro derrière $V \#_1 C$ (*la pelote* [lap(ə)lɔt]). Passons maintenant à la règle d'épenthèse qui, dans leur analyse, est responsable de l'apparition de schwas comme celui de [šakžənu] *chaque genou* (de /šak # žnu/). Il ne peut s'agir simplement d'une règle qui insère obligatoirement schwa dans n'importe quel contexte $C \#_1 C$——C. Une telle règle serait trop générale, car elle dériverait non seulement [šakžənu] de /šak # žnu/, mais aussi *[šakpəlas] de /šak # plas/ *chaque place*. Il faut que la description structurale de la règle d'épenthèse indique qu'en début de mot les seules séquences *CC* sujettes à l'insertion de schwa sont les séquences $W'Z'$:

INS_1^{45} : $\emptyset \rightarrow$ ə / $C \#_1 W' — Z'$
(OBL)

Encore INS_1 ne rend-elle pas compte du fait que [mežnu] alterne facultativement avec [mežənu] pour *mes genous*. Il faut donc lui ajouter une règle facultative qui insère schwa dans les mêmes groupes de consonnes que INS_1 lorsqu'une voyelle précède :

INS_2 : $\emptyset \rightarrow$ ə / $V \#_1 W'$ —— Z'
(FAC)

Ainsi, à la place de notre seule règle VCE_1, la grammaire qu'implique l'analyse de Blanche-Benveniste et Chervel en contient trois : VCE_1, INS_1 et INS_2. Ces trois règles concourent comme par hasard au même résultat global : les mots qui se prononcent [CəCX] lorsqu'une consonne précède peuvent se prononcer [CəCX] ou [CCX] lorsque c'est une voyelle qui précède, et ceci est vrai *quelle que soit la nature des consonnes qui entourent le schwa*. La grammaire en question obscurcit complètement cette généralisation, puisqu'elle attribue l'alternance entre schwa et zéro à l'action de règles distinctes selon que celle-ci a lieu dans le contexte $\# W'$——Z' (règles INS_1 et INS_2) ou dans le contexte $\# W$——Z (règle VCE_1).

45 INS pour « insertion ».

241

Notons pour terminer que dans la perspective adoptée par Blanche-Benveniste et Chervel, les prononciations de formes comme *geler, mener,* etc. dérivent de représentations phonologiques /žl+e/, /mn+e/, où /žl/ et /mn/ ne contiennent pas de voyelle. Or ces cas mis à part, on constate qu'en français les représentations phonologiques des morphèmes lexicaux contiennent toujours au moins une voyelle[46]. Nous laisserons enfin au lecteur le soin d'examiner les complications que l'analyse de Blanche-Benveniste et Chervel introduirait dans le traitement des exceptions et dans celui des alternances entre schwa et ɛ.

Maintenant que nous avons substitué à E-FIN$_1$ et E-FIN$_2$ la règle unique E-FIN qui efface obligatoirement tous les schwas finaux de polysyllabes, il peut sembler inutile de conserver une règle spéciale PAUS pour effacer schwa devant pause. Si nous sommes pourtant obligés de conserver une règle PAUS distincte de E-FIN, c'est à cause de *quelques, presque* et des mots similaires dont il a été question à la page 233. Leur schwa final se maintient lorsque ce qui suit est un mot commençant par une consonne, mais tombe devant une pause. On dit *quelques minutes,* mais *vingt et quelqu*̸*s, c'est presqu*̸ *certain,* mais *c'est certain, ou presqu*̸[47]. Dans la théorie phonologique que nous avons adoptée, si une forme est marquée dans le lexique comme une exception à une certaine règle, elle se comporte comme une exception dans tous les contextes où la règle en question peut prendre effet. Si les schwas finaux de polysyllabes relevaient de la règle unique E-FIN, il nous serait impossible de faire que *presque* soit une exception à E-FIN lorsqu'un autre mot suit, mais pas devant une pause. On pourrait bien sûr élargir la notion d'exception de façon à ce qu'il soit possible d'employer des marques lexicales comme [− règle *n*/——*K*], « exception à la règle *n* dans le contexte *K* ». Mais les faits discutés ici ne sauraient à eux seuls justifier un tel enrichissement de la théorie linguistique. Nous conserverons donc PAUS à côté de E-FIN, et les mots comme *presque* seront marqués dans le lexique comme des exceptions à E-FIN mais pas à PAUS. Les mêmes raisons qui nous dictent d'ordonner E-FIN après TRONC nous dictent aussi d'ordonner PAUS après TRONC.

---

46 Seules exceptions, quelques formes de verbes irréguliers comme *sont, font, ont,* où le radical est respectivement /s/, /f/ et zéro.

47 Au contraire le schwa final des mots *jusque, lorsque, puisque, parce que* se maintient même devant une pause, comme en témoigne leur prononciation isolée. Ces mots doivent être marqués à la fois comme des exceptions à E-FIN et à PAUS, ou être considérés comme des composés dont le deuxième terme est *que* : /žüsə#kə/, etc.

Les formulations de LIQUEF, E-FIN et EPEN que nous avons données aux pages 226 et 236 ont été conçues pour rendre compte des cas où schwa est la voyelle finale d'un mot suivi d'un autre mot qui commence par une consonne, mais elles ne disent rien des cas où schwa en syllabe finale est suivi d'une consonne[48] qui fait liaison avec la voyelle initiale du mot suivant. Rien ne change dans de tels cas, comparez *énormes anneaux* [enɔrm(ə)zano] avec *énorme zéro* [enɔrm(ə)zero] ou *d'autres anneaux* [dot(rə)zano] avec *l'autre zéro* [lot(rə)zero]. Pour rendre compte de ces faits, deux solutions concurrentes se présentent, entre lesquelles rien ne nous permet présentement de trancher.

A condition d'ordonner la règle qui place l'accent de mot avant E-FIN, on peut reformuler E-FIN, EPEN et LIQUEF comme suit :

$$\text{E-FIN}' \quad : \quad V \;\rightarrow\; \emptyset \quad / \quad \acute{V}C_0 \,\underline{\quad\quad}$$

$$\text{EPEN}' \quad : \quad \emptyset \;\rightarrow\; ə \quad / \quad \acute{V}C_2 \,\underline{\quad\quad}\, [-\text{seg}]_1 \, C$$

$$\text{LIQUEF}' : \quad L \;\rightarrow\; \emptyset \quad / \quad O \,\underline{\quad\quad}\, [-\text{seg}]_1 \, C$$

E-FIN' efface toute voyelle qui suit l'accent de mot. Du fait de notre formulation de la règle d'accentuation, une telle voyelle ne peut être que schwa. EPEN' et LIQUEF' parlent d'elles-mêmes.

Une autre solution consisterait à conserver E-FIN, EPEN et LIQUEF avec leurs formulations originelles et à supposer que dans les représentations phonologiques le *z* du pluriel ou de la deuxième personne et le *t* de la troisième personne sont séparés du reste du mot par une frontière # [49]. *Autres anneaux* aura par exemple la représentation sous-jacente /otrə#z#ano#z/, ce qui permet aux règles d'opérer exactement comme dans *autre zéro* /otrə#zero/. Cette modification des représentations phonologiques ne change pratiquement rien au reste de notre analyse. Simplement, au lieu d'être attribuée à la règle TRONC$_a$[50],

---

48 Du fait de la structure morphologique du français, cette consonne ne peut être que *z* ou *t*.

49 Chomsky et Halle (1968 : 85-86) ont montré qu'en anglais également certains suffixes flexionnels devaient être précédés d'une frontière #.

50 Cf. p. 182.

la troncation de l'obstruante finale du radical dans *petits* $/\#$pətit$\#$z$\#/$ et dans *il tord* $/\#$tɔrd$\#$t$\#/$ doit maintenant être attribuée à TRONC$_b$[51].

SCHWAS EN SYLLABES CONTIGUËS

Lorsque plusieurs syllabes successives contiennent des schwas susceptibles d'être effacés par INI et VCE$_1$, un locuteur parlant à débit normal tend à en faire tomber le nombre maximum compatible avec le principe (P) dont il sera question plus bas. Mais il s'agit là d'une tendance plutôt que d'une nécessité absolue. Il est courant de maintenir deux ou trois schwas successifs sans pour cela donner l'impression d'affecter une diction soignée : [ãvidətəvwar] *envie de te voir*, [ãvidətərəvwar] *envie de te revoir*. Mais à mesure que la séquence s'allonge, le besoin d'effacer certains schwas pour conserver une diction naturelle se fait plus pressant. Tout ceci pour dire qu'il n'est pas possible d'opposer deux styles de conversation normale, dont l'un serait caractérisé par la non-application systématique de INI et VCE$_1$, et l'autre par leur application systématique.

Considérons le syntagme *Jacques redevenait (gai)*, dont les prononciations possibles sont [žakrədvənɛ] et [žakrədəvnɛ][52]. L'input de VCE[53] est la représentation /žak$\#\#$rə$_1$də$_2$və$_3$nɛ/, où nous avons numéroté les schwas pour en faciliter la désignation. VCE$_1$ ne peut pas prendre effet, car ə$_1$ est précédé de $C\#_1 C$; en revanche ə$_2$ et ə$_3$ sont l'un et l'autre du ressort de VCE$_2$, et comme cette règle est obligatoire ils devraient tomber l'un et l'autre, d'où un output final *[žakrədvnɛ]. En fait les deux schwas ne tombent jamais ensemble. Ou bien c'est ə$_2$ qui tombe ([žakrədvənɛ]), ou bien c'est ə$_3$ ([žakrədəvnɛ]). Ces deux prononcia-

51 La règle TRONC$_a$ reste cependant nécessaire pour rendre compte d'effacements comme celui du z final du radical devant le r du futur dans *lirez* /liz+r+ez/. Cette règle est beaucoup moins générale que TRONC$_b$, et les exceptions y sont plus nombreuses. Elle prend par exemple effet dans *écrirez* /ekriv+r+ez/, mais pas dans *suivrez* /süiv+r+ez/. Devant le r du futur, elle n'efface jamais les non-continues : *battrez*, *tordrez*, *convaincrez*, etc. Schane (1968a : 100-101) explique ces formes en supposant que la consonne finale du radical est séparée du r par une voyelle thématique. Nous ne pouvons entrer ici dans les raisons qui nous amènent à rejeter cette analyse. Ceci nous entraînerait dans un réexamen général des conceptions de Schane touchant le système des alternances vocaliques en français, ce qui n'est pas notre propos.

52 La prononciation [žakrədəvnɛ] relève de la lecture à voix haute plutôt que de la conversation normale. Elle est exclue du fait que VCE$_2$ est une règle obligatoire.

53 Nous parlerons simplement de VCE lorsque ce que nous aurons à dire s'appliquera également à VCE$_1$ et à VCE$_2$.

tions sont strictement équivalentes, sémantiquement et stylistiquement. Ou encore considérons *(tu as) envie de te battre*, qui peut se prononcer [ãvidtəbatr], [ãvidətbatr] ou [ãvidətəbatr], mais pas *[ãvidtbatr], quoique les deux schwas soient l'un et l'autre du ressort de VCE$_1$. Voici d'autres exemples :

tu le retrouves	1.	[tülrətruv],	2.	[tülərtruv]
	3.	[tülərətruv],	4.	*[tülrtruv]

la queue de ce renard	1.	[laködsərnar],	2.	[laködəsrənar],
	3.	[laködsərənar],	4.	[laködəsərnar],
	5.	[laködəsərənar],	6.	*[laködsrənar],
	7.	*[laködəsrnar],	8.	*[laködsrnar],

envie de te le demander [54]	1.	[ãvidtəldəmãde],	2.	[ãvidətlədmãde],
	3.	[ãvidtələdəmãde],	4.	[ãvidətlədəmãde],
	5.	[ãvidtələdmãde],	6.	[ãvidətəldəmãde],
	7.	[ãvidətələdmãde],	8.	[ãvidətələdəmãde].

Ces exemples montrent qu'on peut énoncer comme suit le principe qui gouverne le comportement de schwas situés dans des syllabes contiguës et susceptibles d'être effacés par la même règle (VCE$_1$ ou VCE$_2$) :

(P)   VCE$_1$ (ou VCE$_2$) peut effacer autant de schwas qu'on veut, à condition que son output ne contienne aucun groupe de trois consonnes C_1 C_2 C_3, où C_2 et C_3 étaient séparées par un schwa dans l'input.

Le principe (P) est fondé sur la reconnaissance implicite du fait que l'effacement d'un schwa par VCE crée toujours un groupe d'au moins deux consonnes. *(P) n'interdit pas n'importe quel groupe de trois consonnes* dans l'output de VCE, mais seulement certains groupes de trois consonnes bien particuliers [55]. VCE crée par exemple un groupe de trois consonnes dans *prenez le train* [prəneltrɛ], et ceci peut arriver au voisinage immédiat d'un autre schwa : *ne le crevez pas*

---

54 Par souci de brièveté, nous ne donnons pour ce dernier exemple que les prononciations bien formées.

55 Ceci ne ressort pas clairement de la « loi des trois consonnes » de Grammont telle qu'elle est formulée dans son *Traité Pratique* (p. 115) : « la règle générale est qu'il [*e* muet] se prononce seulement lorsqu'il est nécessaire pour éviter la rencontre de trois consonnes. [...] Son maintien ou sa chute dépend essentiellement de ce qui précède ».

[nəlkrəvepa], *plus tard que le scrutin* [plütarkəlskrütɛ̃]. Comme le requiert la description structurale de VCE, de tels groupes ne peuvent naître que de la disparition de schwas précédés d'une seule consonne et immédiatement suivis de deux ou plus.

L'interdiction de certains groupes de consonnes dans l'output de VCE ne peut pas être mise sur le compte d'une contrainte générale qui interdirait à certaines séquences d'apparaître dans les représentations phonétiques [56]. Par exemple dans *il veut que ce travail soit bien fait* on prononce [... vŏksətra...], [... vŏkəstra...] mais pas *[... vŏkstra...], quoique le groupe [kstr] soit présent dans la représentation phonétique de *extraordinaire* et dans une de celles de *lux(e) trop voyant*; il est présent dès la représentation phonologique dans le premier cas, et créé par la règle E-FIN, dans le second. Il ressort de (P) que le caractère bien ou mal formé d'un groupe de trois consonnes dans l'output de VCE ne dépend pas des caractéristiques des consonnes dont ce groupe est constitué, mais de la façon dont il a été créé par VCE. On peut condenser l'essentiel des faits dans le tableau ci-dessous, où nous avons fait abstraction d'éventuelles frontières de mot et marqué d'un astérisque les dérivations impossibles :

	(A)	VCə CC	→	VCCC
*	(B)	VCCə C	→	VCCC
*	(C)	VCə Cə C	→	VCCC
	(D)	VCə Cə C	→	VCCə C
	(E)	VCə Cə C	→	VCə CC

La dérivation (B) est impossible du fait même de la façon dont les règles VCE sont formulées. Reste à comprendre comment on peut interdire (C) et permettre (D) et (E).

Le problème qui se pose à nous est le suivant : nous avons découvert une certaine condition (P) que notre grammaire doit satisfaire si elle veut n'engendrer que des paires son-sens bien formées. Or la grammaire dont nous disposons pour l'instant ne satisfait pas (P), car elle permet des dérivations du type (C). La première idée qui vient à l'esprit est que notre formulation de VCE est inadéquate et qu'il est possible de la remplacer par une autre formulation qui n'ait rien à envier à la première en généralité, tout en rendant impossibles les dérivations du type (C). Nous laissons au lecteur le soin de se convaincre que c'est impossible. Si ce n'est

---

56 Nous pensons à des contraintes terminales (*output constraints*) qui joueraient en phonologie un rôle analogue à celles proposées pour la syntaxe par Ross (1967 : chap. 3) et Pelmutter (1971 : chap. 2).

pas notre formulation de VCE qui est en cause, ce ne peut être que la théorie linguistique dans le cadre de laquelle cette règle est formulée. Ainsi notre incapacité de rendre compte de façon satisfaisante du comportement de schwa en français nous amène à réviser sur certains points nos conceptions touchant l'organisation des grammaires en général. Nous allons nous contenter d'indiquer la portée du problème ainsi posé, sans tenter de le résoudre.

Ce qui est en cause ici, c'est la conception que nous nous faisons de la manière dont les règles phonologiques s'appliquent. Prises en dehors de tout contexte, les règles phonologiques ne sont jamais que des suites de symboles alignés sur du papier. C'est précisément la théorie linguistique qui permet de les interpréter, qui leur assigne en quelque sorte un mode d'emploi. Nous ne remettrons pas en cause ce que nous avons dit des règles phonologiques au chapitre II, si ce n'est sur un point. Voyons comment Chomsky et Halle (1968 : 344) conçoivent la façon dont s'appliquent les règles phonologiques : « Pour appliquer une règle [à une certaine séquence] on commence par passer cette séquence en revue pour déterminer quels sont les segments qui répondent à la description structurale de la règle. Une fois qu'on a repéré tous les segments qui sont dans ce cas, on leur fait subir simultanément les modifications prescrites par la règle. »

Le point qui va nous retenir est la nécessité pour une règle de prendre effet simultanément en tous les points de la séquence qui lui est soumise, ce que nous baptiserons « principe d'application simultanée ». Ce principe semble remis en cause par le comportement de schwa dans des séquences *VCəCəC*. En vertu de ce principe chaque schwa devrait être effacé sans prendre en considération le sort des schwas situés dans les syllabes contiguës. Or nous savons qu'en fait un des deux schwas ne peut être effacé qu'à condition que l'autre ne le soit pas. Plus généralement, on ne peut admettre le principe d'application simultanée sans tenir du même coup pour universellement vraie la proposition (Q) :

(Q)   Lorsque les conditions de la description structurale d'une règle sont remplies en plusieurs points d'une même représentation, la règle opère en chaque point sans tenir compte de ce qui se passe aux autres points.

La proposition (Q) n'a aucun caractère de nécessité logique. C'est une assertion de fait qui limite la classe des langues possibles. A priori, on peut fort bien concevoir des modes d'application différents, par exemple (Q') ou (Q'') :

(Q')   Lorsque les conditions de la description structurale d'une règle sont remplies dans deux syllabes contiguës d'une même représentation, la règle n'opère que dans l'une des deux syllabes au choix. (Q) reste vraie dans tous les autres cas.

(Q″) Les règles phonologiques ne prennent jamais effet que dans les syllabes impaires des mots (comptées en partant de la gauche).

Si (Q′) était vraie, on s'attendrait à ce qu'en français un mot comme *contenter* /kɔntant+e/ ait deux prononciations concurrentes [kɔ̃tante] et [kɔntãte], la règle NAS devant affecter la séquence /ɔnt/ ou la séquence /ant/ au choix, mais pas les deux à la fois. Si (Q″) était vraie, on s'attendrait à ce que *contenter* se prononce [kɔ̃tante], et *mécontenter* [mekɔntãte]. La proposition (Q) est en fait une bonne approximation de la vérité, et on a mis du temps à trouver des données qui la mettent en défaut.

Pour expliquer l'impossibilité de la dérivation (C) de la page 246, supposons qu'au lieu d'affecter simultanément tous les segments d'une même représentation qui répondent à sa description structurale, la règle VCE s'applique en autant de pas successifs que cette représentation contient de schwas qui sont de son ressort, chaque nouvelle application affectant l'output de l'application précédente. Nous dirons que VCE est une règle itérative. L'application itérative de VCE se fait de gauche à droite. Soit une séquence comme /vu#mə#lə#dit/ *vous me le dites*; VCE$_1$ commence par la gauche et efface dans un premier temps le schwa de *me*, produisant /vu#m#lə#dit/. Mais VCE$_1$ ne peut plus prendre effet à nouveau en effaçant le schwa de *le*, car si ce schwa était du ressort de la règle dans la représentation originelle, il ne l'est plus une fois que le schwa de *me* est tombé. En d'autres termes, la première application de VCE$_1$ a créé des conditions nouvelles qui empêchent qu'elle ne prenne effet à nouveau dans la syllabe suivante. Dans cette perspective, le caractère mal formé de *[vumldit] a la même origine que celui de *[samldi] pour *Sam le dit*; dans les deux cas le schwa de *le* est précédé par deux consonnes au moment où il est pris en considération par la règle. Il importe peu que le groupe de consonnes /m#l/ de /vu#m#lə#dit/ soit né d'une application antérieure de VCE$_1$, tandis que celui de /sam#lə#di/ existe déjà lorsque la représentation est soumise à VCE$_1$ pour la première fois[57].

---

[57] L'idée n'est pas nouvelle, qui consiste à voir dans la chute ou le maintien de schwa dans des séries le résultat d'applications répétées (de gauche à droite) d'un même processus. Par exemple Bally (1944 : 279) déclare que « le groupe de consonnes qui arrête la chute de *e* peut résulter de l'amuïssement d'un premier *e* ». Cf. aussi De Félice (1950 : 18) et Delattre (1966 : 24). La même idée a été reprise dans le cadre de la phonologie générative par Milner (1967 : 281, n. 16), Johnson (1970 : 77), Morin et Friedman (1971 : 48-52).

Il est essentiel que l'application itérative de VCE se fasse de gauche à droite. Si elle se faisait de droite à gauche, l'effacement dans un premier temps du schwa de *le* n'empêcherait pas l'effacement ultérieur de celui de *me,* puisque dans /vu#mə#l#dit/ ce schwa est encore du ressort de VCE_1.

Est-ce à dire qu'il faut modifier la théorie linguistique en substituant simplement au principe d'application simultanée un autre principe en vertu duquel toutes les règles phonologiques s'appliqueraient itérativement de gauche à droite? Non, car d'autres langues fournissent des données dont il est impossible de rendre compte par des règles itératives de gauche à droite, mais qui semblent au contraire réclamer une application itérative de droite à gauche[58]. Tout ce que les faits du français suggèrent, c'est que le principe d'application simultanée est incorrect et qu'il doit faire place à un autre qui permette dans certains cas à une règle de se réappliquer à son propre output. Mais il n'est pas nécessaire que l'itération se fasse linéairement de gauche à droite ou de droite à gauche. D'autres modes d'application itérative sont concevables, dans la définition desquels les directions gauche-droite et droite-gauche ne jouent aucun rôle, et qui rendent pourtant compte correctement de faits comme ceux du français[59].

Notons qu'en ce qui concerne l'effacement de schwa, l'interaction de deux règles différentes a exactement les mêmes propriétés que l'interaction de deux applications successives d'une même règle. Nous avons établi entre les règles E-FIN, INI, VCE_1 et VCE_2 les relations d'ordre qui sont représentées par des flèches dans le diagramme ci-dessous :

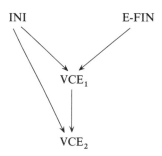

---

58 Un bon exemple est la règle de déglottalisation du Klamath discutée dans Kisseberth (1972*a*).

59 Cf. les références données à la note 61 page 250.

Redonnons les exemples cruciaux qui nous ont servi pour établir ces relations d'ordre : §*je#repars* pour INI et VCE$_1$ (p. 235), §*devenez* pour INI et VCE$_2$ (p. 235), *petite#mesure* pour E-FIN et VCE$_1$ (p. 188) et enfin *tu#devenais* pour VCE$_1$ et VCE$_2$ (p. 234). Il s'agit dans chaque cas d'une forme qui contient deux schwas situés dans des syllabes contiguës, et notre démonstration a consisté chaque fois à montrer que le comportement de schwa de droite dépendait de celui du schwa de gauche, et que la règle susceptible d'affecter le schwa de gauche devait s'appliquer avant celle susceptible d'effacer le schwa de droite. Le résultat à obtenir est toujours le même : empêcher l'effacement du schwa de droite lorsque le schwa de gauche tombe dans des séquences $#C\partial C\partial C$ ou $C\partial #_1 C\partial C$. En effaçant le schwa de gauche, la règle qui est ordonnée en premier (E-FIN, INI ou VCE$_1$) crée des conditions nouvelles qui empêchent la règle ordonnée en second (VCE$_1$ ou VCE$_2$) d'effacer le schwa de droite.

Ces faits militent en faveur des positions extrêmement intéressantes prises récemment par Kenstowicz et Kisseberth, selon lesquels l'interaction entre deux applications successives d'une même règle serait régie par les mêmes principes généraux que l'interaction entre les applications de règles différentes[60]. Nous ne traiterons pas plus avant le problème que pose le mode d'application des règles phonologiques, problème qui est d'ailleurs encore loin d'avoir trouvé une solution satisfaisante malgré toute l'attention qu'on lui a accordé depuis la publication de Chomsky et Halle (1968). Nous renvoyons le lecteur aux travaux cités en note[61]. En soulevant ce problème, notre propos était avant tout de montrer comment des données tirées d'une langue particulière — en l'occurrence le comportement de schwa en français — peuvent être cruciales pour mettre à l'épreuve certaines assertions faites implicitement par une théorie linguistique.

---

60 Cf. Kenstowicz et Kisseberth (1972). A la suite de Kiparsky (1971) et Kisseberth (1972 *b*) ils distinguent entre les ordres d'application « opaques » et les ordres d'application « transparents ». Les relations d'ordre que nous avons établies entre E-FIN, INI, VCE$_1$ et VCE$_2$ sont tous transparentes. Par ailleurs VCE$_1$ doit s'appliquer itérativement de telle façon que l'ordre entre deux de ses applications successives soit transparent. De même pour VCE$_2$.

61 Cf. Anderson (1969, 1971*b*), Johnson (1970), Morin et Friedman (1971), Browne (1972), Kisseberth (1972*a*), Kenstowicz et Kisseberth (1972), Vergnaud (1972), Jensen et Stong-Jensen (1973).

PROBLÈMES RÉSIDUELS
ET RÉCAPITULATION DES RÈGLES

Nous avons décrit l'essentiel des règles qui gouvernent la chute de schwa. Il nous reste à traiter quelques problèmes résiduels.

Montrons d'abord que ELIS doit s'appliquer avant INI. Nous avons fait remarquer (p. 228) que schwa en première syllabe derrière une pause tombe d'autant plus facilement qu'il est éloigné de l'accent principal de groupe. Or nous avons l'intuition que l'on prononce plus facilement [žlavɛ] pour *je lavais* que [žlɛm] pour *je l'aime* et [žlav] pour *je lave*, prononciations qui ne sont pas impossibles, mais auxquelles on préfère nettement [žəlɛm] et [žəlav]. Si ELIS s'applique avant INI, elle récrit d'abord /§žə#lə#ɛm§/ comme /§žə#1#ɛm§/, ce qui a pour conséquence de mettre le schwa de *je* dans la syllabe qui précède immédiatement celle qui porte l'accent de phrase, et donc de le rendre moins facilement sujet à INI que celui de *je* dans /§žə#lavɛ§/, qui est séparé de l'accent de phrase par une syllabe. ELIS précède aussi VCE_1, puisque VCE_1 s'applique après INI. ELIS doit enfin précéder EPEN. Ceci découle des relations d'ordre que nous avons établies entre ELIS et INI, INI et VCE_1, et VCE_1 et EPEN, et est confirmé indépendamment par le fait que la prononciation de schwa est quasiment obligatoire à la fin de *apporte* dans *apporte l'or*. Tant que le schwa de /lə#ɔr/ n'a pas été élidé, la fin du verbe ne précède pas immédiatement l'accent de phrase. Les considérations qui précèdent impliquent aussi que EPEN doit s'appliquer à des représentations où les accents ont déjà été distribués par les règles d'accentuation, puisqu'elle est obligatoire dans certains contextes accentuels et facultative dans d'autres[62]. EPEN doit enfin s'appliquer après la règle SEM, car devant pause on prononce *énorm(e) brouette* mais *énorme chouette*, où *brouette* [bruɛt] est phonétiquement un dissyllabe tandis que *chouette* [šwɛt] est un monosyllabe. Or avant que SEM n'ait pris effet ces mots ont l'un et l'autre des représentations dissyllabiques : /bruɛt/ et /šuɛt/.

Passons à divers problèmes posés par le comportement des clitiques. On appelle ainsi un certain nombre de pronoms qui s'agglutinent autour du verbe (*en, y, ce, me*, etc.) ainsi que la particule *ne*.

---

62 Cf. p. 237.

Le schwa des clitiques sujets du verbe qui apparaissent dans les questions dites à inversion du sujet tombe toujours : *qui est-ce? qui suis-je?*[63]. Selkirk (1972 : 361-363) rend compte de l'harmonie vocalique dans des formes comme *est-il* ([ɛtil] ou [etil]) en posant une règle de rajustement qui supprime toute frontière de mot entre le verbe et les clitiques sujet qui lui sont postposés. Cette hypothèse s'accorde parfaitement avec le fait que ces clitiques perdent obligatoirement leur schwa. Si *suis-je* est un seul mot, son schwa final est du ressort de E-FIN, comme celui de *exige*. Notons encore que si *ce* et *je* post-verbaux étaient séparés du verbe par une frontière de mot, ils devraient être du ressort de VCE$_1$, et on s'attendrait par exemple à ce que *où puis-je me laver?* se prononce non seulement [upw̌ižməlave], mais aussi *[upw̌ižəmlave].

Le clitique *le* pose un problème différent. Notre formulation présente de ELIS est contredite par le fait que schwa se maintient obligatoirement dans *fais-le attendre, rends-le à Jacques*. L'impossibilité de faire la liaison dans *fais-les attendre* et *rends-les à Jacques* montre que dans ces formes, *le* et *les* sont suivis de deux frontières #. Nous reformulerons donc ELIS de façon à ce qu'elle n'affecte que les schwas qui sont séparés de la voyelle suivante par au plus une frontière :

ELIS :   ə → Ø   / —— ([− seg]) V
(OBL)

On rendra de même compte du maintien obligatoire du schwa de *ce* dans *ce à quoi il faut s'attendre, ce en quoi il a tort* en postulant deux frontières # entre *ce* et la préposition qui suit, ce qui est confirmé pour l'absence de liaison dans *celles à qui j'ai parlé, celles en qui j'ai confiance*.

Si un schwa comme celui de *fais-le attendre* /fɛ#lə##atãdr/ échappe obligatoirement à ELIS, il devrait au moins être du ressort de VCE$_1$ et tomber facultativement. Or il n'en est rien. Ceci suggère que notre formulation de VCE$_1$ est elle aussi trop générale. Dans tous les exemples qui nous ont servi à motiver cette formulation, la séquence #Cə sujette à la règle est soit la première syllabe d'un polysyllabe, soit un monosyllabe #Cə# qui est séparé du mot suivant par une seule frontière #. Bref, elle est très étroitement liée à ce qui suit. Encore ceci n'est-il pas suffisant. Il faut en plus que ce qui suit commence par une consonne. En effet les schwas qui sont suivis de +V ou #V et qui par exception

---

63 L'inversion de *je* est limitée aujourd'hui à quelques tournures figées, cf. Grevisse (1959 : 630).

ne sont pas élidés[64] ne sont jamais sujets à VCE_1 : *ça l'a r̲ehaussé, va d̲ehors, pas d̲e hache, prends c̲e hareng.* Nous reformulerons donc VCE_1 comme suit :

$$VCE_1 : \quad \text{ə} \;\to\; \varnothing \quad / \quad V \#_1 C \text{——} (\#)C$$
(FAC)

VCE_1 indique que seuls sont de son ressort les schwas suivis d'une consonne qui appartient au même mot, ou à un mot suivant étroitement lié au précédent. Bref, VCE_1 ne prend effet ni devant $\#\#$ ni devant $\#V$. Des formes comme *cett̲e housse, j̲e hausse les épaules* montrent que VCE_2 et INI doivent être reformulées de façon parallèle :

$$VCE_2 : \quad \text{ə} \;\to\; \varnothing \quad / \quad VC \text{——} (\#)C$$
(OBL)

$$INI \quad : \quad \text{ə} \;\to\; \varnothing \quad / \quad \S\, C \text{——} (\#)C$$
(FAC)

Revenons au clitique *le.* Il faut distinguer deux cas. Premier cas : *le* précède immédiatement un verbe ou un clitique *en* ou *y* qui fait partie du même groupe verbal que lui. Il est alors affecté régulièrement par ELIS et VCE_1 : *tu l'attends, tu l(e) vois, tu l'en empêches, tu l'y forces, empêche-l'en, force-l'y*[65].

Deuxième cas : *le* n'est pas dans un des contextes mentionnés ci-dessus. Il se trouve alors soit en fin de groupe verbal, soit devant un clitique (autre que *en* ou *y*) qui fait partie du même groupe verbal que lui. Il n'est alors jamais sujet à VCE_1[66]. Lorsque *le* se trouve en fin de groupe verbal, il est normal qu'il ne puisse pas être effacé par VCE_1, puisqu'il est suivi de $\#\#$, voyez *rends-l̲e, rends-moi-l̲e*

---

64 Sur *h* aspiré, cf. page 256. Nous supposons qu'au stade de la dérivation où INI et VCE sont applicables, rien ne distingue plus les morphèmes à *h* aspiré des autres, de sorte que *haine* et *aine* ont par exemple même représentation /ɛn/.

65 Il est essentiel que le verbe ou le clitique *en* ou *y* qui suit *le* appartienne au même groupe verbal. Opposez en effet *va l'attendre* et *laissez-le attendre, va l'y mettre* et *laissez-le y croire, va l'en empêcher* et *laissez-le en baver.* Dans le deuxième terme de chaque paire, *le* est le complément d'objet du verbe *laissez* et se trouve en fin de groupe verbal. Il est suivi de deux frontières $\#$, comme le confirme le fait que *les* ne fait pas la liaison dans *laissez-les attendre, laissez-les y croire, laissez-les en baver.*

66 Il est impossible de savoir comment *le* se comporte au regard de ELIS dans ce contexte, car tous les clitiques qu'il peut précéder immédiatement commencent par une consonne.

et les exemples *laissez-le...* de la note 65. Par contre lorsque *le* est suivi d'un autre clitique qui fait partie du même groupe verbal, la raison du maintien de son schwa est moins claire : *rends-le̲-moi, rends-le̲-leur, rends-le̲-lui, tu le̲ leur rends, tu le̲ lui rends.* Nous supposerons que dans ce contexte également, *le* est suivi de deux frontières # [67]. Nous n'avons pour l'instant aucun argument syntaxique pour étayer cette hypothèse, mais la syntaxe des clitiques *le, la, les, lui, leur* pose de toutes façons des problèmes particuliers qui n'ont pas encore été résolus.

Nous postulerons de même l'existence de deux frontières # derrière *ce* dans *ce̲ dont il est question, ce̲ pour quoi nous luttons* [68].

Le clitique *ne* pose des problèmes d'un autre genre. Outre *ne*, on trouve en français huit monosyllabes dont la voyelle est un schwa :

A : *je, de, ce, que*
B : *me, te, se, le*

Du fait de la structure syntaxique du français, si *ne* et un membre de la classe A apparaissent à la file, l'ordre ne peut être que *A#ne*, pas **ne#A*. Pour les membres de la classe B c'est l'inverse : dans les mêmes conditions on a des séquences *ne#B*, pas **B#ne*. Cette généralisation vaut à l'intérieur de tous les constituants qui ne contiennent pas de séquence # #, les seuls qui nous intéressent dans ce qui suit ; le comportement de schwa dans des formes comme *laisse#le̲##n(e)#parler qu'à Paul* découle de la nouvelle formulation de VCE_1 adoptée à la page précédente.

En ce qui concerne le comportement de schwa dans des séquences *A#ne*, on peut énoncer la généralisation suivante :

(G) Quand dans une séquence *A#ne* le schwa de A répond à la description structurale de INI ou VCE et que celui de *ne* répond à la description structurale de VCE, c'est nécessairement le schwa de *ne* qui tombe, ou alors les deux schwas sont maintenus.

---

[67] Comparez *prends-le̲ leur* et *prends l(e) leur*, où schwa peut tomber comme dans *prends l(e) nôtre*. Le parallélisme avec *prends l'autre* et *prends les-z-autres* montre que dans *prends l(e) leur, le* et *leur* sont séparés par une seule frontière #.

[68] Cf. *ce̲ à quoi..., ce̲ en quoi, ce̲ avec quoi*, etc. page 252. *ce* est suivi de deux frontières # lorsque le pronom relatif qui suit est introduit par une préposition, mais pas dans *ce qui, ce que* : *c(e) que nous voulons, c(e) qui t'ennuie.*

Tout se passe donc comme si l'effacement du schwa de *ne* avait la priorité sur celui du schwa du monosyllabe précédent. Voici quelques exemples, avec en regard d'autres (b' – d') qui illustrent le fait que la généralisation (G) vaut pour le seul monosyllabe *ne* :

(a) *ce ne sont pas mes amis* [sənsɔ̃pa...] , *[snəsɔ̃pa][69]
(b) *je ne stérilise pas* [žənste...] , *[žnəste...]
(b') *je le stérilise* [žəlste...] , [žləste...]
(c) *promets de ne le dire qu'à Jean* [prɔmɛdənlədir] , *[prɔmɛdnəl(ə)dir]
(c') *promets de me le dire* [prɔmɛdəmlədir] , [prɔmɛdməl(ə)dir]
(d) *plutôt que de ne pas venir* [...tokdənpa...] , *[...tokədnəpa...]
(d') *plutôt que de me parler* [...tokdəmpa...] , [...tokədməpa...]

Des prononciations comme [žnarivpa] *je n'arrive pas*, [sižnarivpa] *si je n'arrive pas*, [dikəžnarivpa] *dis que je n'arrive pas* montrent que les monosyllabes ne sont pas toujours des exceptions à INI et VCE_1 lorsqu'ils précèdent *ne*. Ils ne le sont que si le schwa de *ne* est encore présent au moment où INI et VCE_1 sont applicables. La prononciation [padnəvö] / [padənvö] (*pas de neveu*) montre d'autre part que (G) ne concerne que la particule *ne*, et pas n'importe quel mot qui commence par #nə-.

On constate une tendance semblable dans les séquences *ne#B* et celles où *ne* est suivi d'un mot qui commence par #Cə- : l'effacement du schwa de *ne* a la priorité sur celui du schwa de la syllabe suivante :

on ne te bat pas [ɔ̃ntəbapa] , *[ɔ̃nətbapa]
tu ne demandes pas [tündəmãdpa] , *[tünədmãdpa]

Bien entendu, le schwa de *ne* n'est effacé en priorité que s'il satisfait à la description structurale de VCE_1 : *Jacques ne te bat pas* [žaknətbapa], *Jacques ne demande pas* [žaknədmãdpa]. D'autre part, c'est toujours le schwa suivant qui tombe lorsque *ne* est précédé d'une pause, puisque *ne* est une exception à INI[70].

Pour rendre compte de ces données, on peut poser le schéma suivant, qui marque comme une exception à INI et à VCE_1 tout schwa qui se trouve dans

---

69 Nous ne donnons pas les prononciations où tous les schwas restent intacts : [sənəsɔ̃pa...], etc.
70 Cf. note 32 page 236.

une syllabe contiguë à une occurrence de *ne* dont le schwa est lui-même du ressort de VCE$_1$:

$$\text{NE-EX} \quad \text{(OBL)} \quad \text{ə} \rightarrow \begin{bmatrix} - \text{ règle INI} \\ - \text{ règle VCE}_1 \end{bmatrix} \Big/ \left\{ \begin{array}{l} \text{\_\_\_\_ \# nə \#} \\ \text{V \#}_1 \text{ nə \# C \_\_\_\_} \end{array} \right\}$$

NE-EX doit s'appliquer après ELIS, et bien sûr avant INI et VCE$_1$. Cette règle rend compte des données, mais elle reflète mal la nature du mécanisme qu'elle prétend décrire : l'effacement du schwa de *ne* par VCE$_1$ a la priorité sur celui des schwas des syllabes contiguës. On pourrait se demander si l'effacement du schwa de *ne* ne peut pas être mis sur le compte d'une règle spéciale qui effacerait facultativement schwa dans le contexte $V \#_1 n$——$\#$. Mais cette solution est intenable. Le lecteur se convaincra aisément que si cette règle est ordonnée avant VCE$_1$ elle permet de dériver *[siždiryɛ̃] pour *si je ne dis rien,* et si elle est ordonnée après VCE$_1$ elle permet de dériver *[ɔ̃nldipa] pour *on ne le dit pas.*

Nous laisserons donc ce problème sans solution vraiment satisfaisante. Il existe probablement un rapport entre le comportement phonologique curieux de la particule *ne* et le fait qu'elle peut toujours être effacée[71]. Toute phrase qui contient une occurrence de *ne* a une variante « familière » obtenue en retranchant *ne* : *(ne) le laisse pas parler, il (n') aime que les plats épicés,* etc.

Quelques remarques pour terminer sur deux questions que nous avons laissées de côté parce que nous ne leur avons pas trouvé de solution satisfaisante. La première a trait au comportement de schwa devant « *h* aspiré ». On appelle ainsi des mots qui commencent phonétiquement par une voyelle, mais qui d'un certain nombre de points de vue se comportent comme s'ils commençaient par une consonne. En nous en tenant à l'essentiel, disons que la voyelle initiale de ces mots ne permet ni la liaison ni l'élision : *les housses* se prononce [leus] et non *[lezus], *le haut* se prononce [ləo] et non *[lo]. Une façon de rendre compte de ces faits est de supposer avec Schane que les mots à *h* aspiré débutent dans leurs représentations phonologiques par une certaine consonne[72],

---

71 La règle responsable de cet effacement est une règle syntaxique et non une règle phonologique.

72 Cf. Schane (1967 : 45-46 ; 1968*a* : 7-8). Cette solution était déjà prônée par Chao (1934). Bally (1944 : 164) parle pour sa part de « consonne zéro ». /ʔ/ nous semble un meilleur candidat que le /h/ proposé par Schane parce qu'il est employé obligatoirement par certains locuteurs et facultativement par d'autres au début des mots à *h* aspiré précédés par un mot à finale consonantique : *il hâche* [ilʔaš].

disons /ʔ/, et qu'il existe une règle phonologique ordonnée après TRONC et ELIS qui efface toutes les occurrences de cette consonne. Mais si *h* aspiré était simplement une consonne initiale comme une autre, les schwas qui le précèdent devraient normalement être sujets à E-FIN, INI et VCE. Nous avons vu qu'en appliquant INI et VCE après la règle qui efface le /ʔ/ initial sous-jacent des mots à *h* aspiré, et en restreignant le contexte de ces deux règles de façons à ce qu'elles ne puissent pas prendre effet devant une voyelle, on rend compte du maintien devant *h* aspiré des schwas qui autrement devraient tomber[73].

Reste à rendre compte du maintien de schwas qui devraient normalement être sujets à E-FIN, maintien dont le caractère facultatif ou obligatoire dépend à la fois du nombre de consonnes qui précèdent schwa, du nombre de frontières # qui le séparent du mot à *h* aspiré, et de la longueur de ce mot : *quelle housse, quell(e) hauteur, il parle haut, il parl(e) hardiment, il chant(e) haut*, etc.[74]

La seconde question que nous laisserons de côté est le maintien de schwa lorsqu'il est suivi d'une liquide et d'un yod : *chandelier chanteriez* etc. On ne peut traiter ce problème sans entrer dans le détail des processus assez complexes qui sont responsables de la distribution des semi-voyelles en français[75]. Disons seulement que contrairement à ce qu'on lit souvent[76], on ne peut pas se contenter d'invoquer la « loi des trois consonnes » pour rendre compte du phénomène. Nous avons vu que le comportement de schwa dépend en général des consonnes qui le précèdent, et non de celles qui le suivent. D'autre part schwa ne se maintient pas devant n'importe quel groupe consonne plus yod, mais seulement devant les groupes liquide plus yod ; opposez *guichetier* [giʃ ̩tye] à *chandelier* [ʃɑ̃dəlye]. Et encore faut-il que ce groupe *Ly* appartienne au même mot, témoin la différence entre *chandelier* et près de Lyon [prɛd(ə)lyɔ̃]. Enfin, pour de nombreux locuteurs dont l'auteur de ces lignes, schwa ne se comporte pas exactement de la même façon selon que le yod qui suit la liquide appartient au même élément lexical ou à une terminaison verbale *-ions, -iez*. Il se maintient par exemple toujours dans *hôtelier, chapelier*, alors qu'il tombe facultativement

---

73 Cf. pages 252-253.

74 Pour une tentative de traitement d'ensemble du comportement de schwa devant les mots à *h* aspiré et ceux du type *yaourt, whisky*, cf. Dell (1970 : 83-105). Notons qu'une source de mots nouveaux (masculins et féminins) à *h* aspiré est la création de sigles dont la première lettre est *F, H, L, M, N, R* ou *S* : *la RATP, la SNCF, le HLM, le FLN*.

75 Cf. note 41 page 239.

76 Cf. par exemple Sten (1966 : 32).

dans *atteliez, appeliez,* à condition que ces mots ne portent pas l'accent de phrase. Reste enfin à déterminer exactement dans quelles conditions apparaissent des prononciations comme [dəmãdriyɔ̃] pour *demanderions.* Il ne suffit certainement pas de dire que certains sujets ont de la difficulté à réaliser la distinction entre [OəryV] et [OriyV]. Il y a en effet gros à parier que les sujets qui prononcent [dəmãdriyɔ̃] au lieu de [dəmãdəryɔ̃] pour *demanderions* ne prononcent jamais *[ãbəryɔ̃] pour *embryon* [ãbriyɔ̃] ni *[friyɔ̃] pour *ferions* [fəryɔ̃].

En conclusion, on trouvera récapitulées ci-dessous les règles auxquelles nous sommes arrivés. Les chiffres entre parenthèses renvoient aux pages où la formulation de ces règles est discutée.

ELIS : $\mathrm{ə} \rightarrow \emptyset$ / —— $([- \text{seg}])\ [+ \text{syll}]$ (203 ; 252)
(OBL)

V-E : $\mathrm{ə} \rightarrow \emptyset$ / V —— (222)
(OBL)

E-AJ : $\left\{ \begin{matrix} \mathrm{ə} \\ \mathrm{e} \end{matrix} \right\} \rightarrow \varepsilon \ \Big/ \ \text{——}\widehat{\ }\mathrm{C}_1 \left\{ \begin{matrix} \# \\ \mathrm{C} \\ \mathrm{ə}\,[- \text{seg}] \end{matrix} \right\}$ (210)
(OBL)

condition : $\mathrm{C}_1\mathrm{C} \neq \mathrm{OL}$

SEM : $\left[\begin{matrix} + \text{son} \\ + \text{haut} \end{matrix} \right] \rightarrow [- \text{syll}]$ / —— V (86)
(OBL)

TRONC $[- \text{son}] \rightarrow \emptyset \ \Big/ \ \text{——} \left\{ \begin{matrix} \left\{ \begin{matrix} + \\ \# \end{matrix} \right\} \mathrm{C} \\ \#\,\# \end{matrix} \right\}$ (182)
(OBL)

NAS $[+ \text{syll}]\ [+ \text{nas}] \left\{ \begin{matrix} \mathrm{C} \\ \# \end{matrix} \right\} \ \rightarrow \ [+ \text{nas}] \ \emptyset \left\{ \begin{matrix} \mathrm{C} \\ \# \end{matrix} \right\}$ (190 ; 192)
(OBL)   1   2   3   1   2   3

ACC : $V \rightarrow \acute{V}$ / —— $C_0(\vartheta C_0)\#$ (218)
(OBL)

PAUS : $\vartheta \rightarrow \emptyset$ / VC_0 —— §   (224)
(OBL)

E-FIN : $\vartheta \rightarrow \emptyset$ / VC_0 —— $\#$ (188 ; 236 ; 243)
(OBL)

NE-EX : $\vartheta \rightarrow \begin{bmatrix} - \text{règle INI} \\ - \text{règle VCE}_1 \end{bmatrix}$ / $\left\{ \begin{array}{l} \text{——} \#n\vartheta\# \\ V\#_1 \, n\vartheta\#C \text{——} \end{array} \right\}$ (256)
(OBL)

INI-EX : $\vartheta \rightarrow [- \text{règle INI}]$ / $\begin{bmatrix} - \text{son} \\ - \text{cont} \end{bmatrix}$ —— $\#_0 \begin{bmatrix} - \text{son} \\ - \text{cont} \end{bmatrix}$ (227)
(OBL)

INI : $\vartheta \rightarrow \emptyset$ / § C——($\#$) C   (227 ; 253)
(FAC)

VCE$_1$: $\vartheta \rightarrow \emptyset$ / $V\#_1$ C —— ($\#$) C   (230 ; 253)
(FAC)

VCE$_2$: $\vartheta \rightarrow \emptyset$ / VC —— ($\#$) C   (229 ; 253)
(OBL)

E-FUT : $\vartheta \rightarrow \emptyset$ / X —— $+r+$ (232)
(FAC)

       condition : $X \neq OL$

EPEN : $\emptyset \rightarrow \vartheta$ / CC —— $\#_1$ C   (236 ; 243)
(FAC)

LIQUEF : $\begin{bmatrix} + \text{cons} \\ + \text{son} \\ - \text{nas} \end{bmatrix} \rightarrow \emptyset$ / $[- \text{son}]$ —— $\#_1$ C   (226 ; 243)
(OBL)

QUESTIONS DE PHONOLOGIE FRANÇAISE

HARM
(FAC)
$\begin{bmatrix} + \text{ syll} \\ - \text{ rond} \\ - \text{ haut} \\ - \text{ arr} \end{bmatrix} \rightarrow [\alpha \text{ bas}] \bigg/ \underline{\quad} C_1 + C_0 \begin{bmatrix} + \text{ syll} \\ \alpha \text{ bas} \end{bmatrix}$ (214)

e-AB
(FAC)
$\begin{bmatrix} + \text{ syll} \\ - \text{ haut} \\ - \text{ rond} \end{bmatrix} \rightarrow [+ \text{ bas}] \bigg/ \underline{\quad} CC$ (216)

Conclusion

Parvenus à la fin de ce livre, certains lecteurs, en particulier ceux qui se sont formés à l'école de théories plus anciennes, ont sans doute le sentiment que comparée à d'autres, l'approche que nous préconisons est relativement abstraite et compliquée. Est-il vraiment nécessaire de payer ce prix si nous voulons comprendre ce qui fait que les sujets sont capables de produire et de comprendre une infinité de phrases qu'ils n'ont jamais entendues auparavant? Abstraction et complication, deux points sur lesquels nous allons nous arrêter tour à tour.

D'abord un mot en ce qui concerne l'abstraction. Une langue n'est pas un objet accessible à l'observation directe; c'est un système de connaissances dont nous postulons l'existence dans le cerveau des locuteurs pour expliquer ce que nous observons. Tout ce que nous pouvons observer, c'est la façon dont les locuteurs mettent ces connaissances à profit dans des cas particuliers pour parler, comprendre ce qu'on leur dit, ou répondre à nos questions sur la prononciation de telle ou telle phrase [1]. Notre tâche n'est pas simplement de décrire minutieusement les données que nous recueillons ou d'en donner une classification raisonnée, mais de les examiner pour former des hypothèses sur la nature exacte du système de connaissances intériorisé par les sujets parlants qui a permis

---

1 Ces données sont les seules que nous ayons prises en considération dans le présent livre, mais il en est bien d'autres qui devront être exploitées systématiquement, comme par exemple celles qu'on peut recueillir en étudiant les troubles du langage, la façon dont les enfants et les adultes apprennent les langues, les systèmes orthographiques et les langues sifflées ou tambourinées, les emprunts d'une langue à l'autre, les changements linguistiques, les langues secrètes, jeux de mots et contrepèteries, la versification et la diction chantée, etc.

à ces données d'exister. Décrire la phonologie d'une langue, c'est fournir un dispositif formel qui remplisse les trois conditions suivantes : (1) établir une correspondance entre l'ensemble des structures superficielles de la langue en question et l'ensemble des représentations phonétiques correspondantes ; (2) satisfaire aux conditions générales imposées à toute grammaire par la théorie linguistique ; (3) être le plus simple [2] de tous les dispositifs qui remplissent les conditions (1) et (2). Ce dispositif se compose d'un lexique, qui est une liste d'unités élémentaires susceptibles d'être combinées, et d'un système de règles. Les règles se rangent en deux grandes catégories. Certaines caractérisent le lexique comme une liste structurée, elles indiquent certaines conditions nécessaires que doivent remplir les unités qui y sont contenues [3]. D'autres assignent une ou plusieurs prononciations à n'importe quelle combinaison de ces unités.

On peut concevoir les règles comme des propositions générales qui sont de la forme : « pour qu'une phrase quelconque qui a la propriété P soit bien formée, il faut qu'elle ait la propriété Q ». L'abstraction intervient inévitablement du fait que les propriétés P et Q en question ne peuvent en général pas être définies directement en termes de l'information contenue dans les seules représentations phonétiques. Il faut prendre en considération la disposition des frontières de mot ou de morphème, l'appartenance des morphèmes à telle ou telle classe syntaxique ou morphologique, la présence d'une voyelle sujette à l'élision, toutes propriétés qu'on peut qualifier d'abstraites en ce sens qu'elles n'ont pas de corrélat spécifique au niveau phonétique, mais dont l'attribution est parfaitement motivée lorsqu'on prend une perspective globale de l'ensemble de la langue décrite (syntaxe, morphologie, lexique, etc.). Abstraction n'est pas synonyme d'arbitraire ni d'apriorisme. L'hypothèse selon laquelle les règles phonologiques s'appliquent successivement, qui est une hypothèse très abstraite sur la façon dont toute langue humaine fonctionne, peut et doit être motivée empiriquement. C'est ce que nous avons fait au chapitre II, où nous avons montré qu'il était nécessaire de recourir à cette hypothèse si on voulait pouvoir décrire dans toute leur généralité certains processus phonologiques courants. Ainsi le recours à des représentations sous-jacentes assez éloignées des représentations phonétiques, ou à des hypothèses très abstraites en matière d'organisation des grammaires,

---

2 Insistons encore une fois sur le fait que « simplicité » est ici un terme technique qui doit être défini avec précision *au sein de la théorie linguistique,* de même que « représentation phonologique », « sonant », « règle phonologique », etc. On est évidemment encore très loin du compte.

3 Il s'agit des règles de structure morphématique, qui circonscrivent le champ des allomorphes possibles.

ne réduit pas notre capacité de « coller » aux données, bien au contraire, puisque notre seule raison d'avoir recours à l'abstraction, c'est de rendre les données intelligibles.

Venons-en maintenant à la complexité du dispositif formel qu'il faut mettre en œuvre pour décrire la phonologie d'une langue. Nous n'employons plus ici le mot « complexité » avec le sens technique qui lui est donné au sein de la théorie linguistique, mais dans son acception commune : « difficile à comprendre à cause du nombre de ses parties et de la multiplicité de leurs rapports ». Le système de connaissances qui sous-tend la capacité des gens à parler et à comprendre une langue est d'une étendue et d'une complexité considérables. C'est fâcheux mais c'est ainsi. Le premier impératif auquel doit répondre une théorie linguistique ou une description d'une langue particulière n'est pas de se laisser assimiler facilement, mais de rendre compte des données.

Au plan de la théorie linguistique, une certaine complexité est probablement inévitable, si nous voulons disposer d'un corps d'hypothèses générales suffisamment riches et spécifiques pour restreindre au maximum la classe des grammaires possibles. Nous pourrons ainsi réduire le nombre de grammaires compatibles avec les données d'une langue particulière. A ce niveau le prix vaut la peine d'être payé, puisqu'il l'est une fois pour toutes. Tout ce qui est mis sur le compte de la théorie linguistique est éliminé des grammaires des langues particulières.

Au plan de la description de langues particulières, le résultat auquel on aboutit (une grammaire ou un pan de grammaire) n'est pas au fond très compliqué ; la complication réside bien plus dans l'argumentation qui mène à ce résultat, argumentation qui consiste à éliminer un certain nombre d'hypothèses concurrentes. Et encore une fois cette argumentation est d'autant plus longue et difficile que la théorie linguistique dans le cadre de laquelle on opère est pauvre ou peu explicite. Si cette théorie est pauvre, elle oblige à prendre en considération un grand nombre de solutions concurrentes et à les écarter en procédant au coup par coup, alors que son rôle est justement d'éliminer dès l'abord la plupart de ces solutions comme impossibles en principe. Si elle est peu explicite, elle ne circonscrit pas avec netteté le champ des hypothèses possibles, d'où des incertitudes et des obscurités, qui sont de loin ce qui contribue le plus à rendre les travaux de linguistique actuels d'un accès difficile. Inutile de préciser que toutes les théories linguistiques proposées à ce jour souffrent de ces deux défauts majeurs ; au moins celle que nous avons présentée se donne-t-elle les moyens d'y remédier.

S'agissant de la complexité des descriptions linguistiques auxquelles on aboutit dans le cadre de la grammaire générative, la comparaison avec des descriptions faites dans le cadre d'autres théories qui ont cours actuellement est trompeuse.

Il est vrai que ces dernières descriptions sont en général plus « simples » : plus courtes, plus faciles à comprendre, etc. Et pour cause. Les données qu'elles prennent en considération sont extrêmement limitées, et surtout, ces données ne forment pas un tout organique. Prenons par exemple une description phonologique faite dans la tradition de l'École de Prague[4]. Une telle description associe à la prononciation de chaque phrase une représentation phonologique qui consiste en une séquence de frontières morphologiques et de segments abstraits baptisés selon les cas phonèmes ou archiphonèmes. Chacun de ces segments est un ensemble de spécifications appelées « traits distinctifs ». Pour l'essentiel, la description phonologique pragoise d'une langue contient : (1) un inventaire des phonèmes et archiphonèmes et leur classification sur la base des traits distinctifs qu'ils contiennent ; (2) un exposé des possibilités de combinaison des phonèmes et des archiphonèmes dans le cadre du mot ou d'une autre unité morphologique ; (3) un ensemble de propositions de la forme : « tel phonème (ou archiphonème) se réalise comme tel son dans tel contexte ». Ces propositions jouent un rôle analogue à celui des règles phonologiques de la phonologie générative. Ce sont elles qui établissent la correspondance entre les représentations phonologiques et les prononciations correspondantes. On pourrait les appeler des « règles de réalisation ». Alors que la grammaire générative accorde une place centrale à l'étude des règles phonologiques et de la façon dont elles interagissent, chez Troubetzkoy et Martinet les règles de réalisation ont un statut mineur. Elles sont données comme allant de soi et ne font jamais l'objet de commentaires approfondis. Il y a à cela deux raisons principales.

D'une part les phonologues de l'École de Prague conçoivent une langue d'abord et surtout comme un système d'éléments qui se définissent par opposition les uns aux autres. Pour eux, décrire une langue, c'est dresser un inventaire complet de ces éléments et en donner une classification systématique. Dans cette perspective, le but de la description phonologique est avant tout de répondre à la question : « quels sont les phonèmes et archiphonèmes de la langue à l'étude, et en quelles positions peuvent-ils apparaître à l'intérieur du mot (du morphème, etc.)? » D'où la prééminence que les descriptions phonologiques pragoises accordent aux points (1) et (2) mentionnés ci-dessus. La deuxième raison pour laquelle la phonologie pragoise n'accorde qu'un statut mineur aux règles de réalisation est la suivante. La nature des procédures de découverte ou de

---

4 Cf. Troubetzkoy (1939) et les travaux d'André Martinet. Une description phonologique souvent donnée en exemple est Martinet (1956).

justification[5] qu'elle utilise impose de façon assez arbitraire des conditions très restrictives au rapport qu'entretiennent les représentations phonologiques et les représentations phonétiques correspondantes[6]. Les représentations phonologiques pragoises ne sont en fait que des représentations phonétiques épurées des redondances phonétiques les plus superficielles. Les régularités immédiatement perceptibles au niveau phonétique, les seules que la phonologie pragoise prenne en considération, sont comme la partie émergée d'un iceberg. Les autres régularités ne peuvent pas être décrites à l'aide des règles de réalisation et doivent être mises sur le compte d'autres mécanismes dont le statut dans la théorie pragoise reste assez flou. Une technique de description qui ne prend en considération qu'une petite portion de l'objet à décrire peut évidemment se payer le luxe d'être assez simple. Quelques exemples pour fixer les idées.

Comme nous, les phonologues pragois font dériver d'une représentation phonologique unique la prononciation de *roue* dans *la roue* [laru] et *cette roue* [sɛtṛu], ou celle de *avou-* dans *avoue* [avu] et *avouez* [avwe], car l'alternance entre [r] et [ṛ] ou entre [u] et [w] peut être prédite en ne tenant compte que du matériel phonique présent dans les représentations phonétiques. Mais ils attribueraient au morphème *appel-* trois allomorphes /apl/, /apœl/ et /apɛl/ pour rendre compte de l'alternance entre *appelez* [aple], *appeliez* [apœlye] et *appelle* [apɛl], et au morphème *gros* les trois allomorphes /gro/, /gros/ et /groz/ selon que ce morphème apparaît dans *gros rocher*, *grosse vague* ou *gros ennui*. Ainsi, telle qu'elle est conçue par les linguistes qui se réclament de la tradition pragoise, la phonologie ne prend en considération qu'une petite partie des alternances auxquelles la prononciation des morphèmes est sujette. Reste à rendre compte de l'alternance entre les différentes représentations phonologiques qui sont attribuées selon les contextes à un même morphème. Les pragois ne nient évidemment pas que ces « substitutions de phonèmes » doivent être décrites en détail, mais pour eux elles ne relèvent pas de la phonologie, mais de la morphologie[7], sur l'organisation de laquelle ils donnent fort peu de détails.

5 Cf. pages 167-168.

6 Voyez là-dessus l'exposé détaillé de Chomsky (1964 : 65-110), repris dans Fodor et Katz (1964 : 85-112). Cette discussion, qui n'a malheureusement pas été traduite en français, est la critique la plus complète et la plus convaincante de la phonologie structuraliste qui ait été publiée à ce jour. Quoiqu'elle vise surtout les structuralistes américains, la plupart des arguments peuvent être repris mutatis mutandis contre la phonologie pragoise. Pour d'autres critiques, cf. Lees (1957), Halle (1959 : 29-24) et Postal (1968 : 3-31, 137-139, 208-228).

7 ... ou de la « morphonologie », pour ceux qui en font un domaine séparé de la morphologie proprement dite, cf. Troubetzkoy (1929, 1931, 1934) et Martinet (1965*b*).

Comme ils soutiennent en outre que les alternances qui relèvent de la phonologie telle qu'ils la conçoivent doivent être décrites sans tenir compte de celles qui relèvent de la morphologie, cela aboutit à isoler arbitrairement du reste de la structure linguistique un petit nombre de régularités superficielles qu'on érige en un système clos dont la description se suffirait à elle-même, avec pour corollaires un lexique foisonnant d'exceptions et de cas de supplétion, et une description des paradigmes flexionnels (conjugaisons et déclinaisons) qui obscurcit les régularités les plus évidentes. Ces deux dernières conséquences sont rarement aperçues, car la plupart des descriptions pragoises se bornent à la « phonologie », et l'étude systématique de la « morphologie » et du lexique est renvoyée aux calendes.

On répète à satiété qu'« une langue est un système où tout se tient », mais on n'en tire pas sérieusement toutes les conséquences. La description de la phonologie d'une langue est une entreprise qui n'a de signification que conçue comme un moment d'un projet plus vaste qui embrasse la langue dans sa totalité. Cette entreprise ne peut être menée à bien si l'on n'envisage pas systématiquement les répercussions que les décisions prises au niveau de la phonologie auront sur l'économie du reste de la description (morphologie, syntaxe, lexique, etc.). Rappelons encore une fois les deux points suivants, sur lesquels on n'insistera jamais trop. D'une part, il est impossible de décrire la phonologie d'une langue sans une connaissance détaillée de sa morphologie, en particulier sans avoir dressé un inventaire systématique des paradigmes flexionnels et des irrégularités apparentes ou réelles qu'ils présentent. D'autre part, même si cette tâche est rarement entreprise en pratique, une description complète de la phonologie d'une langue comporte en principe un répertoire exhaustif de tous les allomorphes qui figurent dans le lexique et de toutes les spécifications idiosyncratiques qui les marquent comme des exceptions à telle ou telle règle. On doit rejeter tout système de règles qui laisse certaines généralisations inexprimées, et oblige de ce fait à accroître la complexité du lexique. En procédant ainsi, nous faisons simplement l'hypothèse qu'au cours de l'apprentissage de la langue les enfants exploitent au maximum toutes les régularités qu'ils sont capables de déceler dans les phrases qu'ils entendent autour d'eux, et qu'ils ne mémorisent que ce qui ne peut pas être prédit par règle.

On est frappé de la situation à première vue paradoxale qui a régné en phonologie en France au cours des dernières décennies. Alors que la théorie linguistique devrait mettre à la disposition de ceux qui entreprennent la description de langues particulières un outillage sans cesse amélioré en rigueur et en efficacité, on constate qu'une séparation de fait s'est installée bien souvent entre la théorie linguistique (appelée aussi linguistique générale) et la pratique de la description des langues[8]. On quitte plus d'une réunion consacrée à la phonologie avec l'impression diffuse qu'il existerait deux catégories de linguistes. Il y aurait d'un côté les « théoriciens » et de l'autre les « praticiens ». Les premiers seraient préoccupés au premier chef de généralités. Ils formeraient une aristocratie rompue au maniement des abstractions, initiée à toutes les subtilités des querelles d'écoles. Parmi les praticiens on rangerait tous ceux qui sont avant tout soucieux de donner une image aussi détaillée et aussi complète que possible de la structure des langues particulières. Ceux-là se baptisent modestement anglicistes, sinisants, africanistes, etc., restreignant explicitement leur compétence à une langue ou une famille linguistique particulière à laquelle ils « appliquent » les théories inventées par les théoriciens. D'un côté les amateurs de « théories », de l'autre les amateurs de « faits », qui souvent ne sont pas loin de considérer que les « théories » sont un luxe plutôt qu'une nécessité, un ornement qui varie selon les fluctuations d'une mode dont on s'informe périodiquement lorsque la compilation des données recueillies sur le terrain en laisse le loisir.

Une telle opposition est parfaitement artificielle. Elle n'est pas née d'on ne sait quelle division naturelle du travail. C'est d'abord une conséquence de l'inadéquation des théories linguistiques qui ont eu cours jusqu'ici. Les praticiens ont raison. Pourquoi s'embarrasseraient-ils de théories nouvelles, si celles-ci ne leurs permettent pas de décrire leur objet plus finement et systématiquement qu'ils ne peuvent le faire à l'aide de la grammaire traditionnelle et des vieux manuels de phonétique ? Une autre raison plus profonde de ce clivage est l'idée qu'on se fait des fins même de la description linguistique et de ce qu'est une théorie linguistique. Décrire les langues dans le cadre d'une théorie linguistique donnée, ce n'est pas raconter dans un jargon standardisé des faits qu'on accumulerait en « appliquant » un ensemble de techniques de description définies une fois pour toutes par la théorie en question. La collecte des données tirée de langues diverses n'est pas une fin en soi, mais un moyen d'accéder à des vérités générales. Une théorie linguistique est un système d'hypothèses faites sur la nature du langage en général, et la description de langues particulières est avant tout un moyen de mettre ces hypothèses à l'épreuve de faits tirés d'un éventail toujours plus large, et de chercher

8 Voyez par exemple le fait que la phonologie de tradition pragoise, qui avait acquis en France une suprématie à peu près indiscutée jusqu'à très récemment, n'a exercé pratiquement aucune influence sur les études les plus minutieuses et les plus complètes de la prononciation du « français standard » qui aient été publiées durant les trente dernières années, comme par exemple Fouché (1956) ou les articles rassemblés dans Delattre (1966).

des données qui permettent d'en former de nouvelles. Quoiqu'elle représente un progrès certain sur celles qui l'ont précédée, la théorie linguistique que nous avons présentée n'est encore qu'une ébauche de l'édifice qui reste à construire. Espérons que ce livre aura donné à quelques uns le goût de contribuer à cette entreprise.

Références

Le sigle *QPR* renvoie à *Quarterly Progress Report, Research Laboratory of Electronics, Massachusetts Institute of Technology,* Cambridge, Massachusetts.

ANDERSON, S. R., 1969 : *West Scandinavian Vowel Systems and the Ordering of Phonological Rules,* Ph. D. Diss., MIT, inédit.

———— 1970 : On Grassmann's Law in Sanskrit, *Linguistic Inquiry,* 1-4 : 387-396.

———— 1971*a* : On the description of « apicalized » consonants, *Linguistic Inquiry,* II-1 : 103-107.

———— 1971*b* : On algorithms for applying phonological rules, *QPR* n° 103 : 159-164.

APPLEGATE, J. R., 1961 : Phonological rules of a subdialect of English, *Word* 17-2 : 186-193.

BACH, E., 1968 : Two proposals concerning the simplicity metric in phonology, *Glossa* 2 : 128-149.

BALLY, C., 1944 : *Linguistique Générale et Linguistique Française,* Berne : Francke.

BENTLEY, W. H., 1887 : *Dictionary and Grammar of the Kongo Language,* Londres : Trübner.

BIERWISCH, M., 1967 : Syntactic features in morphology : general problems of so-called pronominal inflection in German, dans *To Honor Roman Jakobson, Essays on the Occasion of his Seventieth Birthday,* vol. I, 238-270, La Haye : Mouton.

———— 1968 : Two critical problems in accent rules, *Journal of Linguistics,* 4 : 173-178.

BLANCHE-BENVENISTE, C et A. CHERVEL, 1969 : *L'Orthographe,* Paris : Maspero.

BLOOMFIELD, L., 1933 : *Language,* New York : Holt.

———— 1939 : Menomini morphophonemics, *Travaux du Cercle Linguistique de Prague,* VIII : 105-115.

BOTHA, R. P., 1971 : *Methodological Aspects of Generative Phonology,* La Haye : Mouton.

BRAME, M. K., 1971 : Stress in Arabic and generative phonology, *Foundations of Language,* 556-591.

————, éd., 1972 : *Contributions to Generative Phonology,* Austin : University of Texas Press.

————, 1972 : On the abstractness of phonology : Maltese ?, dans Brame, éd., 1972 : 22-61.

269

BRESNAN, J. W., 1971 : Sentence stress and syntactic transformations, *Language,* 47 : 257-281, repris dans Brame, éd., 1972 : 71-107.

———— 1972 : Stress and syntax : a reply, *Language,* 48 : 326-342.

BRIGHT, W., 1957 : *The Karok Language,* University of California Publications in Linguistics n° 13, Berkeley et Los Angeles : University of California Press.

BROWNE, E. W., 1972 : How to apply phonological rules, *QPR* n° 105 : 143-146.

BROWNE, E. W. et J. D. MCCAWLEY, 1965 : Srpskohrvatski akcenat (l'accent en serbocroate), *Zbornik matice srpske za filologiju i lingvistiku* (Novi Sad), 8, 147-151.

CHAFE, W. L., 1968 : The ordering of phonological rules, *International Journal of American Linguistics,* 34 : 115-136.

CHAO, Y.-R., 1934 : The non-uniqueness of phonemic solutions of phonetic systems, *Bulletin of the Institute of History and Philology, Academia Sinica,* vol. IV, part 4 : 363-397; repris dans Joos, éd., 1957.

CHOMSKY, N., 1957 : *Syntactic Structures,* La Haye : Mouton; trad. franç., Éditions du Seuil, 1969.

———— 1962 : A transformational approach to syntax, dans Fodor et Katz, éds., 1964 : 211-245; trad. franç. dans Ruwet, éd., 1966 : 39-80.

———— 1964 : *Current Issues in Linguistic Theory,* La Haye : Mouton.

———— 1965 : *Aspects of the Theory of Syntax,* Cambridge, Mass. : The MIT Press; trad. franç. J.-C. Milner, *Aspects de la théorie syntaxique,* 1971, Paris : Éditions du Seuil.

———— 1966 : *Cartesian Linguistics,* New York : Harper and Row; trad. franç. *La linguistique cartésienne,* 1969, Paris : Éditions du Seuil.

———— 1967*a* : The formal nature of language, en appendice dans E. H. Lenneberg, *Biological Foundations of Language,* New York : Wiley; trad. franç. en appendice à la trad. franç. de Chomsky, 1966.

———— 1967*b* : Some general properties of phonological rules, *Language,* 43-1 : 102-128.

———— 1972 : *Studies on Semantics in Generative Grammar,* La Haye : Mouton.

CHOMSKY, N. et M. HALLE, 1965 : Some controversial questions in phonological theory, *Journal of Linguistics,* 1 : 97-138.

CHOMSKY, N. et M. HALLE, 1968 : *The Sound Pattern of English,* New York : Harper and Row; trad. franç. P. Encrevé des chap. 1, 2, 7, 8 et 9, parue aux Éditions du Seuil sous le titre *Principes de phonologie générative.*

CHOMSKY, N. et G. MILLER, 1963 : Introduction to the formal analysis of natural languages, dans R. D. Luce, R. Bush et E. Galanter, éds., *Handbook of Mathematical Psychology,* vol. II : 269-322, New York : Wiley; trad. franç. Ph. Richard et N. Ruwet, *L'analyse formelle des langues naturelles,* 1968, Paris : Gauthier-Villars.

CONTRERAS, H., 1969 : Simplicity, descriptive adequacy, and binary features, *Language,* 45 : 1-8.

DAVIS, I., 1966 : c.-r. de Newman, 1965, *International Journal of American Linguistics,* 32-1 : 82-84.

DE FÉLICE, T., 1950 : *Éléments de grammaire morphologique,* Paris : Didier.

DELATTRE, P., 1966 : *Studies in French and Comparative Phonetics,* La Haye : Mouton.

DELL, F., 1970 : *Les règles phonologiques tardives et la morphologie dérivationnelle du français,* Ph. D. Diss., MIT, inédit.

———— 1972 : Une règle d'effacement de *i* en français, *Recherches Linguistiques* 1 : 63-87, Université de Paris-Vincennes.

———— 1973*a* : « *e* muet », fiction graphique ou réalité linguistique?, dans S. Anderson et P. Kiparsky, éds., *Studies Presented to Morris Halle*, New York : Holt, Rinehart et Winston.

———— 1973*b* : Two cases of exceptional rule ordering, dans F. Kiefer et N. Ruwet, éds., *Generative Grammar in Europe*, Dordrecht : Reidel.

DENES, P. B. et E. N. PINSON, 1963 : *The Speech Chain*, Bell Telephone Laboratories; trad. franç. *La chaîne de la communication verbale*, 1970, Montréal.

DURAND, M., 1936 : *Le genre grammatical en français parlé*, Paris : d'Artrey.

EBELING, C. L., 1960 : *Linguistic Units*, La Haye : Mouton.

FASOLD, R. W., 1970 : Two models of socially significant linguistic variation, *Language*, 46-3 : 551-563.

FODOR, J. A. et J. J. KATZ, éds., 1964 : *The Structure of Language; Readings in the Philosophy of Language*, Englewood Cliffs : Prentice Hall.

FOUCHÉ, P., 1956 : *Traité de prononciation française*, Paris : Klincksieck.

GOUGENHEIM, G., 1935 : *Éléments de phonologie française*, Strasbourg : Publications de la Faculté des Lettres de l'Université de Strasbourg.

GRAMMONT, M., 1894 : Le Patois de Franche-Montagne et en particulier de Damprichard (Franche-Comté) : IV, la loi des trois consonnes, *Mémoires de la Société de Linguistique*, VIII : 53-90.

———— 1914 : *Traité Pratique de Prononciation Française*, Paris : Delagrave, (cité d'après l'édition de 1966).

GREVISSE, M., 1959 : *Le bon usage*, Gembloux : Duculot, 7ᵉ éd. revue.

GROSS, M. et A. LENTIN, 1967 : *Notions sur les grammaires formelles*, Paris : Gauthier-Villars.

HADEN, E., 1965 : Mute *e* in French, *Lingua*, 13 : 166-176.

HALE, K., 1965 : Some preliminary observations on Papago morphophonemics, *International Journal of American Linguistics*, 31-4 : 295-305.

HALLE, M., 1959 : *The Sound Pattern of Russian*, La Haye : Mouton.

———— 1962 : Phonology in generative grammar, *Word*, 18 : 54-72; repris dans Fodor et Katz, éds., 1964, 334-352; trad. franç. dans Schane, éd., 1967, 13-36.

———— 1969 : How not to measure lenght of lexical representations and other matters, *Journal of Linguistics*, 5 : 305-308.

———— 1970 : A note on the accentual patterns of the Russian nominal declension, dans R. Jakobson et S. Kawamoto, éds., *Studies in General and Oriental Linguistics Presented to Shiro Hattori on the Occasion of His Sixtieth Birthday*, 167-174, Tokyo : TEC Company.

———— 1971 : Remarks on Slavic Accentology, *Linguistic Inquiry*, II-1 : 1-19.

———— 1973 : Prolegomena to a theory of word formation, *Linguistic Inquiry*, IV-1 : 3-16.

HALLE, M. et S. J. KEYSER, 1967 : Les changements phonétiques conçus comme changements de règles, dans Schane, éd., 1967 : 94-111.

———— 1971 : *English Stress*, New York : Harper and Row.

HALLE, M. et K. N. STEVENS, 1969 : On the feature « advanced tongue root », *QPR* n° 94 : 209-215.

HARMS, R. T.   1968 : *Introduction to Phonological Theory*, Englewood Cliffs : Prentice-Hall.

HARRIS, Z. S., 1951 : *Methods in Structural Linguistics*, Chicago : The University of Chicago Press ; (cité d'après l'édition de 1961 parue sous le titre *Structural Linguistics*)

HARRIS, J. W., 1969 : *Spanish Phonology*, Cambridge, Mass. : The MIT Press.

HAUDRICOURT, A. G. et J. M.-C. THOMAS, 1967 : *La notation des langues ; phonétique et phonologie*, Paris : Imprimerie de l'Institut Géographique National.

HJELMSLEV, L., 1948 : Le système d'expression du français moderne, (résumé basé sur des notes de E. Fischer-Jørgensen), *Bulletin du Cercle Linguistique de Copenhague*, VIII-XXI, 1941-1965 : 217-224, Copenhague, 1970.

HOOPER, J. B., 1972 : The syllable in phonological theory, *Language*, 48-3 : 525-540.

HYMAN, L. M., 1970 : How concrete is phonology ?, *Language*, 46-1 : 58-76.

JAKOBSON, R., 1949 ; The phonemic and grammatical aspects of language in their inter-relations, *Actes du VIe Congrès International des Linguistes, Paris 1949 ;* trad. franç. dans 1963, 161-175.

————— 1958 : Typological studies and their contribution to historical linguistics, *Proceedings of the VIIIth International Congress of Linguists, Oslo, 1957 ;* repris dans 1962, 523-531, et en trad. franç. dans 1963, 68-77.

————— 1962 : *Selected Writings, vol. I : Phonological Studies*, La Haye : Mouton.

————— 1963 : *Essais de Linguistique Générale*, trad. franç. N. Ruwet, Paris : Éditions de Minuit.

JAKOBSON, R., G. FANT et M. HALLE, 1952 : *Preliminaries to Speech Analysis*, Cambridge, Mass. : The MIT Press.

JAKOBSON, R. et M. HALLE, 1956 : *Fundamentals of Language*, La Haye : Mouton ; partiellement repris dans Jakobson, 1962 et dans Malmberg, 1968 ; trad. franç. aux chap. 2 et 6 de Jakobson, 1963.

JENSEN, J. T. et M. STONG-JENSEN, 1973 : A revised directional theory of rule application in phonology, *QPR* n° 108 : 270-277.

JOHNSON, D., 1970 : *Formal Aspects of Phonological Description, Project On Linguistic Analysis Reports, Second Series n° 11*, Department of Linguistics, University of California, Berkeley,

JOOS, M., éd., 1957 : *Readings in Linguistics, I*, Chicago : The University of Chicago Press.

KENSTOWICZ, M. et KISSEBERTH, C., 1970 : Rule ordering and the assymetry hypothesis, *Papers from the Sixth Regional Meeting*, Chicago : Chicago Linguistic Society, 504-519.

————— 1972 : The multiple application problem in phonology, à paraître dans C. W. Kisseberth, éd., *Studies in Generative Phonology*, Champaign et Edmonton : Linguistic Research, Inc.

KEYSER, S. J., 1963 : c.-r de Kurath et McDavid, 1961, *The Pronunciation of English in the Atlantic States, Language*, 39 : 303-316.

KIEFER, F., 1970 : *Swedish Morphology*, Stockholm : Striptor.

————— 1971 : Danish verb morphology, *Linguistische Berichte* 15 : 1-11.

————— 1973 : *Generative Morphologie des Neufranzösischen*, Tübingen : Niemeyer.

KING, R. D., 1969 : *Historical Linguistics and Generative Grammar*, Englewood Cliffs : Prentice-Hall.

KIPARSKY, P., 1967 : A propos de l'histoire de l'accentuation grecque, dans Schane, éd., 1967, 73-93.

————— 1968*a* : Linguistic universals and linguistic change, dans E. Bach et R. T. Harms, éds., *Universals in Linguistic Theory*, 170-202, Londres et New York : Holt, Rinehart et Winston.

————— 1968*b* : How abstract is phonology?, stencilé, reproduit par Indiana University Linguistics Club.

————— 1970 : Historical Linguistics, dans J. Lyons, éd., *New Horizons in Linguistics*, 302-315, Harmondsworth : Penguin Books.

————— 1971 : Historical linguistics, dans W. O. Dingwall, éd., *A Survey of Linguistic Science*, 577-649, University of Maryland.

KISSEBERTH, C. W., 1969*a* : *Theoretical Implications of Yawelmani Phonology*, Ph. D. Diss., University of Illinois, inédit.

————— 1969*b* : On the abstractness of phonology : the evidence from Yawelmani, *Papers in Linguistics*, I-2.

————— 1970*a* : The treatment of exceptions, *Papers in Linguistics*, II-1.

————— 1970*b* : On the functional unity of phonological rules, *Linguistic Inquiry*, I-3 : 291-306.

————— 1970*c* : c.-r. de Kuroda, 1967, *Linguistic Inquiry*, I-3 : 337-345.

————— 1970*d* : Vowel elision in Tonkawa and derivational constraints, dans J. M. Sadock et A. L. Vanek, éds., *Studies Presented to Robert B. Lees by his Students*, 109-137, Edmonton : Linguistic Research, Inc.

————— 1972*a* : An argument against the principle of simultaneous application of phonological rules, *Linguistic Inquiry*, III-3 : 392-396.

————— 1972*b* : Is rule ordering necessary?, à paraître dans B. Kachru et al., éds., *Papers in Linguistics in Honor of Henry and Renée Kahane*, Champaign : University of Illinois Press.

KURODA, S. Y., 1967 : *Yawelmani Phonology*, Cambridge : The MIT Press.

LABOV, W., 1969 : Contraction, deletion, and inherent variability of the English copula, *Language* 45-4 : 715-762.

————— 1970 : The study of language in its social context, *Studium Generale*, 23 : 30-87; repris dans J. Fishman, éd., 1971, *Advances in the Sociology of Language*, 152-216, La Haye : Mouton.

————— 1971 : Methodology, dans W. O. Dingwall, éd., *A Survey of Linguistic Science*, 412-497 College Park : University of Maryland.

LADEFOGED, P., 1962 : *Elements of Acoustic Phonetics*, Chicago : The University of Chicago Press.

————— 1964 : *A Phonetic Study of West African Languages*, Cambridge : Cambridge University Press.

————— 1971 : *Preliminaries to Linguistic Phonetics*, Chicago : The University of Chicago Press.

LEBEN, W. R., 1971 : The morphophonemics of tone in Hausa, dans C. W. Kim et H. Stahlke, éds., *Papers in African Linguistics*, Edmonton : Linguistic Research, Inc.

LEES, R. B., 1957 : c.-r. de Chomsky, 1957, *Language* 33 : 375-408.

273

REFÉRENCES

LEON, P., 1966 : Apparition, maintien et chute du « e » caduc, *La Linguistique*, 2 : 111-122.

LERAY, F., 1930 : La loi des trois consonnes, *Revue de Philologie Française*, XLII : 161-184.

LYONS, J., 1970 : *Chomsky*, Londres : Collins; trad. franç. V. Gadbois et B. Gill, 1971, Paris : Seghers.

MCCAWLEY, J. D., 1967 : Le rôle d'un système de traits phonologiques dans une théorie du langage, dans Schane, éd., 1967, 112-123.

————— 1968 *a* : *The Phonological Component of a Grammar of Japanese*, La Haye : Mouton.

————— 1968 *b* : c.-r. de T. Sebeok, éd., 1966, *Current Trends in Linguistics, vol. 3 : Theoretical Foundations, Language*, 44-3 : 556-593.

————— 1971 : On the role of notation in generative phonology, stencilé, reproduit par Indiana University Linguistics Club.

MALECOT, A., 1955 : The elision of French mute-e within complex consonantal clusters, *Lingua*, V : 45-60.

MALMBERG, B., 1954 : *La Phonétique*, Paris : Presses Universitaires de France, « Que Sais-je ? » n° 637.

————— éd., 1968 : *Manual of Phonetics*, Amsterdam : North-Holland.

————— 1969 : *Phonétique Française*, Malmö : Hermods.

MARAN, L., 1971 : *Burmese and Jingpho : a study of tonal linguistic processes*, Occasional Papers of the Wolfenden Society on Tibeto-Burman Linguistics, vol. IV, F. K. Lehman éd., Urbana : University of Illinois.

MARTINET, A., 1945 : *La prononciation du français contemporain*, Genève-Paris : Droz.

————— 1949 : Occlusives and affricates with reference to some problems of Romance philology, *Word*, 5 : 116-122.

————— 1956 : *La description phonologique, avec application au parler franco-provençal d'Hauteville (Savoie)*, Genève : Droz.

————— 1960 : *Elements de linguistique générale*, Paris : Armand Colin.

————— 1962 : *A Functional View of Language*, Oxford : Clarendon Press.

————— 1965 *a* : *La linguistique synchronique*, Paris : Presses Universitaires de France.

————— 1965 *b* : De la morphonologie, *La Linguistique*, 1 : 15-30.

————— 1969 : *Le français sans fard*, Paris : Presses Universitaires de France.

MARTINON, P., 1913 : *Comment on prononce le français*, Paris : Larousse.

MATTHEWS, G. H., 1970 : Some notes on the proto-siouan continuants, *International Journal of American Linguistics*, 36 : 98-109.

MATTHEWS, P. H., 1970 : Recent developments in morphology, dans J. Lyons, éd., *New Horizons in Linguistics*, 96-114, Harmondsworth : Penguin Books.

MENDE, A., 1880 : *Étude sur la prononciation de l'e muet*, Londres : Trubner.

MICHAEL, D., 1971 : A note on some exceptions in Zuni phonology, *International Journal of American Linguistics*, 37-3 : 189-192.

MILLER, G. A., 1964 : Language and psychology, dans E. H. Lenneberg, éd., *New Directions in the Study of Language*, 89-107, Cambridge, Mass : The MIT Press.

————— 1970 : *The Psychology of Communication, Seven Essays*, Harmondsworth : Penguin Books.

MILNER, J.-C., 1967 : French truncation rule, *QPR* n° 86 : 273-283.

MORIN, Y. C., 1971 : *Computer Experiments in Generative Phonology, Low-Level French Phonology,* Natural Language Studies n° 11, Department of Computer and Communication Sciences, The University of Michigan, Ann Arbor.

———— 1972 : The phonology of echo-words in French, *Language,* 48 : 97-108.

MORIN, Y. C., et J. FRIEDMAN, 1971 : *Phonological Grammar Tester : Underlying Theory,* Natural Language Studies n° 10, Department of Computer and Communication Sciences, The University of Michigan, Ann Arbor.

NEWMAN, P., 1968 : The reality of morphophonemics, *Language,* 44-3 : 507-515.

NEWMAN, S., 1944 : *Yokuts Language of California,* Viking Fund Publications in Anthropology n° 2, New York.

———— 1965 : *Zuni Grammar,* University of New Mexico Publications in Anthropology n° 14, Albuquerque.

———— 1967 : Zuni grammar : alternative solutions versus weaknesses, *International Journal of American Linguistics,* 33-3 : 187-192.

NYROP, K., 1903 : *Grammaire historique de la langue française,* vol. I, Copenhague : Bojesen.

PERKELL, J. S., 1971 : Physiology and speech production : a preliminary study of two suggested revisions of the features specifying vowels, *QPR* n° 102 : 123-139.

PERLMUTTER, D., 1971 : *Deep and Surface Structure Constraints in Syntax,* New York : Holt, Rinehart et Winston.

PIKE, K., 1948 : *Tone Languages,* Ann Arbor : University of Michigan Press.

PLEASANTS, J., 1956 : *Études sur l'e muet,* Paris : Klincksieck.

POSTAL, P. M., 1968 : *Aspects of Phonological Theory,* New York : Harper and Row.

PULGRAM, E., 1961 : French /ə/ : statics and dynamics of linguistic subcodes, *Lingua* X : 305-325.

RARDIN, R. B., 1969 : On Finnish vowel harmony, *QPR* n° 94 : 226-231.

ROSS, J. R., 1967 : *Constraints on Variables in Syntax,* Ph. D. Diss., MIT, stencilé, reproduit par Indiana University Linguistics Club.

———— 1972 : A reanalysis of English word stress, dans M. Brame, éd., 229-323.

RUWET, N., éd., 1966 : *La grammaire générative, Langages* n° 4, Paris : Larousse.

———— 1967 : *Introduction à la grammaire générative,* Paris : Plon.

SAMPSON, G., 1970 : On the need for a phonological base, *Language,* 46-3 : 586-626.

SAPIR, E., 1925 : Sound patterns in language, *Language,* 1 : 37-51 ; repris dans 1949, 33-45, et en trad. franç. dans 1968.

———— 1933 : La réalité psychologique des phonèmes, *Journal de Psychologie Normale et Pathologique,* XXX : 247-265 ; repris dans 1968, et (en anglais) dans 1949, 46-60.

———— 1949 : *Selected Writings of Edward Sapir,* D. G. Mandelbaum, éd., Berkeley et Los Angeles : University of California Press.

———— 1968 : *Linguistique,* recueil d'articles trad. J.-E. Boltanski et N. Soulé-Susbielles, Paris : Éditions de Minuit.

SCHANE, S. A., éd., 1967 : *La phonologie générative, Langages* n° 8, Paris : Larousse.

———— 1967 : L'élision et la liaison en français, dans Schane, éd., 37-59, (adaptation française du premier chapitre de 1968 *a*).

———— 1968 *a* : *French Phonology and Morphology,* Cambridge, Mass. : The MIT Press.

275

———— 1968 *b* : On the abstract character of French « e muet », *Glossa*, 2-2 : 150-163.
———— 1972 : The hierarchy for the deletion of French « e muet », *Linguistics*, 82 : 63-69.

SELKIRK, E. O., 1972 : *The Phrase Phonology of English and French*, Ph. D. Diss., MIT, inédit.

SMALLEY, W. A., 1968 : *Manual of Articulatory Phonetics*, Tarrytown : Practical Anthropology.

SPE : abréviation pour *The Sound Pattern of English*, cf. Chomsky et Halle, 1968.

STANLEY, R., 1967 : Redundancy rules in phonology, *Language*, 43-2 : 393-436.

STEN, H., 1966 : *Manuel de phonétique française*, Copenhague : Munksgaard.

TEDLOCK, D., 1969 : The problem of *k* in Zuni phonemics, *International Journal of American Linguistics*, 35-1 : 67-71.

TOGEBY, K., 1951 : *Structure immanente de la langue française*, Paris : Larousse.

TROUBETZKOY, N. S., 1929 : Sur la morphonologie, *Travaux du Cercle Linguistique de Prague*, I : 85-88.

———— 1931 : Gedanken über Morphonologie, *Travaux du Cercle Linguistique de Prague*, IV : 160-163 ; trad. franç. en appendice à 1939, 337-341.

———— 1934 : Das morphonologische System der russischen Sprache, *Travaux du Cercle Linguistique de Prague*, V₂.

———— 1939 : *Grundzüge der Phonologie, Travaux du Cercle Linguistique de Prague*, VII, cité d'après la trad. franç. J. Cantineau, 1949, *Principes de Phonologie*, Paris : Klincksieck.

VACHEK, J., 1966 : *The Linguistic School of Prague*, Bloomington : Indiana University Press.

VALDMAN, A., 1970 : Competing models of linguistic analysis : French adjective inflection, *The French Review*, XLIII-4 : 606-623.

VERGNAUD, J.-R., 1970 : Somes properties of the French consonantal system, manuscrit inédit, MIT.

———— 1972 : On the formalization of infinites sets of phonological rules, *QPR* n° 104 : 249-256.

WALKER, W., 1966 : c.-r. de Newman, 1965, *Language*, 42 : 176-180.

WANG, W. S.-Y., 1967 : Phonological features of tone, *International Journal of American Linguistics*, 44 : 93-105.

WEINREICH, U., W. LABOV et M. HERZOG, 1968 : Empirical foudations for a theory of language change, dans W. Lehmann et Y. Malkiel, éds., *Directions for Historical Linguistics*, 97-195, Austin : The University of Texas Press.

WEINRICH, H., 1958 : *Phonologische Studien zur Romanischen Sprachgeschichte*, Munster : Aschendorff.

WESTERMANN, D. et I. C. WARD, 1933 : *Practical Phonetics for Students of African Languages*, London : Oxford University Press.

WONDERLY, W. L., 1951, 1952 : Zoque I, II, III, IV, et V, *International Journal of American Linguistics*, 17 : 1-9, 105-123, 137-162, 235-251, et 18 : 35-48.

WOO, N., 1969 : *Prosody and Phonology*, Ph. D. Diss., MIT, stencilé, reproduit par Indiana University Linguistics Club.

WOO, N., 1970 : Tone in Northern Tepehuan, *International Journal of American Linguistics*, 36 : 18-30.

WURZEL, W., 1970 : Morphologie und segmentale Phonologie des Deutschen, *Studia Grammatica* VIII.

ZEPS, V. J. et M. HALLE, 1971 : Outline of the accentuation in inflectional pradigms of literary Lithuanian with an appendix on the accentuation of nominal derivatives, *QPR* nº 103 : 139-158.

ZIMMER, K., 1969 : Markedness and the problem of indeterminacy of lexical representations, *International Journal of American Linguistics*, 35-3 : 264-266.

ZWANENBURG, W., 1968 : Quelques remarques sur le statut phonologique de *e* muet en français moderne, dans A. Juilland, éd., *Linguistic Studies Presented to André Martinet, Part Two : Indo-European Linguistics, Word* 24 : 508-518.

Index

Lorsqu'une règle appartient à une langue autre que le français, ceci est indiqué entre parenthèses. Ainsi, dans le présent index, « ELIS (Zuni) » renvoie à la règle d'élision du Zuni, et « ELIS » renvoie à celle du français. Une rubrique comme « ELIS-EPEN » renvoie à la page où sont données les raisons qui conduisent à ordonner la règle ELIS avant la règle EPEN.

279

discret 51.
disjonctif 218 n. 47.
distinctif 105, 107.
dos de la langue 59.

e-AB 216.
e-AJ 209.
E-AJ 210.
E-AJ—ACC 218.
E-AJ—HARM 215.
ə-AJ$_a$ 198.
ə-AJ$_a$—TRONC 199.
ə-AJ$_b$ 198.
ə-AJ$_c$ 200.
ə-AJ$_c$—VCE$_2$ 200.
E-FIN 188, 236, 243.
E-FIN—VCE$_1$ 188.
E-FIN$_1$ 224.
E-FIN$_2$ 225.
E-FUT 232.
élément lexical 31, 36.
ELIS 203, 252.
ELIS—ə-AJ 203.
ELIS—EPEN 251.
ELIS—INI 251.
ELIS—NE-EX 256.
ELIS (Zuni) 98.
engendrer 23, 25, 26.
entrée lexicale 36.
épellation 81, 170.
EPEN 236, 243, 251.
EPEN—LIQUEF 238.
épenthèse de schwa 187, 212-214, 236.
exceptions 137-140, 154 n. 39, 230, 242.

facultatif 79, 224, 228 n. 16.
formalisme 136.
formes longues et formes courtes 181.
formel 27.

formule 20.
fricative 61.
frontières (effacement des ∼) 75.
frontières de morphème 30, 134-137, 201-202.
frontières de mot 37, 42, 137.

généralisation significative 167.
généralité 163-167.
glide 63-64.
glottalisé 100 n. 39.
glotte 56; coup de ∼ 64.
grammaire 20, 23, 47, 137, 162, 164; ∼ générative 26; ∼ la plus simple 168-170.
grammatical 20 n. 4.

HARM 214; ∼ (Kongo) 89; ∼ (Yawelmani) 146.
harmonie vocalique, cf. HARM.
haut 59.
hauteur mélodique 56-57.
H-EF 112.
H-INS (Zoque) 132-133.
homophone 18 n. 3.

idiosyncratique 35.
incomplètement spécifié 105.
indicateur syntagmatique 41 n. 17.
infixe 171 n. 58.
INI 227, 253.
INI—VCE$_1$ 235.
INI—VCE$_2$ 235.
input 70, 73.
intensité 56-57.
intonation 53, 57, 84.